Friedrich Torberg
Die Tante Jolesch

Friedrich Torberg

DIE TANTE JOLESCH

oder

Der Untergang des Abendlandes in Anekdoten

Anaconda

Für Milan Dubrovic,
den Freund noch von damals her

Lizenzausgabe mit freundlicher Genehmigung
© 1975 und 18. Auflage by Langen Müller in der F. A. Herbig
Verlagsbuchhandlung GmbH, München

Die Deutsche Nationalbibliothek verzeichnet diese Publikation in der
Deutschen Nationalbibliographie; detaillierte bibliographische Daten sind
im Internet unter http://dnb.d-nb.de abrufbar.

© dieser Ausgabe 2011 Anaconda Verlag GmbH, Köln
Alle Rechte vorbehalten.
Umschlagmotiv: Paul Fischer (1860–1934),
Reproduction of a poster advertising »Wilhelm Soborg«, Copenhagen,
Private Collection / The Stapleton Collection / bridgemanart.com
Umschlaggestaltung: www.katjaholst.de
Satz und Layout: Silvia Langhoff, Köln
Printed in Czech Republic 2011
ISBN 978-3-86647-702-5
www.anacondaverlag.de
info@anaconda-verlag.de

INHALT

Zum Geleit 6

Die Tante Jolesch persönlich 12

Exkurs über das Wörtchen »was« 24

Von Onkeln, Neffen und Rabbinern 29

Von mürrischen Käuzen (nebst Personal) 43

Kulinarisches Zwischenspiel 61

Am Kartentisch 80

In der Sommerfrische 98

Die Prager Hierarchie 110

Mit Genuß und Belehrung gelesen 150

Redaktionelle Nachbemerkungen 168

Kaffeehaus ist überall 180

»Räuber, Mörder, Kindsverderber ...« 204

Alles (oder fast alles) über Franz Molnár 224

Der Kreis schließt sich 247

Epilog 266

ANHANG

Ein sentimentales Vorwort (1966) 291

Urbis Conditor – der Stadtzuckerbäcker (1958) . . . 303

Sacher und Wider-Sacher (1961) 311

Traktat über das Wiener Kaffeehaus (1959) 318

Requiem für einen Oberkellner (1958) 332

ZUM GELEIT

Dies ist – ich sag's lieber gleich und auf die Gefahr hin, des Schielens nach der »Nostalgiewelle« verdächtigt zu werden – dies ist ein Buch der Wehmut. Es schöpft aus einem ErinnerungsBrünnen, den ich noch gekannt habe, als er (im doppelten Verstand des Wortes) gebraucht wurde. Und wenn ich die Augen schließe, um besser an meine Kindheit zurückdenken zu können, ans Elternhaus und an den ersten Schulgang, an Köchinnen und Kinderfräulein, an Liechtensteinpark und Peregrinimarkt, die Grottenbahn im Prater und die Menagerie in SchönBrünn; an Spaziergänge und Ausflüge mit Meiereien und Jausenstationen; an die sommerliche Ischler Esplanade; an die Besuche auf den Gutshöfen meiner ausgedehnten väterlichen Verwandtschaft in Böhmen; an die ungarischen Flüche, die mein Großvater mütterlicherseits unsrer Familie vererbt hatte; an Einspänner und Fiaker und Pferde-Omnibusse (auch »Stellwagen« genannt, weil man sie durch ein Handzeichen anhalten, also »stellen« konnte); an die als »Elektrische« oder »Tramway« bezeichnete Straßenbahn mit ihren manchmal noch offenen Beiwagen und den im Wageninneren plakatierten Zeichnungen, die den Damen drastisch nahelegten, ihre Hutnadeln zu sichern; an die gestaffelten Signale, wenn ein Zug von seiner Ausgangsstation abfuhr: zuerst eine Trompete aus dem dritten Wagen, dann eine Trillerpfeife aus dem zweiten, und schließlich vom Kondukteur des Leitwagens ein selbstbewußtes »Fertig!«, das schon ins Klingelzeichen des Motorführers überging – wenn ich an all das mit geschlossenen Augen zurückdenke, will mir beinahe scheinen, als gehörte ich selbst zur schemenhaft vorüberziehenden Reihe derer, für die der alte, längst stillgelegte Brünnen meiner Erinnerungen noch eine Quelle lebendiger Versorgung war.

Von dieser Vision bleibt mir mit offenen Augen immerhin so viel übrig, daß ich – und das ist kein fröhlicher Gedanke, das ist schon ein Teil der eingangs erwähnten Wehmut – daß ich wahrscheinlich einer der letzten bin, der nicht nur um jenen Brünnen weiß, sondern aus eigener Kenntnis auch die von ihm Versorgten noch im Gedächtnis hat. Sie waren in den Ländern des einstigen Habsburgerreichs beheimatet, sie bildeten einen wesentlichen Sektor des schwarzgelben Kulturkreises, und sie repräsentieren somit zwei garantiert untergegangene Bestandteile des Abendlandes: die k.u.k. Monarchie und ihr jüdisches Bürgertum. Ich vermerke das für den Fall, daß mißtrauische Leser den Untertitel dieses Buchs allzu anspruchsvoll finden.

Die Tante Jolesch, die dem Buch als Haupttitel voransteht, hat wie alle anderen, von denen hier die Rede sein wird, wirklich gelebt und hat – auch das gilt für alle anderen – die hier wiedergegebenen Aussprüche wirklich getan. Oder doch die meisten von ihnen. Den und jenen habe ich ihr wissentlich unterschoben, weil sie ihn getan haben *könnte*. Denn die Tante Jolesch war, um mit Christian Morgenstern zu sprechen, keine »Person im konventionellen Eigen-Sinn«, sondern ein Typus. Fast in jeder der großen, vielgliedrigen, über Wien und Prag, über Brünn und Budapest, über die österreichische und die ungarische Reichshälfte verzweigten Familien gab es entweder eine Tante oder eine Großmutter, deren treffsichere, teils witzige und teils tiefgründige Aussprüche von der ganzen Verwandtschaft zitiert wurden. Tatsächlich: die Schöpfung dieser »Aphorismen zur Lebensweisheit« fiel fast immer den

Frauen zu. Die Männer waren vollauf damit beschäftigt, Geld zu verdienen, den sozialen Aufstieg der Familie zu betreiben und gegebenenfalls für einen aus der Art geschlagenen Sohn oder Neffen zu sorgen, der sich irgendeiner künstlerischen oder sonstwie brotlosen Laufbahn verschrieben hatte.

Die Zeit der Emanzipation, der gesellschaftlichen Gleichberechtigung und Gleichbewertung (die in der Praxis niemals völlig zustandekam) war erst kurz zuvor angebrochen und sollte bald darauf schon wieder zu Ende gehen. Sie dauerte nicht länger als ein knappes Jahrhundert, sie hatte Platz für drei oder höchstens vier Generationen und sie ließ den Männern keinen Atem als den zur Wahrnehmung und Ausnützung ihrer Chancen. Folgerichtig waren es auch hier wieder die Frauen, die einen allzu heftigen Wahrnehmungs- und Ausnützungseifer zu bremsen suchten, sich allzu hastigen Assimilationsbestrebungen entgegenstemmten und an ihren instinktiven Begriffen von Tradition und Pietät auf eben jene Weise festhielten, die dann auch in ihren lebensnahen und lebensklugen Aussprüchen zur Geltung kam. Es war ein sozusagen internes Matriarchat, das sich aus alledem ergab. In ihrem eigenen kleinen Bereich glich die Stellung einer Tante Jolesch beinahe der eines östlichen Wunderrabbi, den man um Rat und Hilfe anging und dessen Überblick über die Fährnisse des Daseins ringsum respektiert wurde. (Leider bestand darin auch schon die einzige und weit entfernte Parallele zu dem von Grund auf anders strukturierten Ostjudentum.)

Nun verhält es sich nicht etwa so, daß der Typus der Tante Jolesch in all seinen Ausprägungen, mit all seiner Ausstrahlung und all seiner Atmosphäre auf den bisher anvisierten Geschichtsabschnitt, also auf die verhältnismäßig geruhsamen Jahrzehnte vor dem fin de siècle und unmittelbar hernach, beschränkt geblieben wäre. Wohl lag in jenem Abschnitt seine Wurzel, nicht aber seine Hochblüte. Die entstand – sonst hätte ich sie ja nicht erleben können – in der vom nahenden Verfall schon überschatteten Zeit zwischen den beiden Weltkriegen, in einer Zeit der Euphorie und des letzten leuchtenden Aufflackerns eines Lebensstils, der sich aus dem zusammengebrochenen Österreich gerettet und erhalten hatte, bis er dem größeren und endgültigen Zusammenbruch anheimfiel.

In diesen zwanzig Jahren zwischen 1918 und 1938 habe ich zu sehen, zu denken und schließlich zu schreiben begonnen. Ich war 10 Jahre alt, als Wien aufhörte, eine Kaiserstadt zu sein. Ich war noch keine 25, als die braune Sintflut über Deutschland kam und ihren dreckigen Gischt in die Nachbarländer herüberzuspritzen begann. Ich war ein Dreißigjähriger, als sich die Auflösung der österreichischen und dann der tschechoslowakischen Republik vollzog, als ich in die Schweiz emigrierte und mich im folgenden Jahr, beim Ausbruch des Zweiten Weltkriegs, freiwillig zum Militärdienst in Frankreich meldete, zu einem ruhmlosen Militärdienst, der acht Monate später mit einer unheroischen, wenn auch nicht ganz ungefährlichen Flucht nach Spanien und Portugal endete. Immer, seit ich denken kann, war die Zeit aus den Fugen und steuerte auf einen Untergang zu, immer, schon als Kind, habe ich ihn gespürt, war ich mir seines Herannahens bewußt, und je deutlicher er mir bewußt wurde, desto intensiver habe ich mich dem Geschenk der noch verbleibenden Zeitspanne hingegeben, der Gnadenfrist, die einer zum Untergang verurteilten Epoche noch zugemessen war. Angefangen von meiner Kindheit unter der Herrschaft eines Monarchen, der 1848 den Thron bestiegen hatte, über die Jahre im Wien der Ersten Republik und später des Ständestaats, über die Jahre im Prag

Masaryks und seines Nachfolgers Beneš, bis zur Fäulnis und Agonie eines kapitulierenden Frankreich: immer sah ich etwas zerbröckeln, was mir lieb war, immer stand mein Leben im Zeichen eines Untergangs. Wäre es zu weit hergeholt, wenn ich von hier aus meine Neigung erkläre, selbst in einer so verdächtig langen Gnadenfrist wie der seit 1945 anhaltenden schon wieder einen Untergang zu wittern?

Indem ich ihn – weit jenseits jeglichen Oswald Spenglers – in den Titel dieses Buches einbeziehe, denke ich weniger an seine eklatanten, für jedermann ersichtlichen Vorzeichen politischer, sozialer oder ideologischer Art, weniger an einen historischen Prozeß, dessen Analyse den professionellen Geschichtsmißdeutern überlassen bleibe. Ich denke vielmehr an ein Untergangssymptom, welches sich darin äußert, daß in unsrer technokratischen Welt, in unsrer materialistischen Kommerz- und Konsumgesellschaft die Käuze und Originale aussterben müssen.

Von ihnen und nur von ihnen soll in diesem Buch gehandelt werden. Sie sind es, deren Profile ich hier nachzuzeichnen versuche, um sie aus Sentenzen und Anekdoten noch einmal auferstehen zu lassen, die Namenlosen so gut wie die Namhaften, die Tante Jolesch und den Onkel Hahn so gut wie die Literaturgrößen von Polgar bis Molnár, den Herrn Spielmann und den Religionslehrer Grün so gut wie den Professor Steiner vom »Prager Tagblatt« und den Wiener Rechtsanwalt Hugo Sperber. Sie alle hat es gegeben und es gibt sie alle nicht mehr, weder sie noch die Gefilde und Kulissen, in denen sie sich bewegten, nicht die Kaffeehäuser und Redaktionen, nicht die Familientische und Sommerfrischen, nichts. Es gab sie bis zum Ausbruch des Zweiten Weltkriegs, und in ein paar letzten Zuckungen – ähnlich wie ein Huhn, dem man den Hals umgedreht hat, ein paarmal noch mit den Flügeln schlägt – gab es sie bis in die Emigration hinein. Seither gibt es sie nicht mehr. Der Brünnen, aus dem ich schöpfe, ist unwiederbringlich versiegt. Bald wird niemand mehr da sein, der ihn noch aufzufinden wüßte.

Dies ist – ich sag's zum Abschluß noch einmal – ein Buch der Wehmut. Vielleicht hätte ich ein Buch der Trauer schreiben sollen, aber die möchte ich doch lieber mit mir allein abmachen. Wehmut kann lächeln, Trauer kann es nicht. Und Lächeln ist das Erbteil meines Stammes.

Die Tante Jolesch persönlich

Was nun die Tante Jolesch selbst betrifft, so verdanke ich die Kenntnis ihrer Existenz – und vieler der von ihr überlieferten Aussprüche – meiner Freundschaft mit ihrem Neffen Franz, dem lieben, allseits verhätschelten Sprößling einer ursprünglich aus Ungarn stammenden Industriellenfamilie, die seit langem in einer der deutschen Sprachinseln Mährens ansässig und zu beträchtlichem Wohlstand gelangt war. Franz, bildhübsch und mit einer starken Begabung zum Nichtstun ausgestattet (das er nur dem Bridgespiel und der Jagd zuliebe aufgab), muß um mindestens zwölf Jahre älter gewesen sein als ich, denn er hatte bereits am Ersten Weltkrieg teilgenommen und wurde von seinen gleichaltrigen Freunden auch späterhin noch scherzhaft als »Seiner Majestät schönster Leutnant« bezeichnet. Ich war wiederholt auf dem mährischen Besitz seiner Familie zu Gast – »Ein Narr, wer kein Gut in Mähren hat«, hieß es damals in einem zynisch-selbstironischen Diktum jener Kreise – und blieb ihm bis zu seinem arg verfrühten Tod herzlich verbunden. Die einrückenden Deutschen hatten ihn 1939 als Juden eingesperrt, die befreiten Tschechen hatten ihn 1945 als Deutschen ausgewiesen. Man könnte sagen, daß sich auf seinem Rücken die übergangslose Umwandlung des Davidsterns in ein Hakenkreuz vollzog. Er verbrachte dann noch einige Zeit in Wien und übersiedelte schließlich nach Chile, wo er bald darauf an den Folgen seiner KZ-Haft gestorben ist. Die Tante Jolesch hat das alles nicht mehr erlebt.

Franz war ihr Lieblingsneffe, und es fügt sich gut, daß einer ihrer markantesten Aussprüche mit ihm zusammenhängt –

mit ihm und mit zwei unter Juden tief verwurzelten Gewohnheiten. Die eine besteht in der Anrufung des göttlichen Wohlwollens für einen demnächst auszuführenden Plan, etwa für eine Reise, die man »so Gott will« morgen antreten und von der man nächste Woche »mit Gottes Hilfe« zurückkehren wird, außer es käme »Gott behüte« etwas dazwischen, vielleicht gar ein Unglück, und »Gott soll einen davor schützen«, daß dies geschehe. Nicht minder tief sitzt, wenngleich ohne religiöse Verankerung, das jüdische Bedürfnis, einem schon geschehenen Mißgeschick hinterher eine gute Seite abzugewinnen. Die hier zur Anwendung gelangende Floskel lautet: »Noch ein Glück, daß …« und kann sich beispielsweise auf eine plötzliche Erkrankung beziehen, die nur dank rascher ärztlicher Hilfe zu keiner Katastrophe geführt hat: »Noch ein Glück, daß der Arzt sofort gekommen ist«; oder es kann »noch ein Glück« sein, daß bei dieser Gelegenheit ein andrer gefährlicher Krankheitskeim entdeckt und entschärft wurde.

Nun hatte Neffe Franz, als er einmal von einer Autoreise heimkehrte, unterwegs einen Unfall erlitten, bei dem er zwar mit dem Schrecken und gelinden Blechschäden davongekommen war, der aber dennoch am Familientisch ausgiebigen Gesprächsstoff abgab, teils weil sowohl Autobesitz wie Autounfälle damals erst im Anfangsstadium standen, also Seltenheitswert besaßen, teils weil man noch nachträglich um Franzens heile Knochen bangte. Immer wieder wollte man hören, wie er die drohende Gefahr – sein Wagen war auf einer regennassen Brücke ins Schleudern geraten – von sich abgewendet hatte, immer wieder hob Franz zu erzählen an, schmückte die Erzählung mit neuen Details und erging sich in neuen Analysen.

»Noch ein Glück«, schloß er einen seiner Berichte ab, »daß ich mit dem Wagen nicht auf die Gegenfahrbahn gerutscht bin, sondern ans Brückengeländer.«

An dieser Stelle mischte sich die Tante Jolesch erstmals ins Gespräch. Sie hatte bis dahin nur stumm und eher desinteressiert zugehört (denn ihrem Franz war nichts geschehen und das war die Hauptsache). Jetzt hob sie mahnend den Finger und sagte mit großem Nachdruck:

»Gott soll einen hüten vor allem, was noch ein Glück ist.«

Sie hat in ihrem Leben viel Zitierens- und Beherzigenswertes gesagt, die Tante Jolesch, aber nie wieder etwas so Tiefgründiges.

Vom gleichnamigen Onkel weiß die Fama nur wenig zu melden, und selbst dies Wenige verdankt er seiner Frau, der Tante. Er war das, was man in Österreich – um den hoch- und reichsdeutschen Ausdruck »Geck« zu vermeiden – ein »Gigerl« nannte, legte noch in hohem Alter Wert auf modische, nach Maß angefertigte Kleidung und bestand darauf, daß der Schneider zu diesem Behuf »ins Haus« käme. Als das zwecks Anfertigung eines Überziehers wieder einmal der Fall war, fuhr die Tante Jolesch mit nicht just gefühlsbetonter Entschiedenheit dazwischen:

»Ein Siebzigjähriger *läßt* sich keinen Überzieher machen«, erklärte sie. »Und wenn, soll ihn Franzl gleich mitprobieren.«

Der historischen Übersicht wegen sei vermerkt, daß es zu den sozusagen feudalen, vom Adel übernommenen Usancen des reichgewordenen Bürgertums gehörte, bestimmte Dienstleistungen »im Haus« vollziehen zu lassen, statt den Vollzugsort aufzusuchen. Nicht nur Schneider und Modistin, nicht nur

Hut- und Schuhmacher ließ man zu sich ins Haus kommen, sondern – und das sogar täglich inklusive Sonntag – auch den Raseur. Er wurde dementsprechend gut bezahlt und dementsprechend schlecht behandelt. Besonders arg trieb es in dieser Hinsicht der wohlbestallte Pardubitzer Fabrikant Thorsch, Vater des in Berlin und nachmals in Hollywood erfolgreichen Filmschriftstellers Robert Thoeren. Er setzte seinem (obendrein jüdischen) Raseur namens Langer jahrelang mit allen erdenklichen Launen und Mucken zu, und Langer ließ sich das jahrelang gefallen – bis es ihm eines Tags zu dumm wurde. Mitten im Einseifen hörte er plötzlich auf, packte wortlos sein Zeug zusammen und verschwand. Der prompt engagierte Nachfolger nahm zwar die Schikanen seines neuen Kunden willig und ohne Widerspruch hin, aber er rasierte ihn schlecht und wurde alsbald entlassen. Der nächste wiederum beherrschte zwar sein Fach, nicht aber sich selbst: er reagierte gleich auf die erste Beschimpfung so heftig, daß es zur sofortigen Lösung des Dienstverhältnisses kam. Der Vierte, mit dem Herr Thorsch es versuchte, entsprach sowohl als Raseur wie als Beschimpfungsobjekt allen Anforderungen, nur entsprach er ihnen nicht mit der nötigen Regelmäßigkeit, erschien manchmal zu spät, manchmal gar nicht und verfiel desgleichen der Kündigung. Herr Thorsch sah sich immer unausweichlicher von der Einsicht bedrängt, daß es für Langer keinen brauchbaren Ersatz gab.

Um diese Zeit kam mein Freund Thoeren, was er von Berlin aus gelegentlich tat, zu kurzem Aufenthalt ins Elternhaus und staunte nicht wenig, als ihm auf der Treppe sein Vater begegnete, in formeller Besuchskleidung, mit Cut, Melone, Stock und Handschuhen.

»Wohin gehst du, Papa?« fragte er verdutzt.

Die Antwort erfolgte in gewichtigem, beinahe feierlichem Tonfall:

»Mein Sohn – im Leben eines jeden Mannes kommt einmal der Tag, an dem er entweder um Entschuldigung bitten oder sich selbst rasieren muß. *Ich geh mich entschuldigen.*«

Es ist kein Zufall, daß beide Formulierungen, sowohl die des Herrn Thorsch wie jene der Tante Jolesch, aus einer durchaus persönlichen Situation eine allgemeine Lebensregel ableiten. Beide, sowohl der warnende Hinweis auf den schicksalsschweren Tag, der im Leben eines jeden Mannes einmal kommt, wie die nüchterne Feststellung, daß sich ein Siebzigjähriger keinen Überzieher machen läßt, stellen Schlüsse dar, die unabhängig von ihren spezifischen Voraussetzungen zu Recht bestehen wollen. (Darin liegt ja auch ihre wenn schon nicht beabsichtigte, so doch keineswegs unfreiwillige Komik.)

Dieses Streben nach Allgemeingültigkeit situationsbedingter Erkenntnisse trat überhaupt gern zutage, wie etwa in dem lapidaren Ausspruch der Tante Jolesch:

»Ein lediger Mensch kann auch am Kanapee schlafen.«

Es handelte sich hier natürlich nicht um die Fähigkeit eines Unverheirateten, auf wenig bequemer Lagerstatt des Schlafs zu genießen, sondern um die Frage, ob man ihm das zumuten darf. Nach Ansicht der Tante Jolesch durfte man. Das Problem entstand, als zu einem der häufigen Familientage im Hause Jolesch so viele Gäste angesagt waren, daß Not an Unterkunft drohte und daß jedes halbwegs geeignete Möbelstück als Bett herhalten mußte. Und die Tante Jolesch entschied, daß diese Notbetten eher für Alleinstehende geeignet wären als für den männlichen oder gar weiblichen Teil von Ehepaaren. Ein lediger Mensch kann auch am Kanapee schlafen, ein verheirateter offenbar nicht.

Wenn nach solchen Gastereien, nach opulenten Mahlzeiten und ausgedehnten Plauderstunden im weiträumigen »Salon«, die letzten Besucher endlich verabschiedet waren, streifte die Tante Jolesch noch lange umher, rückte Fauteuils zurecht, zupfte an Tischtüchern, säuberte sie von unziemlich abgelagerten Speiseresten, von achtlos verstreuter Asche, die es auch vom Teppich wegzukehren galt, schüttelte den Kopf über die von verschüttetem Wein oder Kaffee hervorgerufenen Flecke, sammelte Zigarren- und Zigarettenstummel ein, die in manches Häkeldeckchen ein Loch gesengt hatten, und murmelte mißbilligend immer wieder:

»Ein Gast ist ein Tier.«

Sie sprach das allerdings nicht hochdeutsch aus. Sie sagte: »E Gast is e Tier.« Sie bediente sich jenes lässigen, anheimelnden, regional gefärbten Jargons, der (vom richtigen »Jiddisch« weit entfernt) noch Reste des einstmals im Ghetto gesprochenen »Judendeutsch« aufbewahrte und eben darum in den nunmehr besseren Kreisen streng verpönt war oder gerade noch innerhalb der häuslichen vier Wände toleriert wurde. Seine öffentliche Pflege beschränkte sich auf die in Budapest und Wien florierenden Jargonbühnen, die noch bis 1938 über ganz hervorragende Komiker verfügten. In widerwärtig verstümmelter Form grassierte dieser Jargon in antisemitischen Witzen und tut das wohl auch heute noch. Als Verständigungsmittel ist er ausgestorben, weshalb er im folgenden ab und zu eines Kommentars bedürfen wird. Auch möchte ich gleich an dieser Stelle anmerken, daß ich bei der Wiedergabe bestimmter Redewendungen, Ausdrucksweisen und Tonfälle in hohem Maß auf das sprachliche, ja sprachmusikalische

Verständnis des Lesers angewiesen bin. Ich kann hier nur die Partitur liefern; der Klang will ergänzt sein.

Verstöße gegen das Hochdeutsche und dessen Grammatik wurden übrigens nicht nur von der Tante Jolesch und ihresgleichen begangen. Wenn sie »am Kanapee« sagte statt korrekt »auf dem Kanapee«, so war das eine in vielen deutschen Dialekten übliche Sprachverschleifung, die sich zumal in Österreich eingebürgert hat und von so ernstzunehmenden Autoren wie Heimito von Doderer und seinem Schüler Herbert Eisenreich sogar im Druck beibehalten wird. Die Tante Jolesch sagte ja auch nicht »auf dem Land«, sondern »am Land«:

»Am Land kann man nicht übernachten«, lautete eine von ihr geprägte Sentenz, die mit »Land« ungefähr alles meinte, was nicht »Stadt« war, und wo es infolge zurückgebliebener Wohnkultur keine akzeptablen Nächtigungsmöglichkeiten gab. Der Begriff »Land« wäre hier sinngemäß durch »flach« zu ergänzen, bezog sich also nicht auf die vorwiegend gebirgigen Sommerfrischen (siehe diese), obwohl auch für sie die Wendung galt, daß man »aufs Land« ging – hier jedoch in positivem, durch gute Luft und Gottes freie Natur gekennzeichnetem Unterschied zur Stadt.

Das verweist uns auf eine weitere Eigenheit der Tante Jolesch, nämlich auf ihre höchst reservierte Einstellung nicht nur zum »Land« in beiderlei Sinn, sondern auch zu Städten jeglicher Art, Größe, Schönheit und Berühmtheit, ja zum Ortswechsel schlechthin. Schon die Reisevorbereitungen, mit denen man doch niemals rechtzeitig fertig wurde, widerstrebten ihr:

»Abreisen sind immer überstürzt«, sagte sie.

Und mit den Reisen als solchen wußte sie erst recht nichts anzufangen. Zwar gehörte es – ähnlich wie die Gepflogenheit,

Schneider und Raseur »ins Haus« kommen zu lassen – fast unerläßlich zum guten Ton und zur gehobenen Lebenshaltung, möglichst weite und kostspielige Reisen zu unternehmen, sich mit dem Besuch möglichst vieler attraktiver Städte ausweisen zu können und durch die Berichte darüber im Bekanntenkreis möglichst viel Neid zu erwecken – aber für die Tante Jolesch hatte das alles keinen Reiz. Auch an den diesbezüglichen Gesprächen, am genießerischen Austausch von Erfahrungen und Vergleichen pflegte sie sich nicht zu beteiligen. Ein einzigesmal griff sie mit einer abschließenden Feststellung ein:

»Alle Städte sind gleich, nur Venedig is e bissele anders.«

Rein äußerlich erinnert das an eine Formulierung ungesicherten Ursprungs, als deren Schöpfer abwechselnd irgendjemandes Tante, Onkel oder Großvater auftritt und die in der Emigration häufig zitiert wurde: »Ich bin überall e bissele ungern.« Aber die Ähnlichkeit kommt übers Phonetische nicht hinaus. Wenn die beiden Aussprüche überhaupt etwas gemeinsam haben, dann höchstens einen gewissen Mangel an Fernweh. Er ist nicht entscheidend. Entscheidend, und zwar zugunsten der Tante Jolesch, ist die tiefe Skepsis allem Unbekannten gegenüber, ist die Abneigung, sich für Fremdes nur der Fremdheit halber zu begeistern, ist das gesunde Vertrauen in die eigene Wahrnehmung und das eigene Urteil, das sich von keiner Kulisse und keinem Klischee blenden läßt. (Die englische Sprache kennzeichnet diese Haltung ebenso unnachahmlich wie unübersetzbar mit »down to earth«.)

Gern würde ich der Tante Jolesch einen Ausspruch zuschreiben, den sie aus zeitlichen Gründen leider nicht getan haben kann. Es tat ihn die alte Frau Zwicker, die 1938 mit ihrer Familie nach New York emigrierte und in Riverdale, einer weit außerhalb der Stadt gelegenen Wohnsiedlung, bescheidene Unterkunft im ersten Stock eines Reihenhauses fand. Dort saß Frau Zwicker stundenlang am Fenster, sah in der Ferne die undeutlichen, dunstverhangenen Konturen der Skyline (die sie vielleicht für eine Fata Morgana oder für sonst etwas Irreales hielt), sah in der Nähe den träg und schmutzig dahinfließenden Hudson, sah zum Bersten gefüllte Abfallkübel und streunende Katzen, hörte das Lärmen spielender Kinder und dachte an vergangene Zeiten.

Ein gleichfalls emigrierter Freund der Familie kam vorbeigeschlendert:

»Na, wie gefällt's Ihnen in New York, Frau Zwicker?« fragte er zum Fenster hinauf. Und bekam von Frau Zwicker eine Antwort, in der unmutige Verwunderung über die dumme Frage mitschwang:

»Wie soll es mir gefallen am Balkan?«

Das könnte wahrlich auch die Tante Jolesch gesagt haben. Aber sie hat um diese Zeit nicht mehr gelebt.

Sie ist 1932 gestorben, friedlich und schmerzlos, von Ärzten betreut, von der Familie umsorgt, zu Hause und im Bett – wie damals noch gestorben wurde (und wie es bald darauf so manchem ihrer Angehörigen nicht mehr vergönnt war).

Kurz vor dem Ende offenbarte sich ihr Charakter und ihre Lebensweisheit in einem letzten Ausspruch, mit dem sie das Geheimnis ihrer weithin berühmten Kochkunst preisgab – und zu dem eine in jeder Hinsicht passende Vor-Geschichte gehört.

Gleich allen wahren Köchinnen, die ihre Kunst im häuslichen Gehege ausüben – es wird von ihnen noch die Rede sein –, war auch die Tante Jolesch ausschließlich auf die Genußfreude und das Wohlbehagen derer bedacht, denen sie ihre makellos erlesenen Gerichte auftischte. Es sollte den anderen munden, nicht ihr. Sie selbst begnügte sich damit, ihren Hunger zu stillen. Als man sie einmal nach ihrer Lieblingsspeise fragte, wußte sie keine Antwort. »Aber du mußt doch schon draufgekommen sein, was dir am besten schmeckt«, beharrte der Frager.

Nein, um solche Sachen kümmere sie sich nicht, replizierte ebenso beharrlich die Tante Jolesch (wobei sie in Wahrheit nicht »Sachen« sagte, sondern »Narreteien« und genau genommen »Narrischkaten«).

Der Wißbegierige ließ nicht locker und spitzte nach einigem Hin und Her seine Frage vermeintlich unentrinnbar zu:

»Also stell dir einmal vor, Tante – Gott behüte, daß es passiert – aber nehmen wir an: du sitzt im Gasthaus und weißt, daß du nur noch eine halbe Stunde zu leben hast. Was bestellst du dir?«

»Etwas Fertiges«, sagte die Tante Jolesch.

Wäre es nach den Verehrern ihrer Kochkunst gegangen, dann hätte sie sich als Abschiedsmahl ihre eigenen »Krautfleckerln« zubereiten müssen, jene köstliche, aus kleingeschnittenen Teigbändern und kleingehacktem Kraut zurechtgebackene »Mehlspeis«, die je nachdem zum Süßlichen oder Pikanten hin nuanciert werden konnte: in der ungarischen Reichshälfte bestreute man sie mit Staubzucker, in der österreichischen mit Pfeffer und Salz. Krautfleckerln waren die berühmteste unter den Meisterkreationen der Tante Jolesch. Wenn es ruchbar wurde, daß die Tante Jolesch für nächsten Sonntag Krautfleckerln plante – und es wurde unweigerlich ruchbar, es sprach sich unter der ganzen Verwandtschaft, wo immer sie hausen mochte, auf geheimnisvollen Wegen herum, nach Brünn und Prag und Wien und Budapest und (vielleicht mittels Buschtrommel) bis in die entlegensten Winkel der Puszta –, dann setzte aus allen Himmelsrichtungen ein Strom von Krautfleckerl-Liebhabern ein, die unterwegs nicht Speise noch Trank zu sich nahmen, denn ihren Hunger sparten sie sich für die Krautfleckerln auf und den Durst löschte ihnen das Wasser, das ihnen in Vorahnung des kommenden Genusses im Mund zusammenlief. Und ein Genuß war's jedesmal aufs neue, ein noch nie dagewesener Genuß.

Jahrelang versuchte man der Tante Jolesch unter allen möglichen Listen und Tücken das Rezept ihrer unvergleichlichen Schöpfung herauszulocken. Umsonst. Sie gab's nicht her. Und da sie mit der Zeit sogar recht ungehalten wurde, wenn man auf sie eindrang, ließ man es bleiben.

Und dann also nahte für die Tante Jolesch das Ende heran, ihre Uhr war abgelaufen, die Familie hatte sich um das Sterbelager versammelt, in die gedrückte Stille klangen murmelnde Gebete und verhaltenes Schluchzen, sonst nichts. Die Tante Jolesch lag reglos in den Kissen. Noch atmete sie.

Da faßte sich ihre Lieblingsnichte Louise ein Herz und trat vor. Aus verschnürter Kehle, aber darum nicht minder dringlich kamen ihre Worte:

»Tante – ins Grab kannst du das Rezept ja doch nicht mitnehmen. Willst du es uns nicht hinterlassen? Willst du uns nicht endlich sagen, wieso deine Krautfleckerln immer so gut waren?«

Die Tante Jolesch richtete sich mit letzter Kraft ein wenig auf:

»Weil ich nie genug gemacht hab …«

Sprach's, lächelte und verschied.

Damit glaube ich alles berichtet zu haben, was ich zur Ehre ihres Andenkens zu berichten weiß.

Ein kleiner Nachtrag noch, der diesem Andenken keinen Abbruch tun wird: die Tante Jolesch war nicht schön. Zwar drückten sich Güte, Wärme und Klugheit in ihrem Gesicht zu deutlich aus, als daß sie häßlich gewirkt hätte, aber schön war sie nicht. Tanten ihrer Art waren überhaupt nicht schön. Ein Onkel meines Freundes Robert Pick hatte etwas so Häßliches zur Frau genommen, daß sein Neffe ihn eines Tags geradeheraus fragte: »Onkel, warum hast du die Tante Mathilde eigentlich geheiratet?« Der Onkel dachte eine Weile nach, dann zuckte er die Achseln: »Sie war *da*«, sagte er entschuldigend.

Von solch exzessiver Häßlichkeit konnte bei der Tante Jolesch nun freilich keine Rede sein, und sie ihrerseits hat nach »schön« oder »häßlich« erst gar nicht gefragt, für sie fiel das unter den gleichen Begriff von »Narrischkeiten« wie die Frage nach ihrer Lieblingsspeise. Sie war davon durchdrungen, daß man derlei Äußerlichkeiten nicht wichtig zu nehmen hatte, und wer das dennoch tat, setzte sich ihrem Tadel, wo nicht gar ihrer Verachtung aus. Als einer ihrer Neffen auf Freiersfüßen ging und zum Lob seiner Auserwählten nichts weiter vorzubringen hatte als deren Schönheit, bedachte ihn die Tante Jolesch mit einer galligen Zurechtweisung: »Schön ist sie? No und? Schönheit kann man mit *einer* Hand zudecken!«

Nein, sie hielt nicht viel von Schönheit, bei Frauen nicht und schon gar nicht bei Männern. Und so schließe denn dieses Kapitel mit einem Ausspruch, der die Tante Jolesch nicht nur in sprachlicher Hinsicht auf dem Höhepunkt ihrer Formulierungskraft zeigt:

»Was ein Mann schöner is wie ein Aff, is ein Luxus.«

Damit kommen wir zu einem wichtigen sprachtheoretischen Exkurs.

EXKURS ÜBER DIE VIELFÄLTIGE BEDEUTUNG DES WÖRTCHENS »WAS«

Um die vielfältigen Funktionen, die das unscheinbare Wörtchen »was« ausüben kann, wenigstens annähernd zu klären, müssen einige Anekdoten aus dem ihnen zugedachten Rahmen herausgelöst und vorweggenommen werden; hoffentlich schadet das weder ihnen noch dem Rahmen.

In der abschließend zitierten Äußerung der Tante Jolesch kommt dem »was« komparative Bedeutung zu, genauer: die Bedeutung einer zu Vergleichszwecken herangezogenen Qualität. Eine grammatikalisch korrekte (und somit unbrauchbare) Fassung des Satzes hätte etwa zu lauten: »Jedes Ausmaß männlicher Schönheit, das die Schönheit eines Affen übersteigt, ist ein Luxus.«

Mit einem anders gearteten »was« konfrontiert uns jene bildungsbeflissene junge Dame der Prager Gesellschaft, die sich stets zu ihrem Blaustrumpf-Dasein bekannte und jedem, der es hören wollte, hochnäsig zu verstehen gab, daß geistige Werte ihr höher galten als leichtfertige Abenteuer:

»Was andere Mädchen Verhältnisse haben, geh *ich* in Vorträge!«

Hier dient das »was« einem quantitativen Vergleich (keinem qualitativen wie bei der Tante Jolesch). Bezöge es sich nur auf den Zeitaufwand, so hätte zur Not auch ein bläßliches »während« ausgereicht. Aber das füllig ausgreifende »was« umschließt viel mehr, umschließt *alles, was* andere Mädchen nicht nur an Zeit, sondern an Planung, Interesse und persönlichem Einsatz für die Männerwelt aufwenden.

Sie, die Sprecherin, betreibt den gleichen Aufwand für Bildungszwecke.

Zweien »was« auf einmal begegnen wir in dem nun folgenden Ausspruch, der gleichfalls in Prag entstanden und gleichfalls weiblichen Ursprungs ist. Seine Schöpferin besitzt noch aus anderen Gründen ein gewisses Recht auf Unsterblichkeit. Es handelt sich um die alte Kisch.

Die alte Kisch – heimlich auch »Eichel-As« genannt, weil sie der dick vermummten, mit überkreuzten Armen vor einem Ofen hockenden Weibsfigur glich, die auf den sogenannten »doppeldeutschen« Spielkarten den Winter symbolisiert – war die Mutter des »rasenden Reporters« Egon Erwin Kisch und war der Prototyp eines matriarchalisch herrschenden Familienoberhaupts, vor dem nicht nur die Söhne, sondern noch die entferntesten Verwandten sich angstvoll neigten.

Es gibt da eine schon oft erzählte Geschichte, die allmählich die Patina historischer Wahrheit angesetzt hat. Sie spielt in den wirren Umsturztagen nach dem Ersten Weltkrieg, als ein Trupp der damals in Wien gebildeten »Roten Garde« unter Führung von Egon Erwin Kisch ins Redaktionsgebäude der »Neuen Freien Presse« eindrang und als im Stiegenhaus Paul Kisch, Wirtschaftsredakteur der »Presse«, seinem rotgardistischen Bruder entgegentrat:

»Was willst du hier, Egon?«

»Das siehst du ja. Wir besetzen eure Redaktion.«

»Wer – wir?«

»Die rote Garde.«

»Und warum wollt ihr gerade die Presse besetzen?«

»Weil sie eine Hochburg des Kapitalismus ist.«

»Mach dich nicht lächerlich und schau, daß du weiterkommst.«

»Paul, du verkennst den Ernst der Lage. Im Namen der Revolution fordere ich dich auf, den Eingang freizugeben. Sonst …!«

»Gut, Egon. Ich weiche der Gewalt. Aber eins sag ich dir: ich schreib's noch heute der Mama nach Prag.«

Verläßlichen Berichten zufolge soll Egon Erwin Kisch daraufhin das Zeichen zum Rückzug gegeben haben.

Damit dürfte die Gestalt der alten Kisch in ihrer ganzen furchtgebietenden Größe umrissen sein. Und wenn man sich jetzt noch etliche Jahre zurückversetzt, in die Jünglingszeit Egon Erwins, der damals auf den zärtlichen Rufnamen »Egonek« hörte, wird man ermessen können, mit welch bangen Gefühlen er eines späten Abends heimwärts schlich, nachdem er in einem übel beleumundeten Kaffeehaus – seines judenfreundlichen Besitzers wegen »Café zum Schabbesgoj«* geheißen – von Falschspielern hochgenommen und um seine gesamte Barschaft erleichtert worden war. Natürlich mußte er das seiner Mutter gestehen, und natürlich erwartete er ein Donnerwetter.

Die alte Kisch jedoch nahm seine Beichte gelassen auf und begegnete ihr mit jenem »was«-trächtigen Ausspruch, auf den wir eigentlich hinsteuern wollten; sie sagte:

»Was setzt du dich hin Karten spielen mit Leuten, was sich hinsetzen Karten spielen mit dir?«

Um das zweite »was« brauchen wir uns nicht weiter zu kümmern; es ist ein verschlampter Relativanschluß, wie er – ähnlich dem schon erwähnten »am« (statt »auf dem«) – von

---

* »Schabbesgoj« war die im Ghetto und seiner unmittelbaren Nachfolge gebräuchliche Bezeichnung für den nichtjüdischen Helfer, der am Sabbath (»Schabbes«) in frommen jüdischen Häusern die kleineren Arbeiten und Handgriffe verrichtete, die den Juden aus religiösen Gründen (Sabbathruhe) verboten waren.

vielen deutschen Dialekten anstelle des bestimmten Artikels praktiziert wird.

Uns interessiert das erste »was«. Es hat mit dem »was« der Tante Jolesch und dem des Prager Blaustrumpfs nichts zu tun, dient keinem Vergleich und keiner Antithese, sondern steht für »warum« oder »wozu«, und zwar mit einem unüberhörbar kritischen, ja verächtlichen Unterton: »Was fällt dir ein?« oder »Was soll das?«

Im übrigen schlägt der Ausspruch der alten Kisch, so originell er formuliert ist, in eine keineswegs originelle Kerbe (und läßt sich eben darum in vielen Situationen anwenden).

So wird vom Fürsten Metternich berichtet, daß er den jüdischen Bankier Eskeles wieder einmal um eine größere Staatsanleihe anging und ihm beim Abschied als besonderen Huldbeweis eine vertrauliche Mitteilung machte:

»Ich wollte Ihm noch etwas sagen, Eskeles. Man berichtet mir, daß Sein Sohn Jakob sich in liederlicher Gesellschaft herumtreibt, mit Diversanten und allerlei umstürzlerischem Gesindel. Seh Er doch zu, daß das aufhört. Er versteht mich, nicht wahr? Und morgen bringt Er mir also das Geld.«

Der Bankier Eskeles hielt im devoten Rückwärtsschreiten inne:

»Das muß ich mir noch einmal überlegen, hochfürstliche Gnaden.«

»Wie? Warum?« Metternich runzelte die Brauen. »*Was* muß Er sich überlegen?«

»Ob ich einem Staat, der vor meinem Kobi Angst hat, Geld borgen soll …«

In jüngerer Zeit war es Anton Kuh, der den Ausspruch der

alten Kisch zu praktischer Anwendung brachte. Im Februar 1938, nach der Rückkehr des österreichischen Bundeskanzlers Schuschnigg von seinem verhängnisvollen Besuch bei Hitler, hatte Kuh im Freundeskreis einen Plan entworfen, wie Österreich dem drohenden Zugriff der Nazi vielleicht doch noch entgehen könnte. Auf irgendwelchen Wegen bekam der österreichische Unterrichtsminister Pernter Wind davon und bat Anton Kuh, ihn mit diesem Plan vertraut zu machen. Kuh tat es, ging nach Hause, packte seine Koffer und verließ Österreich noch am selben Tag. Wie er später freimütig zugab, war ihm die alte Kisch eingefallen. Zu einer Regierung, die sich mit ihm, Anton Kuh, hinsetzte, hatte er kein Vertrauen mehr.

Von Onkeln, Neffen und Rabbinern

Nach einem Exkurs hat man bekanntlich dorthin zurück-
zukehren. wo man stehengeblieben war. Wir sind bei der
Tante Jolesch stehengeblieben und kommen nunmehr zum
Onkel Hahn.

Es kann keinem Zweifel unterliegen, daß der Onkel Hahn
eine ungleich farbigere Figur war als der Onkel Jolesch. Der
Onkel Jolesch war eine Art Prinzgemahl und wäre ohne
die gleichnamige Tante gar nicht vorgekommen. Der Onkel
Hahn hat sich selbständig und in eigenem Recht anekdotischen Rang erworben.

Die Kenntnis dieser zwar wenigen, aber wichtigen Anekdoten verdanke ich meinem 1969 verstorbenen Freund Ernst
Deutsch. Er hatte sie aus seinen Prager Jugendjahren aufbewahrt
und wußte sie vortrefflich zu erzählen – wie er überhaupt einen (nicht nur passiven) Humor besaß, den man in diesem großen, leidenschaftlichen Tragöden, wenn man ihn nur von der
Bühne her kannte, schwerlich vermutet haben würde. Ich sage
mit Absicht: »nur von der Bühne her«, nicht: »als Schauspieler«.
Denn in Schauspielerkreisen wußte man sehr wohl von seinem Witz und kolportierte manchen Beleg dafür, zum Beispiel
eine Geschichte aus der Zeit um 1920, als der fulminante Aufstieg des jungen Ernst Deutsch durch einen einzigen Durchfall – in Gutzkows »Königsleutnant« – verunziert wurde. Kurz
nach diesem (auf ein Gastspiel in Leipzig beschränkt gebliebenen) Mißerfolg trat Deutsch ein Engagement am Hamburger
Schauspielhaus an, wo ihn der Doyen des Ensembles mit wuchtiger und würdiger Père noble-Attitüde empfing:

»Wie schön, daß Sie zu uns gekommen sind, mein lieber junger Freund. Übrigens habe ich Sie schon auf der Bühne gesehen.«

»Ich weiß«, bestätigte Deutsch. »Als Königsleutnant.«

»Ach? Wieso wissen Sie das?«

»In *der* Rolle hat mich *jeder* gesehen«, lautete die freundliche Erklärung.

Die bekannteste Deutsch-Anekdote geht auf eine Berliner Inszenierung des »Kaufmanns von Venedig« zurück, in der Albert Bassermann den Shylock und Ernst Deutsch den »königlichen Kaufmann« Antonio gab (der Shylock wurde erst Jahrzehnte später zu einer seiner großen Altersrollen). Als nun bei der öffentlichen Generalprobe die als Anwalt verkleidete Porzia mit der Frage: »Wer ist der Kaufmann hier und wer der Jude?« die Gerichtsverhandlung im letzten Akt einleitete, wandte sich Deutsch, seine einmalige Extempore-Chance nützend, in keineswegs Shakespearescher Diktion zum Richtertisch: »Sie werden lachen, Herr Doge – ich bin der Kaufmann.«

Mir selbst hat er in den langen Jahren unsres freundschaftlichen Umgangs unzählige Heiterkeiten beschert, an die ich um so dankbarer zurückdenke, als sie uns oft genug über die gar nicht heiteren Talsohlen der Emigrationszeit hinweghalfen. Ernst Deutsch, dessen Gattin Anuschka ihm und seinen Freunden eine wunderbare Betreuerin war, hat diese Zeit souverän gemeistert, hat seine lächelnde Gelassenheit nie verloren. Zornig, beinahe böse sah ich ihn nur ein einziges Mal: als er das Copyright an den Geschichten vom Religionslehrer Grün geltend machen mußte, das ich irrtümlich Franz Werfel zugeschrieben hatte. Darauf komme ich noch zurück. Jetzt soll vom Onkel Hahn die Rede sein.

Der Onkel Hahn – dem Jüngling Ernst ein Onkel mütterlicherseits – lebte in Prag, und zwar im Unfrieden mit seiner Familie, die eines der schönen, alten Bürgerhäuser in der damaligen Tuchmachergasse bewohnte. Er dürfte diesen Unfrieden vorsätzlich herbeigeführt haben, denn er war, das ging aus den Schilderungen seines Neffen klar hervor, ein unleidlicher, rechthaberischer Querulant. Ob zuerst er mit der Familie oder zuerst die Familie mit ihm nichts zu tun haben wollte, steht dahin – jedenfalls hatten sie nichts miteinander zu tun, was jedoch Onkel Hahns Bedürfnis, über das Treiben der mißliebigen Verwandtschaft auf dem laufenden zu bleiben, nicht etwa dämpfte, sondern steigerte. Dies machte sich der ständig geldbedürftige Neffe listenreich zunutze, indem er sich in regelmäßigen Intervallen bei dem in einem andern Stadtteil wohnenden Onkel einfand und durch raffiniert hinhaltende Gesprächsführung die Neugier des streitsüchtigen Eigenbrötlers so lange zu steigern verstand, bis ihm ein finanzieller Lohn für ihre Befriedigung sicher war. Mit der Zeit verknappte sich dieses Verfahren zu folgendem Einleitungsdialog:

»Was tut sich in der Tuchmachergasse?« fragte der Onkel.

»Nichts«, antwortete der Neffe.

»*Zum* Beispiel«, sagte der Onkel, deponierte je nach Laune 50 Heller oder eine Krone auf dem Tisch, lehnte sich im Ohrensessel zurück und lauschte gierig dem Familientratsch.

Ernstens korrupte Erbötigkeit ging so weit, daß er seinen Onkel, der ihm als Geldquelle ebenso unentbehrlich war wie er dem Onkel als Informationsquelle, nicht nur auf Spaziergängen und ins Kaffeehaus begleitete, sondern in Notfällen sogar zum samstäglichen Gottesdienst, wo Onkel Hahn – und dazu brauchte er einen willfährigen Partner – an der Predigt des Rabbiners jedesmal etwas auszusetzen fand. Diese Predigten folgten in Aufbau, Stil und Tonfall einer Tradition, die von den führenden Rabbinern des 19. Jahrhunderts geprägt worden war (und noch in meine eigene Jugendzeit hineinreichte): es war eine Mischung aus guttural gebändigtem Pathos und frei fließendem Schmalz, aus milder Drohung und eifernder Beschwörung, aus Demut und Grollen – jeder dieser gelehrten Gottesdiener hielt sich für einen aus dem alten Testament in die Neuzeit verschlagenen Propheten und stand mit seinen biblischen Vorfahren gewissermaßen auf Du und Du. Zu den unumstößlichen Eigenheiten ihrer Kanzelreden gehörte die Verwendung von Zitaten aus der Heiligen Schrift, zuerst im hebräischen Original und dann in deutscher Übersetzung, damit auch die minder bibelfesten Gemeindemitglieder es verstünden.

An einem Samstag nun, an dem der Onkel Hahn mit seinem Neffen Ernst in der Synagoge erschienen war, predigte der Rabbiner über die Pflicht zum Wohltun, wetterte wider Verschwendung und Prunksucht, kam auf die gottgefälligen Aspekte der Sparsamkeit zu sprechen (weil man dann nämlich einem Bedürftigen jederzeit helfen könne) und zog mit erhobener Stimme biblische Unterstützung heran: »Hat uns doch schon der Prophet Jesaja mahnend zugerufen ...« (folgte der Originaltext des Zurufs) »... was soviel bedeutet wie: Spare in der Zeit, dann hast du in der Not!«

Da aber wandte sich der Onkel Hahn mißbilligend an die Umsitzenden:

»Das hab ich schon *viel* früher gesagt!«

Seine weitaus erheblichste Äußerung – und zugleich ein bedeutsames Zeugnis für das historische Kontinuitätsbewußtsein des Juden – erfolgte anläßlich eines Kinobesuchs. Man gab die erste, von Cecil B. de Mille geschaffene Verfilmung der »Zehn Gebote«, die zu den Marksteinen der Hollywooder Stummfilm-Ära zählt und nicht nur durch den monströsen Aufwand ihrer Bauten und Massenszenen Aufsehen erregte, sondern (zumindest in der Fachwelt) auch durch die zugleich primitive und geniale Art, wie de Mille den Durchgang der Kinder Israels durchs Rote Meer bewältigte: er ließ in das spielzeuggroße Modell eines ausgedörrten Flußbettes von beiden Seiten Wasser einschütten und kurbelte den Ablauf ein zweitesmal rückwärts, was in der vergrößerten Filmprojektion den zwingenden Eindruck einer nach beiden Seiten sich teilenden Wasserflut ergab. Im Film watschelten dann einige hundert Statisten mit aufgeklebten Vollbärten durch ein wirkliches Flußbett, und als der letzte draußen war, wurde wieder das Modell einkopiert, über dem sich die Wogen schlossen. Das Bild blendete langsam aus. Im Kino herrschte die Stille weihevoller Ergriffenheit.

Und in diese Stille hinein ließ sich laut und deutlich der Onkel Hahn vernehmen:

»Also *so* war das *nicht!*«

Bevor ich die Brücke betrete, die von Ernst Deutsch zum Religionslehrer Grün führt, habe ich zur Stilistik rabbinischer Predigten eine eigene Reminiszenz beizutragen. Sie stammt aus meinen frühen Gymnasiastenjahren in Wien (die späteren in Prag haben mir auf diesem Gebiet nichts mehr eingebracht, dafür aber sehr viel andres), sie stammt, um es genau zu sagen, vom sogenannten »Jugendgottesdienst«, der immer am ersten Samstag im Monat stattfand und an dem die jüdischen Schüler – in der offiziellen Terminologie schonungsvoll als »Schüler mosaischen Glaubensbekenntnisses« bezeichnet – vollzählig teilnahmen. Sie taten das nicht etwa aus Frömmigkeit, sondern weil die Teilnahme eine Verkürzung der Unterrichtszeit um zwei Stunden bedeutete. Gelegentliche Stichproben ließen es wenig ratsam erscheinen, sich auf dem Weg zur Synagoge zu verkrümeln, was im Ertappungsfall streng geahndet wurde. Aber auch davon abgesehen war es immer noch besser, statt des Geographie- oder Lateinunterrichts eine Predigt über sich ergehen zu lassen.

Und eine dieser Predigten begann der uns zugeteilte Rabbiner Nußbaum, dessen blumiges Timbre mir bis heute vergnüglich im Ohr geblieben ist, mit folgenden Worten:

»Meine andächtigen jungen Zuhörer! Ich möchte nicht zu weit zurückgreifen in der Geschichte unseres Volkes. Es geschah im Jahre zweitausendeinhundert *vor* der üblichen Zeitrechnung ...«

Was damals geschah, ist mir leider entfallen. Ich weiß nur noch, daß der behutsame Rabbi nicht zu weit zurückgreifen wollte.

Es wird jetzt eine Entschuldigung fällig, und vermutlich nicht zum letztenmal. Der Ansturm von Erinnerungen, dem ich hier ausgesetzt bin, wird mich wohl noch öfter in die nahezu unausweichliche Zwangslage bringen, vom Hundertsten ins Tausendste zu geraten; hoffentlich kann ich die Nachsicht des Lesers dadurch abgelten, daß ihn das Tausendste ebensowenig langweilen wird wie das Hundertste.

Die Geschichte, die sich mir eben jetzt im Zusammenhang mit der »üblichen Zeitrechnung« und dem jüdischen Kalender aufgedrängt hat, wurde mir vor etlichen zwanzig Jahren von George London berichtet, dem amerikanischen Baßbariton, der damals am Beginn seiner leider viel zu früh abgeschlossenen Karriere stand (und der, nebenbei, ein großartiger Erzähler jiddisch-amerikanischer Geschichten ist). Er will vom Nebentisch her mitangesehen und mitangehört haben, was sich eines Tags zur Lunchzeit in einem der nobelsten Nobelrestaurants der New Yorker Park Avenue zutrug:

Im Lokal erschienen zwei unverkennbar orthodoxe Juden, blickten verwirrt um sich, wurden des offenkundigen Irrtums, der sie hierhergeleitet hatte, zu spät gewahr und nahmen zögernd Platz. Um ganz bestimmt keinen Verstoß gegen die rituellen Speisegesetze zu begehen, bestellten sie nur wenig und garantiert Unverfängliches, nämlich Gervais und Obstsalat – eine Bestellung, die der Kellner mit kaum verhohlenem Nasenrümpfen entgegennahm. Noch nasenrümpfender reagierte der Sommelier, als sie ihm die Weinkarte ungelesen zurückreichten und als der Mutigere von beiden sich nach verlegener Pause zu der Frage aufraffte, ob man in diesem Lokal auch koscheren Wein bekommen könnte? Womöglich von der bestens bekannten, unter Aufsicht des ehrw. Oberrabbinats stehenden Firma Manischewitz?

Er werde versuchen, so etwas herbeizuschaffen, äußerte sehr von oben herab der Sommelier.

Tatsächlich brachte er nach einer Weile in silbernem Eiskübel das Gewünschte.

Der Besteller zog die Flasche hervor, prüfte das Etikett und wandte sich an den ausdruckslos dastehenden Kellermeister:

»Sagen Sie – war 5712 ein guter Jahrgang?«

Zurück zum Hundertsten, zu den Geschichten vom Religionslehrer Grün – und vorher noch rasch zu dem zornigen Anspruch, den Ernst Deutsch auf das Urheberrecht an diesen Geschichten geltend machte. Der Anspruch besteht zu Recht.

Den Zorn hatte ich hervorgerufen, als ich in einem von gänzlich anderen Dingen handelnden Gespräch ahnungslos und unschuldig die Bemerkung einflocht, das eben Gesagte erinnere mich an eine Geschichte, die mir Franz Werfel von seinem Religionslehrer Grün erzählt hatte, ich weiß nicht, ob du ihn kennst, Werfel kopiert ihn übrigens ganz ausgezeichnet, zumindest habe ich diesen Eindruck... und weiter kam ich nicht. Schon während meiner letzten Worte hatte sich das Mimenantlitz immer bedrohlicher verfärbt und begann bereits leicht ins Violette zu spielen – jetzt donnerte sein Besitzer los, mit jener metallisch dröhnenden Stimme, die er sonst nur für seine wuchtigsten Bühnenausbrüche einsetzte:

»Was heißt das: ob ich ihn kenne? Wovon sprichst du? Der Rebbe Grün war *mein* Religionslehrer, nicht der vom Werfel! Und was heißt das: der Werfel kopiert ihn? Eine Unverschämtheit! Er kopiert nicht den Rebbe Grün, er kopiert *mich,* wie ich den Rebbe Grün kopiere! Auch seine Geschichten kennt er nur von mir! Merk dir das gefälligst!«

Hätte ich behauptet, nicht er, Ernst Deutsch, habe 1917 in Dresden Hasenclevers »Sohn« zum Triumph geführt, sondern Fritz Kortner – ich hätte damit kein größeres Ungewitter auf mein Haupt laden können. Und es war, das mußte und muß ich zugeben, des Anlasses wert. Denn die Geschichten vom Rebbe Grün gehören zu den Köstlichkeiten des Altprager Anekdotenschatzes, wurden von Ernst Deutsch und – kaum wage ich's anzufügen – dank seinem großartigen Imitationstalent auch von Franz Werfel meisterhaft erzählt und teilen das Schicksal aller auf erzählerische Meisterschaft angewiesenen Geschichten: sie lassen sich schriftlich nur schwer und verlustreich wiedergeben.

Der Religionslehrer Grün, dem der Titel »Rebbe« in geringschätziger, in bübisch herabwürdigender Absicht zuteil wurde, nicht etwa auf Grund einer rabbinischen Befugnis oder gar um einer Gelehrsamkeit willen, wie sie unter Ostjuden durch die Anrede »Reb« beglaubigt wird – der Rebbe Grün unterrichtete also an einigen der deutschsprachigen Prager Gymnasien die Schüler mosaischen Glaubensbekenntnisses in »Religion und biblischer Geschichte«. Diese schon an sich wenig beneidenswerte Tätigkeit wurde ihm noch dadurch versauert, daß er einer sonderbaren Art von Gedankenflucht unterlag, die ihn dem Hohn der mosaischen Schülerschaft in weit höherem Ausmaß preisgab, als es im Unterrichtsfach Religion, in dem man bekanntlich nicht durchfallen konnte, ohnehin die Regel war. Unter andrem äußerte sich seine Gedankenflucht – womit sie bedenklich nahe an Schizophrenie herankam – durch zwei völlig verschiedenartige Tonfälle: der eine, geruhsam und salbungsvoll, galt dem Lehrstoff, mit dem zweiten, nervös und manchmal bis zum Umkippen gereizt, setzte er sich gegen die Störungsversuche der Schüler zur Wehr.

»Und die Kinder Israels«, so hieß es im Vortrag, »zogen durch die Wüste und lagerten sich an einer Zisterne ...«

Ein Schüler, Interesse am Unterricht heuchelnd, meldet sich mit der Frage:

»Bitte, Herr Professor, was ist das, eine Zisterne?«

Grün gibt sich den Anschein, nichts gehört zu haben:

»Und als die Kinder Israels gelagert waren, erhob sich aus ihrer Mitte ...«

»Bitte, Herr Professor, wenn ich nicht weiß, was eine Zisterne ist, kann ich dem Unterricht nicht folgen«, beharrt der Wißbegierige.

Von jetzt an schwankt Grün sowohl gedanklich wie stimmlich zwischen dem Bemühen, den Vortragsfaden wieder aufzunehmen, und dem fast ebenso hoffnungslosen Versuch, den Störenfried zurechtzuweisen, ohne ihm die vorgeblich benötigte Auskunft zu verweigern:

»Also die Kinder Israels hatten sich auf ihrem Zug durch die Wüste ... er weiß nicht, was eine Zisterne ist ... hatten sich an einer Zisterne gelagert ... kommt herauf bis in die siebente Klasse und weiß es nicht ... und wie sie so gelagert waren ... wirklich eine Schande, nächstes Jahr soll er maturieren und fragt: was ist eine Zisterne? ... erhob sich unter den Kindern Israels ... aus ihrer Mitte ... mitten in der Wüste ... erhob sich ...« (in jähem Diskant auf den artig stehengebliebenen Frager losfahrend:) »Eine Zisterne ist ein Loch im Orient!!«

Es konnte jedoch geschehen, daß ihm seine Gedanken auch ohne Mithilfe seitens der Schüler durcheinander gerieten. Als klassisches Beispiel eines solchen Wirrsals darf der Beginn seines Vortrags über die Makkabäer gelten:

»Der Stammvater des Geschlechtes der Hasmonäer, aus welchem die Makkabäer hervorgingen, war Mattatias. Mattatias hatte fünf Söhne: Eleasar ... Juda, später Juda Makkabi genannt ... Jochanan ... nein, Jochanan war der älteste, also Jochanan ... Juda ... Simon ... Jochanan ... aber der war ja schon da, ich mein' den Jonatan ...« (er geriet in immer heftigeres Schwimmen und kehrte, um Ordnung in die Reihenfolge zu bringen, an den Anfang zurück:) »Mattatias hatte fünf Söhne. Sie hießen der Reihe nach ... Jochanan ... Simon ... Juda ... eigentlich der wichtigste, weil er später Juda Makkabi genannt wurde ... Jonatan ... nein, Eleasar ...« (erneuter Anlauf, wieder vom Anfang an:) »Mattatias hatte fünf Söhne. Jochanan war der älteste, aber Juda war der wichtigste ... und dazwischen Simon ... fehlt mir noch der fünfte ... Eleasar hab ich schon ...«

Er verstummte, überschlug in Gedanken ein letztesmal die noch vorhandenen Möglichkeiten und verkündete mit endgültiger, unwidersprechlicher Entschlossenheit:

»Mattatias hatte fünf Söhne: Juda, Simon und Eleasar.«

Jahre später, als Ernst Deutsch – mittlerweile zu einem Star des Berliner Theaters avanciert – zu einem Gastspiel nach Prag kam, begegnete er auf der Straße seinem einstigen Religionslehrer, der jetzt bereits ein wohlerworbenes Recht auf Senilität besaß. Deutsch blieb stehen, zog grüßend den Hut und hatte die Genugtuung, daß der alte Rebbe Grün ihn tatsächlich erkannte:

»Ernst Deutsch, nicht wahr?«

»Jawohl, Herr Professor.«

»Wo leben Sie jetzt?«

»In Berlin.«

»In Berlin ... so, so ... Was zahlen Sie dort?«

Da er eine Antwort nicht abwartete, sondern freundlich nickend weiterging, wird ewig ungeklärt bleiben, ob er die Wohnungsmiete gemeint hat, die allgemeinen Lebenskosten, die Kultussteuer, oder was sonst.

*

Daß für die Angehörigen israelitischer Gemeinden das Zahlungsmoment eine bedeutende Rolle gespielt hat (und daß es sie dort, wo solche Gemeinden noch existieren, nach wie vor spielt), darf als bekannt vorausgesetzt werden. Es trat unter vielen Aspekten auf, von denen dem Aspekt der Wohltätigkeit stärkstes Gewicht zukam – nicht etwa, weil Wohltun Zinsen trägt (was ein zutiefst unjüdischer Gedankengang wäre), sondern weil es die Erfüllung eines göttlichen Gebots bedeutet, für die man keinen Dank zu erwarten hat; im Gegenteil muß man nach jüdischer Auffassung dem Empfänger der Wohltat dafür dankbar sein, daß man von ihm die Möglichkeit zu einer gottgefälligen Handlung geboten bekam. Dies nebenbei und vielleicht zum richtigen Verständnis eines Großteils der sogenannten »Schnorrer«-Witze (zumindest jener, die tatsächlich der jüdischen Mentalität entsprechen).

Es wurde also für alle möglichen guten oder gutgemeinten Zwecke geschnorrt, es gab, je nach Größe der betreffenden Gemeinde, zahlreiche Organisationen, die sich mit nichts andrem beschäftigten, und der Aufwand ihrer Werbetätigkeit – Briefe, Broschüren, Veranstaltungen, Lotterien – stieg mit der Höhe der jeweils einzutreibenden Summe.

So konnte es nicht fehlen, daß der »Verein zur Unterstützung bedürftiger jüdischer Hochschüler« eine Broschüre herausgab, um zur Errichtung einer »Mensa Academica Judaica« für jene Studenten aufzurufen, die sich in den vorhandenen Studenten-Ausspeisungen nicht verköstigen konnten oder wollten. Unterstützungsvereine solcher Art gab es in allen Universitätsstädten der Monarchie und ihrer Nachfolgestaaten; der hier in Rede stehende Verein befand sich zufällig in Wien, hätte sich jedoch ebensogut in Prag oder Krakau oder Czernowitz befinden können. Die genaue Ortsangabe erfolgt teils aus Gründen der historischen Akribie (die ich nach bester Möglichkeit zu wahren bestrebt bin), teils weil sie zugleich eine Quellenangabe darstellt: es ist mein Freund und Altersgenosse Walter Engel, Sohn des damaligen Präsidenten der Wiener Israelitischen Kultusgemeinde (und späterhin spiritus rector der »Literatur am Naschmarkt«, Wiens berühmtester Kleinkunstbühne), der mir ein mit jener Broschüre zusammenhängendes Kindheitserlebnis zur Verbuchung anvertraut hat.

Die Broschüre, sorgfältig redigiert und ausgestattet, begann – wie es dem bildungsfrohen Geist jener Tage gemäß war – mit einem Zitat, und zwar mit einem Zitat in englischer Sprache: *Knowledge is power.* Nun konnte zwar Klein-Engel damals schon lesen, aber des Englischen war er unkundig. Vielleicht hatte er irgendwann gehört, daß die Armut von der Powerteh kommt, vielleicht auch nicht – jedenfalls buchstabierte er sich die englischen Worte so zurecht, wie sie geschrieben waren, sprach sie leise vor sich hin und fand ihren Inhalt vollkommen einleuchtend: ein offenbar aus dem Osten stammender Student namens Knowledge ist power, und man muß etwas für ihn tun.

Das Bestreben, auch in sprachlicher Hinsicht höher hinaus zu wollen – ein im Grunde gesellschaftlicher Ehrgeiz, wurzelnd noch in den Anfängen der Emanzipation – trieb die seltsamsten Blüten und bewog beispielsweise die Zuwanderer aus den östlichen Teilen der Monarchie, gelegentlich in ein völlig unmotiviertes Hochdeutsch zu verfallen, das zumal in Verbindung mit ihrer üblichen Ausdrucksweise fast schon archaisch wirkte.

Hierher gehört der Ratschlag, den mir mein Nachbar in der sogenannten »Heißluftkammer« eines Wiener Dampfbads – die Institution der Sauna gab es damals noch nicht – ungebeten zuteil werden ließ:

»Wenn Sie herauskommen aus der Heißluft, sollten Sie immer essen eine Orandsche«, ermahnte er mich in einer ihm durchaus angemessenen Diktion; und fügte mit Nachdruck hinzu: »*Das labt!*«

Vermerkenswert ist auch der zornige Ausruf, den ein Kartenspieler in einem Kaffeehaus der Leopoldstadt (des II. Wiener Gemeindebezirks, der fast ausschließlich von Juden bewohnt war), an einen lästigen Kiebitz richtete:

»Herr!« rief er. »Über Ihnen werde ich noch müssen von dem Kaffeehaus *meiden!*«

Schärferen Ohren wäre es übrigens nicht verborgen geblieben, daß er »von *den* Kaffeehaus« sagte statt »von *dem*« – eine Deklinationsverschlampung, die gründlicherer Analyse wert wäre, vor allem im Hinblick auf den Unterschied zwischen der östlichen und der böhmisch-mährischen Verwechslung des Dativs mit dem Akkusativ. Dieser Unterschied trat auch in den regionalen Mißhandlungen der Umlaute hervor; sie unterlagen etwa bei einem Tschechen vom Typus Schwejk anderen phonetischen Gesetzen als bei einem Redakteur des »Prager Tagblatts« und klangen im Wiener Vorstadtdialekt anders als im Jargon des Czernowitzers. Fritz Grünbaum, der blitzgescheite, profund gebildete Meister-Conferencier und klassenbewußte Brünner, plante einmal eine Dissertationsarbeit »Über die mährische Abneigung gegen das Dativ-M« und konstituierte den Mustersatz: »An liebsten sitz ich in Kaffeehaus.«

Aber das würde zu eben jenem sprachlichen Exkurs zurückführen, von dem wir doch – mühsam genug – zum Thema zurückgekehrt sind. Bleiben wir beim Thema.

Von mürrischen Käuzen (nebst Personal)

Der Typus des kompromißlosen Eigenbrötlers, wie er aufs eindruckvollste vom Onkel Hahn verkörpert wurde, war in den Kreisen der hier anvisierten Bourgeoisie und im Randbezirk ihrer Bohème keine Seltenheit. Er mußte nicht unbedingt mit seiner Umwelt zerfallen sein, er konnte – solange sie sich des ohnehin aussichtslosen Versuchs enthielt, ihm ihre Konventionen aufzwingen zu wollen – ein durchaus friedfertiges Auslangen mit ihr finden und wurde dann nicht bloß toleriert, sondern gehätschelt: als willkommenes Objekt eines Mäzenatentums, das ihn insgeheim um seine eigenwillige Lebenshaltung beneidete und sich an ihm für manche selbstverschuldete Einbuße schadlos hielt. Verfügte er außerdem noch über Witz oder Wissen, über exotische Erfahrungen oder ein im Ansatz steckengebliebenes Talent, dann um so besser. Aber es genügte auch schon, wenn er mürrisch war.

Glückliche Umstände haben mir einmal sogar Einblick in das praktisch als nichtexistent geltende Liebesleben dieser Spezies gewährt, zu einer Zeit, da sich das meine auf leid- und lyrikgetränkter Pubertätsbasis abspielte. Ein akuter Fall meines Leidens begab sich eines Sommers in Alt-Aussee, zu dessen Stammgästen (auf Kosten wohlhabender Freunde) seit vielen Jahren der Dr. jur. Heinrich Frankel gehörte, laut eigener, stolzer Aussage »Wiens ältester Konzipient« und bar jeglichen Ehrgeizes, es jemals bis zur Advokatur zu bringen. Er muß damals schon beträchtlich über 50 gewesen sein, und der trostreiche Zuspruch, den er mir auf einem langen Spaziergang angedeihen ließ, atmete zu ungefähr gleichen Teilen den Duft des von ihm hochgeschätzten Enzian-Schnapses und die Weisheit des Alters. Um mich von der Nichtswürdigkeit des weiblichen Geschlechts im allgemeinen und der Unsinnigkeit meines Liebeskummers im besonderen zu überzeugen, entwickelte er mir seine erfahrungssatte Lebensphilosophie, die sich auf merkwürdige Weise den in seiner Jugend von Wedekind und Karl Kraus verfochtenen Thesen annäherte und ungefähr darauf hinauslief, daß »Liebe« in der bürgerlichen Welt immer und überall etwas Käufliches sei und daß man sie deshalb besser gleich in der deklariert käuflichen Form genießen solle, das wäre die sauberste Lösung, und die habe er sich schon frühzeitig zu eigen gemacht. Er möchte sie auch mir empfehlen, um mich vor künftigen Enttäuschungen zu bewahren. Denn alle Weiber, einschließlich der sogenannten anständigen, seien im Grunde Dirnen.

Ich schwieg – nicht etwa aus Zustimmung, sondern weil ich dem um gut drei Jahrzehnte Älteren nicht widersprechen wollte.

Nur einmal im Leben, so fuhr er nach einer kleinen Pause fort, sei ihm eine Ausnahme von der Regel begegnet, eine Ballbekanntschaft, die ihn hernach, von Wein und Walzerseligkeit beschwingt, in ihre Wohnung mitgenommen hatte, er sehe sie noch vor sich, wie sie im Negligé an ihrem Toilettentisch mit dem dreigeteilten Spiegel saß, um die Spangen und Haarnadeln aus ihrer hochgesteckten Frisur zu entfernen, indessen er vom Kanapee dahinter seine selig erwartungsvollen Blicke unverwandt auf sie gerichtet hielt. Und da hätte sie sich lächelnd zu ihm umgedreht und gesagt:

»Aber bilden Sie sich nichts ein, Doktor – mich kann *jeder* haben.«

Heini Frankel war am Ende seines Berichts angelangt. Versonnen blickte er ins sommerliche Ausseerland, ehe er abschließend hinzufügte:

»Das war die einzige anständige Frau, mit der ich's in meinem ganzen Leben zu tun hatte.«

Trinkfreudigkeit und Geringschätzung der Frauen gehörten auch zu den Wesenszügen des im übrigen völlig anders gearteten Dschingo Deutscher – wie er mit seinem richtigen Vornamen geheißen hat, weiß ich nicht, ich habe ihn auch bald wieder aus den Augen verloren, behalte ihn jedoch aus zwei Gründen in verehrungsvoller Erinnerung: er war einer der ersten Leistungsschwimmer und Wasserballspieler Österreichs, hätte beinahe an der Stockholmer Olympiade von 1912 teilgenommen und zählte somit zu den Pionieren eines Sportzweigs, in dem auch ich – beträchtlich später – einige Lorbeeren eingeheimst habe (für den oder jenen versprengten Leser meines Romans »Die Mannschaft« wird das nichts Neues sein, die anderen müssen sich halt damit abfinden); und überdies, oder eben darum, war Dschingo Deutscher der Held und Urheber der wahrscheinlich verblüffendsten Zeitungsüberschrift, die jemals in einer »Gerichtssaal«-Rubrik erschienen ist. Sie lautete:

»Ich habe hier nicht gebadet – ich bin nach Hause geschwommen.«

Und das kam so:

Bald nach dem Ersten Weltkrieg begann sich an der Donau, im Gebiet Klosterneuburg, der Badeort Kritzendorf zu etablieren, der in den folgenden Jahren großen Aufschwung nahm. Zunächst jedoch bestand er nur aus ein paar Badehütten, manche nicht viel mehr als geräumige Umkleidekabinen, andere bereits mit etlichem Komfort ausgestattet und Vorläufer der nachmals so beliebten Wochenend-Bungalows. Ein mit Dschingo Deutscher befreundetes Ehepaar besaß eine solche Badehütte und hatte ihn dorthin eingeladen. Ob die Einladung in Vergessenheit geraten war, ob Dschingo sich im Tag geirrt oder sich einfach zu spät eingefunden hatte – gleichviel: als er, schon in der Abenddämmerung, die Badehütte erreichte, fand er sie versperrt, und der menschenleere Strand machte eine Suche nach den Besitzern von vornherein überflüssig. Nun verhielt es sich damals mit den Verkehrsmitteln zwischen Wien und den Vororten äußerst dürftig, Autobusse gab es noch nicht, Privatautos und Taxis hatten Seltenheitswert, und der zur Bahnstation zurückgekehrte Dschingo mußte feststellen, daß der letzte Vorortezug nach Wien bereits abgegangen war. Nochmals suchte er die Badehütte auf, in der irrationalen Hoffnung, daß seine Gastgeber mittlerweile dort aufgetaucht wären oder daß sie geschlafen hätten und ihn jetzt einlassen würden. Natürlich war nichts dergleichen der Fall, und Dschingo stand außer vor der beharrlich verschlossenen Badehütte auch vor der Frage, wie er jetzt von Kritzendorf nach Wien kommen sollte. Wenn er nicht auf der Rossauerlände, einer Uferzeile des Donaukanals, gewohnt hätte, wäre ihm wohl nichts andres übriggeblieben als ein stundenlanger, beschwerlicher Rückweg zu Fuß. So aber besann er sich seiner Schwimmer-Vergangenheit, entledigte sich, vom Dunkel der anbrechenden Nacht geschützt, seiner Kleidung, formte sie zum Bündel, das er durch eine offene Oberluke in die Badehütte praktizierte, und warf seinen immer noch mächtigen, wenn auch leicht verfetteten Körper in die Fluten der Donau. Am Nußdorfer Wehr stieg er in den Donaukanal um, und kurz vor Mitternacht sah der an der Brigittabrücke dienst-

habende Wachebeamte eine nackte, triefend nasse Männerge-
stalt ans Ufer klimmen. Er schritt pflichtgemäß ein und tat das
mit einer Frage, die bei sogenannten »Perlustrierungen«, d. h.
bei der Anhaltung verdächtiger Personen, üblich ist. Er fragte – und Dschingo Deutscher vergaß an diesem Punkt seines
Berichts niemals die Feststellung, daß das für ihn schon die
eigentliche Pointe der Geschichte sei –: »Haben Sie Papiere
bei sich?«

Die Antwort erfolgte unter abfälligen Bemerkungen über
den mangelnden Intelligenzgehalt der Frage, und da der An-
gehaltene, wie es später im Protokoll hieß, auch sonst »ein
renitentes Verhalten an den Tag legte und durch unglaubwürdige Angaben die Amtshandlung ins Lächerliche zog«, wurde
er an Ort und Stelle verhaftet und nach Bedeckung seiner
Blößen durch den Polizeimantel auf die nächste Wachstube
gebracht. Dort erwies sich die unglaubwürdige Angabe, daß
er in einem nahe der Brigittabrücke gelegenen Mietshaus
wohne, als zutreffend, und mangels irgendwelcher Zeugen in
der nächtlich ausgestorbenen Gegend konnte ihm weder eine
Erregung öffentlichen Ärgernisses noch ein Vergehen gegen
das öffentliche Sittlichkeitsgefühl zur Last gelegt werden. Anderseits konnte und wollte man ihn auch nicht ungeschoren
davonkommen lassen. Infolgedessen beschuldigte man ihn
wenigstens des »Badens an verbotener Stelle«, und gegen diese
Anschuldigung verantwortete sich Dschingo Deutscher mit
dem eingangs als Zeitungsüberschrift zitierten Argument, das
jetzt schon nicht mehr so verblüffend wirkt. Er hatte tatsächlich nicht gebadet. Er war tatsächlich nach Hause geschwommen.

*

Die leider flüchtig gebliebene Bekanntschaft mit Dschingo Deutscher wurde mir durch unsern gemeinsamen Freund Ernst Stern vermittelt, zu dem ich während meiner Jugendzeit in denkbar intensivstem Kontakt stand und der meine Entwicklung nicht unerheblich beeinflußt hat (er war um einige Jahre älter als ich). Ob er eigentlich in die Reihe der hier zu schildernden Sonderlinge gehört, weiß ich nicht; ich wüßte allerdings auch keine andre »Reihe«, in die er gehören würde – womit schon angedeutet ist, daß er eine ganz und gar einmalige Persönlichkeit war, ein Mischprodukt aus Intelligenz, Begabung und moral insanity, geistreich bis zum Zynismus und insgesamt eine so vielfältig schillernde Erscheinung, wie sie schon damals nur an der Außenseite einer morbiden Gesellschaft gedeihen konnte und wie sie heute kaum noch vorstellbar oder glaubhaft zu machen ist. Er stammte aus gutbürgerlicher Familie, bewegte sich mit einer Anmut, die zu seiner hünenhaften Gestalt in merkwürdigem Kontrast stand, legte größten Wert auf gute Manieren und befliß sich, schon um seine Sprachkenntnisse zu demonstrieren, einer von Fremdwörtern durchsetzten Ausdrucksweise, für deren witzige Verschraubtheit nur das Englische eine zutreffende Bezeichnung hat: sophisticated. Als ich ihn kennenlernte, war er – und das ist ein weiterer Grund, warum ich ihm in Anschluß an Dschingo Deutscher meinen Tribut zolle – ein erfolgreicher Schwimmer, gehörte ebenso wie ich dem jüdischen Sportklub »Hakoah« an, der in beinahe allen Sportzweigen österreichische Meister stellte, wechselte dann zum Ringkampf über, den er später, zumal in Zeiten der Geldnot, auch professionell betrieb (einen wirklichen Beruf hat er niemals ausgeübt), holte sich einen andern, recht dubiosen Teil seiner Einkünfte vom Kartenspiel – und arbeitete insgeheim an einer erkenntnistheoretischen Schrift, die gegen Bertrand Russell und die Logistiker des »Wiener Kreises« um Schlick und Carnap gerichtet war (ihren Stammtisch im Café Herrenhof nannte er »Zum weisen Russell«). Kenner der Materie, denen er Einblick in seine Arbeit gewährte, zeigten sich höchst beeindruckt und prophezeiten ihm eine große Zukunft.

Mir hat er solchen Einblick natürlich nicht gewährt, dafür war ich ihm zu dumm und ungebildet. Der Philosoph in ihm offenbarte sich mir höchstens dadurch, daß er mich manchmal, wenn mein Liebeskummer ihm gar zu sehr auf die Nerven fiel, einem Spezialgriff unterzog, der im Fachjargon als »einfacher Nelson« und unter jugendlichen Raufbolden als »Schwitzkasten« bekannt ist: mit dem linken Arm umklammerte er mein Genick und drückte mir den Kopf nieder, mit der rechten Hand hielt er mir Schopenhauers »Über die Weiber« vors Gesicht und zwang mich, einige Absätze laut vorzulesen.

Diese Spannweite seines Wesens, diese Polarisation von brutaler Körperlichkeit und hochgestochenem Intellekt kam zu besonders fröhlicher Geltung, als im Zirkus Renz wieder einmal ein Turnier der Berufsringer stattfand und als Ernst Stern, geschmückt mit dem Beinamen »der jüdische Herkules«, in einem der wenigen nicht geschobenen Kämpfe den gefürchteten deutschen Meister Kornatz besiegte, noch dazu im allerletzten Moment, denn jener war schon drauf und dran, ihm die »Brücke« – eine riskante Verteidigungsposition – »einzudrücken« und fand sich plötzlich durch eine ebenso riskante »Roulade« Sterns auf beide Schultern gelegt. Das Turnier hatte seine Sensation, und Stern wurde hernach in der Kabine von einem Rudel aufgeregter Journalisten umdrängt und befragt. Was er sich denn in diesen letzten entscheidenden Sekunden gedacht habe, wollte einer wissen. Stern gab bereitwillig Auskunft (deren Ironie dem Frager verborgen blieb):

»Es war wirklich sehr unangenehm«, sagte er. »Von oben preßte mir dieser Kornatz die Luft ab, von unten spürte ich die Matte immer näher kommen. Und da hab ich mir gedacht: ein Jud gehört ins Kaffeehaus.«

Dort − und zwar im Café Herrenhof, dem Mittelpunkt des Wiener Literatur- und Geisteslebens − verbrachte Ernst Stern tatsächlich den größten Teil seiner Zeit, entweder in gewinnbringende Pokerpartien oder in platonische Debatten verstrickt, zwischendurch wohl auch im benachbarten Café Central gastierend, wo er, der nebstbei ein hervorragender Schachspieler war, den im berühmten »Schachzimmer« seßhaften Großmeistern einen willkommenen Übungspartner abgab. Schamvoll erinnere ich mich eines Nachmittags, an dem er mich und einen gemeinsamen Freund ins Café Central beordert hatte, und da er sich beträchtlich verspätete, vertrieben wir uns die Wartezeit mit einer Schachpartie. Das sollte uns zwei Dilettanten übel bekommen. Der müßig herumsitzende Großmeister Tarrasch schrieb die Partie meuchlings mit, und als Stern eintraf, wurde sie von ihm und Tarrasch zum Gaudium der übrigen Matadore nicht bloß nachgespielt, sondern im Stil der Fachzeitschriften auch kommentiert: »Offenbar handelt es sich hier um eine Variante der erstmals 1913 in Göteborg verwendeten Réti-Zuckertort-Eröffnung«, hieß es etwa beim vierten Zug, mit dem ich praktisch bereits in eine Mattstellung geraten war, und da mein Partner nichts dergleichen tat, wurde mit todernster Sachlichkeit vermerkt, daß Capablanca in seinem Weltmeisterschaftskampf gegen Lasker auf einen ähnlichen Zug durch Aufreißen des Königsflügels reagiert hätte … Es ist, wie gesagt, eine schamvolle Erinnerung.

Übrigens legte Ernst Stern im Schachzimmer des Café Central – und soviel ich weiß: nur dort – eine Bescheidenheit an den Tag, die ihm sonst gänzlich abging und die er in Diskussionen, wenn deren Niveau ihm mißbehagte, durch unverhohlene Arroganz ersetzte. »Unterlassen Sie Ihre tölpelhaften Einwände«, wandte er sich mit schläfriger Stimme und gelangweilter Miene an einen ihm unerwünschten Gesprächsteilnehmer. »Ich ästimiere das nicht.« Und wenn der andre fortfuhr, folgte alsbald eine zweite, energischere Ermahnung: »Sie sind mir lästig, mein Herr. Entfernen Sie sich ungesäumt, sonst müßte ich Sie mit Brachialgewalt des Tisches verweisen.« Was manchmal in der Tat geschah, zum hilflos glotzenden Erstaunen des Betroffenen, der die Warnung – schon ihrer vermeintlich spaßhaften Formulierung wegen – nicht ernst genommen hatte.

Was nun diese Formulierungs-Manier betraf (mit der Stern – siehe das Kapitel Dr. Sperber – nicht ganz vereinzelt dastand), so habe ich mich oft gefragt, wie sie denn etwa auf einen Uneingeweihten gewirkt haben mochte, auf einen zufälligen Zeugen solcher Verbal-Akrobatik und solcher Szenen – denn sie ergaben sich immer wieder. Einer ihrer Schauplätze war das »kleine« Café de l'Europe, zum Unterschied von seinem pompösen Vorgänger und Nachfolger nicht am Stefansplatz selbst, sondern in der angrenzenden Jasomirgottstraße gelegen und von uns als spätnächtliches Stammcafé frequentiert, im Anschluß an die um Mitternacht erfolgende Sperrstunde des Café Herrenhof. Das bis vier Uhr früh geöffnete »de l'Europe« – auf das ich in andrem Zusammenhang noch zurückkomme – gehörte drei Brüdern namens Blum, von denen man den einen überhaupt nicht und den zweiten nur fallweise zu sehen bekam. Der dritte, Jozsi, fungierte als eigentlicher Geschäftsführer, war rührend um unser Wohl besorgt und noch zu früher Morgenstunde bereit, uns jeden kulinarischen Wunsch zu erfüllen, indessen die Obsorge seines jüngeren Bruders, der ihn gelegentlich vertrat und kurzweg »der falsche Blum« hieß, sich auf das Angebot von Eiernokkerln beschränkte, zu etwas andrem reichte entweder seine Phantasie oder seine Beziehung zur Köchin nicht aus. Als er uns eines Nachts wieder seine höchst mangelhafte Betreuung angedeihen ließ und auf unsre in Abständen wiederholte Frage, was es denn heute zu essen gebe, mit unbekümmerter Beharrlichkeit die schon mehrmals zurückgewiesenen Eiernockerln offerierte, erhob sich Ernst Stern zu seiner ganzen Kolossalgröße und richtete die folgende Warnung an ihn:

»Blum! Die Zahl der von mir angebrunzten Kaffeesieder ist Legion. Noch *ein* Mal das Wort ›Eiernockerln‹ ausgesprochen – und ich habe sie um einen vermehrt!«

Nach beendeter Ansprache setzte sich Stern wieder hin, Blum schlich geduckt in die Küche, um Wiener Schnitzel mit Erdäpfelsalat in Auftrag zu geben, und der Gesichtsausdruck der Umsitzenden verriet deutliche Zweifel, ob sie denn auch richtig gehört hätten oder ob sie nicht vielleicht träumten.

Diese Möglichkeit mußten sie wohl auch in Betracht ziehen, als sich eines Nachmittags – Stern und ich hatten einander zu dieser ungewohnten Stunde zufällig am Stefansplatz getroffen – folgendes zutrug:

In der Türe des Café de l'Europe erschien ein männlicher Koloß, wurde vom Besitzer mit einem zärtlichen »Servus, Ernstl!« begrüßt, schritt jedoch ohne Gegengruß an ihm vorbei und auf den Bäckereikellner zu, der das Tablett mit den diversen Torten, Kuchen und Mehlspeisen gerade vor sich her trug. Der Koloß ergriff einen Apfelstrudel, verschlang ihn stehend (was der Kellner ohne das geringste Anzeichen von Verwunderung geschehen ließ), zog aus seiner Brusttasche ein Papier hervor, entfaltete es wie zur Verlesung einer Rede, erklärte mit weithin schallender Stimme: »Ich degradiere das Café de l'Europe hiermit zur Steh-Mehlspeishalle – gezahlt wird *nicht*!« und verließ das Lokal, des Besitzers nicht achtend, der ihm abermals »Servus, Ernstl!« zurief.

Ich gäb' was drum, wenn ich nur wüßt', was sich die Gäste des Café de l'Europe bei dieser Szene gedacht haben. Aber meine Neugier wird, anders als die des Gretchen im Faust I., ewig ungestillt bleiben.

Zu vermerken wäre noch eine Episode aus der Nacht zum 1. Mai 1933, an dem in Wien nicht nur die Sozialdemokraten ihren traditionellen Mai-Umzug veranstalteten, sondern – zum erstenmal – auch die Nationalsozialisten eine entsprechende Erlaubnis bekommen hatten. Es war ohnehin eine unheilschwangere Zeit, der kurz zuvor in Deutschland erfolgte Machtantritt Hitlers bewirkte in Österreich wachsende politische Spannungen, die Polizei hatte für den 1. Mai höchste Alarmbereitschaft, an der Oper und anderen wichtigen Straßenkreuzungen waren spanische Reiter errichtet worden, und die zu erwartenden Unruhen ließen schon in der Nacht deutliche Vorzeichen erkennen.

Zu unsrer Runde im Café de l'Europe gehörte damals auch ein junger sozialdemokratischer Funktionär, dessen wichtigtuerisches Gehaben uns arg zu schaffen machte und der unser aller Sympathien für seine Partei auf harte Proben stellte (da er heute noch lebt, bleibe sein Name ungenannt). In jener Nacht unternahm er immer wieder nervöse Inspektionstouren, gab sich den Anschein, mit vertraulichen Gängen zur

Parteizentrale beauftragt zu sein und hüllte sich bei seiner Rückkehr jedesmal in bedeutungsvolles Schweigen, das jedoch – zu seiner schlecht verhohlenen Enttäuschung – allseits ignoriert wurde.

Beim dritten oder vierten Mal tat ihm Ernst Stern den Gefallen und wandte sich fragend an ihn, in einem Tonfall, mit dem man Schwachsinnige oder introvertierte Kinder zu Äußerungen ermuntert:

»Na, mein Lieber – was wird denn morgen passieren?«

Der endlich Interpellierte hob langsam die von der Last seiner Geheiminformationen niedergedrückten Schultern:

»Tja – bin ich ein Prophet?«

»Im Gegenteil«, sagte Stern. »Sie sind ein Sozialdemokrat.«

Das eigentlich Reizvolle an dieser Replik ist weniger ihr naheliegender Witz als vielmehr die Schlüssigkeit, die ihr innewohnt, als der scharfe Blick für die sich anbietende Antithese. Eine letzte Anekdote mag veranschaulichen, was ich meine.

Wenn ihm ein Tischgespräch langweilig wurde oder in Nichtigkeiten zu verplätschern begann, hatte Ernst Stern nicht die geringsten Hemmungen – und nicht die geringste Schwierigkeit –, am Tisch einzuschlafen. Von Zeit zu Zeit wachte er auf und gab eine bissige Bemerkung von sich, dann fielen ihm die immer ein wenig geschlitzten, von sanftem Fett unterpolsterten Äuglein wieder zu und er schlief friedlich weiter, oft eine halbe Stunde lang und vielleicht im Besitz eines im Schlaf wirksamen Gespürs dafür, ob und wann ein Aufwachen sich lohnte.

Eines Nachts im Café de l'Europe schien das ganz und gar nicht der Fall zu sein. Die Diskussion hatte sich längst in bedeutungsloses Geplauder und vereinzelte Dialoge aufgelöst, und mein Gesprächspartner erzählte mir ohne besonderen Anlaß von seinem am Nachmittag erfolgten Besuch bei einem Universitätsprofessor, draußen in Penzing, in der Hadikgasse, also weit jenseits des Stadtgebiets, in dem wir uns normalerweise bewegten. Nun hatte auch ich – und dieses Zusammentreffen erschien mir immerhin merkwürdig – ein paar Tage zuvor jemanden in der Hadikgasse besucht, konnte mich aber nicht besinnen, wer das war. Ich wollte es unbedingt herausbekommen, dachte angestrengt nach und begleitete diese unerhebliche Tätigkeit mit den Worten:

»Hadikgasse ... Hadikgasse ... dort wohnt doch *noch* jemand ...«

Möglicherweise hatte ich zu laut gesprochen und den neben mir schlafenden Ernst Stern aufgestört – jedenfalls hob er den Kopf, sah mich vorwurfsvoll an und sagte:

»Natürlich wohnt dort *noch* jemand. Sonst wäre es ja keine Gasse, sondern ein Leuchtturm.«

Wenn ich ein Musterbeispiel für das präzise Funktionieren eines Denkapparats anzuführen hätte, würde ich diesen Satz anführen. Er steht für ungefähr alles, was mich an meinem Freund Ernst Stern fasziniert hat und weshalb ich ihn so schmerzlich vermisse (ein Nazi-Mordkommando brachte ihn ums Leben). Daß er nicht unbedingt in die Reihe der hier zu schildernden Sonderlinge gehört, habe ich vorausgeschickt. Aber er gehört unbedingt in dieses Buch.

*

Als eindeutiger Sonderling ist Herr Buchsbaum zu verzeichnen, ein Freund unsrer Familie und ebenso wie der Onkel Hahn der klassische Typ des alten Junggesellen. Er teilte sein Dasein mit einer ebenso alten böhmischen Wirtschafterin namens Karolin' (auf der ersten Silbe betont) und mit einem

Dackel namens Waldi, hauptsächlich mit dem Dackel, auf den infolgedessen – schon um sich für die Vernachlässigung durch Herrn Buchsbaum zu rächen – auch Karolin' ein Übermaß von Gefühlen konzentrierte, ohne daß die gemeinsame Liebe zu Waldi eine Linderung der Feindschaft zwischen ihr und Herrn Buchsbaum bewirkt hätte, geschweige denn eine Annäherung. Im Gegenteil führte diese Konstellation zu einem Verkehrsritual, das an festgefrorener Feindseligkeit nichts zu wünschen übrig ließ. Ich habe der stereotypen Abwicklung dieses Rituals mehrmals beigewohnt, wenn ich Herrn Buchsbaum auf einem seiner Spaziergänge mit Waldi traf und nach Hause begleitete.

Die Feindseligkeiten wurden dadurch eingeleitet, daß Herr Buchsbaum von seinem Wohnungsschlüssel keinen Gebrauch machte. Er läutete. Offenbar wollte er die mit reichlichen Krampfadern versehene Karolin' zu einem Fußmarsch aus der Küche durch das langgestreckte Vorzimmer nötigen. Karolin' öffnete, und gleich in der Türe erfolgte die stürmische Begrüßung zwischen ihr und Waldi. Der Dackel sprang an Karolin' empor, Karolin' liebkoste den Dackel und ließ eine wahre Sturzflut von Koseworten auf ihn niedergehen, wobei der Überschwang der Zärtlichkeiten sogar ihren scharfen tschechischen Akzent ein wenig milderte. Von Herrn Buchsbaum nahm sie demonstrativ keine Notiz. Für sie existierte nur Waldi:

»No da bist du ja Waldili no wie ich mich frei daß du wieder da bist gelt du freist dich auch hast scheen Gassi gemacht und jetzt bist wieder bei deiner Karolin' und wir freien sich beide nicht wahr braves Hundi gutes Hundi no ja schon gut Waldili schon gut ...«

So sprudelte es ohne Unterbrechung minutenlang, während Herr Buchsbaum stumm und von Karolin' hartnäckig ignoriert danebenstand. Reglos wartete er das Versiegen des Redeschwalls ab, dann wandte er sich mit einem unnachahmlich galligen Lächeln an Karolin':

»Und *mich* können Sie im Arsch lecken«, sagte er.

Er sagte es regelmäßig, er sagte es seit Jahren jedesmal, und mit der gleichen Regelmäßigkeit sorgte Karolin' dafür, daß er es sagen konnte. Beide dachten sich kaum noch etwas dabei, beide schienen nur noch einer zur Formalität entarteten Gewohnheit zu folgen, deren Sinn und Ursprung ihnen längst entfallen war. Auf solche oder ähnliche Weise, denk' ich mir, muß das spanische Hofzeremoniell entstanden sein.

*

Obwohl den vorangegangenen Abschnitten ein deutlicher Mangel an konsequentem Aufbau eignet, haben sie mir immer noch eine Menge von Anhaltspunkten erübrigt, die dringend nach Ergänzungen verlangen. In dieser steten Nötigung und Lockung zum Apropos wurzelt ja die kaum zu bewältigende, der Nachsicht des Lesers bereits empfohlene Schwäche einer Berichterstattung, wie ich sie hier versuche: sie gerät immer wieder an Erscheinungen, an Typen, an Situationen und Atmosphären, zu denen aus meiner Erinnerung sofort und zwangsläufig etwas organisch Dazugehöriges auftaucht und vermerkt sein will. Es ist in der Tat ein organischer Defekt, der sich einer straffen Struktur dieser Aufzeichnungen entgegenstellt und dem sich am ehesten durch Fußnoten beikommen ließe – bestünde dann nicht wieder die Gefahr eines andern Defekts, der schon manch ein wissenschaftliches Werk unlesbar gemacht hat: daß nämlich die Fußnoten sich am Ende zu größerem Umfang auswachsen als der eigentliche Text.

Nun, dies hier ist kein wissenschaftliches Werk, sondern ein im Grunde erzählerisches. Und darum mag ihm erlaubt sein, die Fußnoten gewissermaßen in den Text zu verarbeiten, dem sie organisch zugehören. Vielleicht erweist sich sogar, daß es seinem Vorsatz, Erzähltes und Gesprochenes wiederzugeben, gerade durch diese ein wenig diffuse Art der Wiedergabe gerecht wird und daß hinter der scheinbaren Unordnung eine wenn schon nicht organische, so doch natürliche Ordnung waltet: die des Erzählens.

Zum Beispiel gehört zu Herrn Buchsbaums unversöhnlicher Wirtschafterin die Köchin Fanny, gleichfalls aus Böhmen stammend (wie seinerzeit der überwiegende Großteil österreichischen Hauspersonals) und viele Jahre lang in der Familie meines Freundes Hans Zeisel ein nicht wegzudenkendes Faktotum. Fannys Starrsinn war von wesentlich gutmütigerer Art als der ihrer Kollegin Karolin'. Er äußerte sich hauptsächlich darin, daß sie unter allen Umständen das letzte Wort behalten mußte.

Als ich einmal von einem längeren Spaziergang mit Freund Hans zu ihm nach Hause kam, antwortete Fanny auf die übliche Frage, ob in der Zwischenzeit etwas los gewesen sei:

»Die Freilein Bademacher hat ang'rufen und laßt ausrichten, daß sie morgen nicht kommen kann.«

»Dankeschön, Fanny«, sagte Hans. »Es ist mir sehr wichtig, das zu erfahren. Die Dame heißt übrigens Rademacher.«

Fanny zuckte die Achseln:

»*Mir* hat's g'sagt Bademacher.«

Von allen jemals behaltenen letzten Worten dürfte dieses das behaltenste sein.

Ich würde es mir nie verzeihen, wenn ich jetzt nicht jener alten Kammerfrau der Fürstin Sch. gedächte, Anna geheißen und Andulka gerufen, von der noch heute unter den Enkeln der Fürstin die schönsten Geschichten umlaufen; einige davon liefen bis zu mir, und wenigstens eine möchte ich wiedergeben.

Natürlich stammte auch Andulka – wie das Fürstenhaus selbst – aus Böhmen, natürlich war auch sie in jahrzehntelangem Dienst zu einem Mitglied des Hausstandes geworden, und daß man eines Tages auf sie würde verzichten müssen, lag außerhalb des Vorstellbaren. Doch nahte dieser Tag unweigerlich heran, die alte Andulka wurde krank, und es war die Krankheit zum Tode. Die nicht viel jüngere Fürstin kam täglich zu ihr, saß an ihrem Bett, umsorgte sie, tröstete sie. Hauptgegenstand des Trostes waren Andulkas trübe, an Selbstvorwürfe grenzende Überlegungen, was denn die alte Fürstin ohne sie anfangen würde:

»Jetzt muß ich Durchlaucht bald verlassen ... wo doch Durchlaucht so an mich gewöhnt sind ... und jetzt bleiben ganz allein zurück ... gnädigste Durchlaucht Gemahl sind tot, Gott hab ihn selig ... und Kinder sind anderswo ... wie soll das werden, wie soll das werden ...«

Kein Zuspruch half und keine Versicherung, daß es mit dem Alleinsein nicht gar so schlimm bestellt wäre, daß nicht nur Kinder und Enkel, sondern auch Freunde und langerprobte Hausleute bereit stünden – die alte Kammerfrau schüttelte nur immer wieder den Kopf. Sie konnte sich nicht damit abfinden, daß es für sie nichts mehr zu tun gäbe oder daß es jemand andrer an ihrer Stelle täte.

Plötzlich – ganz kurz bevor sie diese Welt verließ – ging ein Leuchten über ihr Gesicht:

»Aber vielleicht kann ich Durchlaucht bei Auferstehung behilflich sein«, flüsterte sie.

Es ist eine schöne, eine redlich rührende Geschichte. Und das Schönste daran: daß sie beide, Fürstin und Kammerfrau, von ganzem Herzen an diese Möglichkeit glaubten.

Noch rasch ein Nachtrag zum Thema Auferstehung:

Das zehnjährige Töchterchen eines mir befreundeten Ehepaars hatte über dieses Thema eine Schularbeit zu schreiben und entwarf mit der betörenden Gegenständlichkeit ihrer kindlichen Phantasie ein Bild des Jüngsten Gerichts, Gott der Herr auf seinem Wolkenthron, vor ihm die Scharen der Auferstandenen, hinter ihm die von Engeln bewachte Himmelspforte … und dann kam eine Wendung, in der ein vermutlich vom Religionsunterricht übernommenes Bibelpathos mit einer unverkennbar vom Familientisch übernommenen Phraseologie zu einer seltsamen Personalunion zwischen Papa und Gottvater führte:

»Zu denen, die zu seiner Rechten standen, sprach Gott der Herr: Tretet ein, ihr meine Gesalbten! Zu denen aber, die zu seiner Linken standen, sagte er: Gehet weg, denn ihr machet mich alle nervös!«

Kulinarisches Zwischenspiel

Vom Hauspersonal ist es nicht weit zur Hausfrau und von der Köchin nicht weit zur Wichtigkeit der Kochkunst, die in den arrivierten Bürgerhäusern – wie schon an Hand der Tante Jolesch dargetan – eine überragende Rolle gespielt hat, sowohl innerhalb der Familie wie nach außenhin. Es gab Hausfrauen, deren Lebensehrgeiz sich ausschließlich auf die Gastlichkeit ihres Hauses und auf die Qualität ihrer Küche richtete. Mit erstklassigen Lieferanten und einer erstklassigen Köchin war's da bei weitem nicht getan, es mußte noch ein hohes Maß von persönlichem Einsatz und Verantwortungsgefühl hinzukommen. Hausfrauen dieser Art gingen gemeinsam mit der Köchin (der sie an Schulung und Können nichts nachgaben) auf den Markt, wählten und prüften die einzukaufenden Materialien mit größter Sachkenntnis, standen stundenlang am Herd, um die Zubereitung des Gastmahls nicht etwa bloß zu überwachen, sondern tatkräftig mitzugestalten. Jeder Gang, der dann auf den Tisch kam, war ein kulinarisches Meisterwerk, jeder Gast, der am Tische saß, wußte sich in der Obhut der wachsamen Hausfrau, die ihre Blicke unauffällig umherschweifen ließ, ob denn auch alles in Ordnung wäre, nichts blieb ihr verborgen, schon erging an das bereitstehende Serviermädchen der stumme Wink, ein Weinglas nachzufüllen, schon hatte sie am unteren Ende der Tafel den Unglücklichen erspäht, der vom Hinterteil der gebratenen Gans ein schwer zu behandelndes Stück erwischt hatte, schon kam mit freundlichem Lächeln ihr rettendes Aviso: »Herr Popper, ich sehe, Sie plagen sich … Minna!« und schon servierte Minna einen saftigen, fleischigen Bügel. Wahrlich, man durfte zufrieden sein, die Gäste mit der Hausfrau und die Hausfrau mit sich.

Eine der idealen Repräsentantinnen dieses Hausfrauentypus lebte in Prag und hieß Frau Löwenthal. Da in Prag zwischen »gut geführtem Haus« und guter Position in der gesellschaftlichen Hierarchie die denkbar stärkste Wechselwirkung bestand, rechnete man sich's (vom Genuß ganz abgesehen) zur Ehre an, im Hause Löwenthal eingeladen zu sein und machte sich eine dementsprechende Ehre daraus, die Löwenthals ihrerseits einzuladen. Bisweilen, zumal während der Hochsaison, wechselten Einladungen und Gegeneinladungen einander fast täglich ab, so daß Frau Löwenthal alle Mühe hatte, sowohl ihren Verpflichtungen als Gast wie ihren Pflichten als Gastgeberin gewachsen zu bleiben.

Und so geschah es denn, daß sie eines Tags – noch unterm Druck der vorangegangenen Strapazen und in Gedanken schon bei den bevorstehenden – am gastlich gedeckten Tische Platz nahm, ein wenig geistesabwesend in der aufgetragenen Vorspeise zu stochern begann (es handelte sich, meinem Gewährsmann zufolge, um gratinierten Karfiol mit Sauce hollandaise) und den ersten Bissen zum Mund führte.

Im selben Augenblick wich ihre Geistesabwesenheit jähem Entsetzen. Sie erbleichte, sie errötete, sie schob mit schamhaft gesenktem Kopf den Teller von sich und sagte in die von ihrem auffälligen Verhalten hervorgerufene Stille:

»Meine Herrschaften, ich muß Sie um Entschuldigung bitten. *Was* da passiert ist, kann ich mir nicht erklären – wahrscheinlich waren die letzten Tage zuviel für mich – aber wie immer dem sei: *essen* kann man das *nicht*. Ich bitte um Entschuldigung.«

Und blickte auf und sah, daß sie in einem andern Hause eingeladen war.

Der Bericht verschweigt, ob es ihr geglückt ist, ihre Bitte um Entschuldigung derart umzufunktionieren, daß sie von den Gastgebern akzeptiert wurde.

Einen andern, häufigeren Hausfrauentyp, auf minder noblem Niveau geplagt, aber darum nicht minder zu respektieren, verkörperte die Mutter von Frau Elsa Brod geb. Taussig, der Gattin meines verehrten väterlichen Freundes Max Brod. Für die Geplagtheit der Mutter Taussig sorgten außer dem Töchterchen Elsa nicht weniger als sechs Söhne, die der früh verstorbene Vater Taussig in jeweils einjährigen Intervallen gezeugt hatte und die – laut schwesterlicher Aussage – durchwegs von wilder, ungebärdiger Wesensart waren. An Sonn- und Feiertagen versammelten sie sich einträchtig um den mütterlichen Herd, wobei die Eintracht auch in der Art zutage trat, wie sie ihr Mißfallen an den Produkten dieses Herdes kundgaben. Eine solche Kundgebung hat mir Frau Elsa in erinnerungssatter Stunde geschildert.

Es saßen also die sechs ungeschlachten Brüder reihum am Mittagstisch, und es brachte die Mutter Taussig aus der Küche die dampfende Suppenterrine, daraus sie mit dem großen silbernen Schöpflöffel die Portionen verteilte. Und es rochen die Brüder Taussig an den gefüllten Tellern, die vor ihnen standen. Dann nahmen sie laut schlürfend eine Kostprobe. Und dann erhoben sie sich der Reihe nach, schütteten den Inhalt ihrer Teller wortlos in die Terrine und setzten sich wieder auf ihre Plätze.

Am Kopfende des Tisches aber saß die Mutter Taussig, nickte bei jedem Teller resigniert vor sich hin und quittierte das ergangene Urteil mit dem melancholischen Seufzer:

»Wieder zurück ...«

Sie soll, behauptet Tochter Elsa, in ihrer Gottergebenheit einem weiblichen Hiob geglichen haben.

Einer der sechs Brüder hatte sich – noch zu des Vaters Lebzeiten – von einem Aufenthalt in Paris allerlei Modetorheiten mitgebracht, darunter Schuhe aus Schlangenleder (von Vater Taussig mit der Bemerkung mißbilligt: »Schuh hast du an wie ein Tier!«) und eine Vorliebe für Artischocken, was nun vollends als mondäne Verstiegenheit gewertet wurde. Da jedoch die Brüder Taussig gewohnt waren, ihre Wünsche durchzusetzen, scheute die leidgewohnte Mutter nicht Mühe noch Kosten, das für Prager Verhältnisse tatsächlich ein wenig exotische Gemüse herbeizuschaffen und es dem anspruchsvollen Sohn zum allsonntäglichen Mittagmahl zu servieren. Daran gewöhnte sich allmählich auch das skeptische Familienoberhaupt, ohne indessen seine abweisende Haltung zu ändern. Wie tief sie in ihm verwurzelt war, erwies sich, als man sich eines Sonntags um den Tisch versammelte und die Artischocke noch nicht auf dem üblichen Platz stand:

»Mutter!« rief da der Vater Taussig in die Küche. »Wo ist das Gestrüpp für den Buben?«

*

Über den Komiker Armin Berg darf ich im hier gegebenen Rahmen leider nichts Eigentliches berichten, obwohl ich vieles und hinreißend Komisches über ihn zu berichten wüßte. Er stammte, gleich etlichen anderen Sternen des Wiener Theater- und Cabarethimmels, aus Brünn (»aus *bei* Brünn«, wie sein Kollege Fritz Grünbaum in echtbürtiger Brünner Arroganz zu beharren liebte), und er genoß allüberall, wo im einstmals habsburgischen Bereich die von ihm gepflegte Abart der deutschen Sprache verstanden wurde, höchste Popularität. Vielleicht wird mir noch eine spätere Gelegenheit vergönnt sein, ihn und seine Artverwandten gebührlich zu würdigen; hier komme ich nur am Rande, an *seinem* Rande, auf ihn zu sprechen, nur aus dem unentrinnbaren Zwang des Apropos. In kulinarischer Hinsicht nämlich (er war mit einer Französin verheiratet) kam dem Hause Berg, das in der sozialen Hierarchie wohl näher zu Taussig als zu Löwenthal lag, allererster Rang zu – freilich nur an einem einzigen Tag im Jahr und freilich mit auswärtiger Unterstützung. Das will erläutert sein.

Was den Tag betrifft, so war es der 24. Dezember, genauer: der Abend dieses Tages, der Weihnachtsabend, an dem Theater und Vergnügungsstätten jeder Art geschlossen blieben und den die Angehörigen der Gauklerzunft, weil es ihr einziger freier Abend war, zugleich als vorweggenommenen Silvester feierten. In der wirklichen Silvesternacht gab es für sie nichts zu feiern; da mußten sie, die meisten sogar an mehreren Stellen, auftreten. Und so hatte sich allmählich die Tradition entwickelt, daß der Heilige Abend, ohne dadurch geradewegs entheiligt zu werden, vor allem als einmaliger Anlaß zu sonst kaum durchführbaren Zusammenkünften und Gastereien wahrgenommen wurde.

Der üppigsten eine, wo nicht die üppigste, fand alljährlich im Hause Berg statt, und zwar unter kolossalem Andrang, nicht nur weil Armin Berg sich auch unter seinen Kollegen ungewöhnlicher Sympathie erfreute, sondern eben jener Unterstützung wegen, die er von auswärts angefordert hatte: eigens für diesen Abend kamen aus Brünn seine Schwestern herbeigeeilt, drei an der Zahl, von kleinem, stämmigem Wuchs und weithin berühmt für ihre Kochkunst, die sie einem gemeinsam geführten Restaurant zugute kommen ließen, einem der beliebtesten in Mährens freßfreudiger Hauptstadt. Der Volksmund nannte es – in Anlehnung an das Wiener Nobelrestaurant »Zu den drei Husaren« und in Ansehung der besonders ausgeprägten Gesäßpartien seiner Besitzerinnen – »Zu den sechs Arschbacken«, und manch ein Gourmet soll um ihretwillen ernsthaft erwogen haben, nach Brünn zu übersiedeln. Am Weihnachtsabend aber kamen sie selbst, kochten Köstlichkeiten über Köstlichkeiten, verließen die Küche nur, um aufzutischen oder abzuräumen, und zeigten sich der Flut der Gäste mit bewundernswerter Umsicht gewachsen.

Die Flut rollte in drei großen Wogen heran, deren erste, aus einem Halbdutzend namentlich Geladener bestehend, bereits um acht Uhr zum richtigen Abendessen erschien. Etwa zwei Stunden später begannen alle jene einzutreffen, die entweder – was zumal für Ehepaare mit Kindern zutraf – im eigenen Heim Bescherung und Schmaus veranstaltet hatten oder zuvor einer andern Einladung gefolgt waren. Ihr Strom wurde allmählich dünner, erhielt jedoch gegen Mitternacht durch die dritte Woge kompakten Auftrieb, ja selbst zu noch späterer Stunde wurden vereinzelte Neuankömmlinge registriert. Und während dieser ganzen Zeit, also von acht Uhr abend bis in den frühen Morgen, sorgten die emsigen Schwestern fast pausenlos für immer neue Verköstigung, schleppten bald einen riesigen Topf mit Erbsensuppe herbei, bald einen ebensolchen mit Gulasch, bereicherten zwischendurch das ohnehin schon überreiche Angebot mit heißen Würsteln oder kalten Platten, mit kunstvoll gefüllten Eiern oder raffiniert zusammengestellten Salaten, und ruhten nimmer.

Mir selbst wurde an einem 24. Dezember der frühen Dreißigerjahre die Gunst zuteil, dem auserwählten Kreis der schon für acht Uhr Eingeladenen anzugehören, sowie das Glück, daß ich neben einen alten Nachtmahl-Routinier zu sitzen kam, der mir jedesmal, wenn ich einem Gang (oder auch nur einer Beilage) voreiligerweise ein zweitesmal zusprechen wollte, unterm Tisch einen Tritt ins Schienbein versetzte, um meine Gier zu bremsen und mich zu ermahnen, den kommenden Genüssen – über die er aus Erfahrung Bescheid wußte – die nötige Aufnahmsbereitschaft freizuhalten. Ich bin ihm bis heute dankbar.

Unter denen, die an jenem Abend von Anfang an dabei waren, befand sich auch Fritz Imhoff, der große Volksschauspieler, der das Pech gehabt hat, ein Zeitgenosse des noch größeren Hans Moser zu sein, sonst wäre er der größte gewesen. Als Fresser war er es. Jedenfalls übertraf er in dieser Eigenschaft alle damals Anwesenden einschließlich der später Eingetroffenen. Er widmete sich den Gerichten, die für einen jeweils neuen Schub von Gästen auffuhren, mit einer so rasanten Herzhaftigkeit, als wäre auch er eben erst angekommen, und zwar hungrig.

Um zwei Uhr früh war es soweit, daß niemand mehr weiterkonnte, wirklich nicht. Die geräumige Wohnung war vom leisen Stöhnen der Angeschlagenen erfüllt, die sich glasigen Blicks ihrer Erschöpfung hingaben und als einzige Nahrungszufuhr nur noch Mokka, Magenbitter oder Speisesoda akzeptierten. Fritz Imhoff saß mit gelockertem Kragen und ebensolchem Hosenbund schweratmend in einer Ecke. Der Eindruck eines groggy gegangenen Boxers wurde noch dadurch verstärkt, daß seine neben ihm stehende Frau ihm mit einem großen, weißen Handtuch Kühlung zufächelte.

Plötzlich öffnete sich die Tür, und aus der Küche erschienen die drei Schwestern, jede auf hocherhobenen Händen ein großes Tablett mit Gansleberbrötchen tragend. Sie glichen von ferne, sehr von ferne, weiblichen Epheben, wie sie vielleicht bei einem Gastmahl des Imperators Titus als jüdische Kriegsbeute Verwendung gefunden hatten, und sie schritten, die länglichen Tabletts mit der leckeren Last herausfordernd balancierend, unter kurzbeinigem Steißgewackel durch den Raum.

Imhoff hatte die müden Augenlider über seinen Schlitzaugen nicht ohne Mühe spaltbreit geöffnet und sah, was da auf den Tisch gestellt wurde. Ein verzweifeltes Ächzen entrang sich seinem überfüllten Innern:

»Tse«, machte er. »Das wird ja net zum Derscheißen sein, morgen …«

Keine derartigen Ängste bedrängten Herrn Penižek, den Mitinhaber eines führenden Wiener Pelzhauses, als er sich einmal zu längerem Geschäftsbesuch in London aufhielt. Ob die englische Küche seither schmackhafter geworden ist, steht hier nicht zur Debatte – damals, um 1930 herum, war sie von allgemein anerkannter Ungenießbarkeit und folglich eine rechte Qual für Max Penižek, der die gewohnten Freuden der österreichisch-ungarisch-tschechisch-jüdischen Kost von Tag zu Tag schmerzlicher entbehrte.

Endlich bescherte ihm ein offenbar gottgewollter Zufall den Anblick eines koscheren Restaurants, das er denn auch sofort betrat, erlöst wie ein verirrter Hochtourist, dem sich unversehens eine Schutzhütte öffnet. Er speiste ganz vorzüglich und wollte – aus purem Nachholbedarf – die sättigende Mahlzeit mit einer Portion Käse krönen.

Zu seinem Erstaunen reagierte der Kellner auf die vermeintlich harmlose Bestellung mit gerunzelten Brauen: da müsse er erst den Chef fragen, murmelte er und entfernte sich in Richtung Kassa, wo ihn der Chef, das Käppchen der Frommen auf dem Haupt, mit leidender Miene erwartete. Penižek sah die beiden in ein gebärdenreiches Gespräch verwickelt, über dessen Bedeutung er vergebens rätselte und nach dessen Abschluß der Kellner mit dem Bescheid zurückkam: er bedaure, aber man serviere hier keinen Käse.

Das müsse ein Irrtum sein, widersprach Max Penižek, denn er habe deutlich gesehen, daß der Gast, der bis vor kurzem am Nebentisch gesessen sei, sehr wohl einen Käse serviert bekommen hätte. Und auch er selbst möchte jetzt einen Käse haben.

Abermals berief sich der Kellner auf die Notwendigkeit einer Rückfrage beim Chef. Und während er den Weg zur Kassa antrat, begann Herrn Penižek des Rätsels Lösung zu dämmern: er war, trotz Zugehörigkeit zur jüdischen Glaubensgemeinschaft (woran auch sein Äußeres keinen Zweifel ließ), mit den rituellen Speisegesetzen nur mangelhaft vertraut und hatte nicht bedacht, daß der Genuß sogenannter »milchiger« Speisen verboten war, wenn man kurz zuvor »Fleischiges« gegessen hatte. Das aber hatte Herr Penižek getan.

Nun, wenigstens wußte er jetzt, worum es ging, und als der Kellner ihm die Mitteilung überbrachte, daß ihm der Käse auf Grund des vorangegangenen Fleischgenusses verweigert werde, konterte Herr Penižek mit dem gewissermaßen sachkundigen Argument: der Herr am Nebentisch hätte ein Roastbeef verzehrt und nachher trotzdem einen Käse bekommen, also möge man gefälligst auch ihm einen solchen bringen, und bitte rasch!

Ungerührt beharrte der Kellner auf einer neuerlichen Beratung mit dem Chef; sie erfolgte mit gesteigerter Lebhaftigkeit und unter deutlichen Anzeichen des Mißmuts über den Urheber der entstandenen Komplikation. Der Mißmut machte sich auch im Gehaben des Kellners bemerkbar, als er Herrn Penižek wissen ließ: es träfe zwar zu, daß der Herr am Nebentisch zuerst Fleisch und dann Käse serviert bekommen habe, aber der Herr am Nebentisch sei kein Jude gewesen, so daß die jüdischen Speisegesetze für ihn keine Geltung besaßen.

Zum Teufel, erboste sich jetzt Herr Penižek, für den es inzwischen zur Ehrensache geworden war, die rituelle Verschwörung zu durchkreuzen, zum Teufel, rief er, auch er sei kein Jude und damit Schluß und her mit dem Käse!

Er werde den Chef fragen, replizierte mit steinernem Gesicht der Kellner.

Diesmal verlief das Gespräch an der Kassa ganz kurz. Allem Anschein nach beschränkte sich der Kellner darauf, die Behauptung des Gastes, daß er kein Jude sei, an den Chef weiterzugeben.

Der Chef rückte sein Käppchen zurecht, entstieg dem Kassenverschlag, kam bedrohlich langsam an den Tisch geschlurft und faßte Herrn Penižek prüfend ins Auge. Dann stach er mit spitzem Zeigefinger nach seinem Gesicht:

»*No* cheese!« entschied er.

*

Aus einem der reichsten Bezirke des kulinarischen Raums, aus dem der jüdischen Mehlspeisen, stammt ein Begriff, der weit über seinen Ursprung hinaus symbolhafte Bedeutung erlangt hat und den zu registrieren schon deshalb geboten erscheint, weil er sich im Alltagsleben häufig anwenden läßt. (Anwendbarkeit, wir wissen es bereits aus zahlreichen Beispielen, ist ein gesuchter Aspekt jeglicher Anekdote, Situationspointe oder Wortprägung. Erst das Gleichnis schafft den Wert.)

Was »Zores« sind, weiß jeder bessere Mensch und weiß es, wenn er ehrlich ist, aus eigener Erfahrung. »Zores«, aus dem Hebräischen über das Jiddische so tief in unsern Sprachgebrauch eingedrungen, daß man sie beispielsweise in der Wendung »Gib ihm Saures!« gar nicht mehr erkennt, sind ein Plurale Tantum und bedeuten auf deutsch ganz einfach »Sorgen«.

Was »Fladen« sind, dürfte weniger bekannt sein. Es wäre irrig, bei diesen »Fladen« an die Kuh zu denken. Sie sind das jüdische Gegenstück zur Fächertorte, gehören ursprünglich eher zum polnischen als zum böhmisch-mährischen Gastronomiebereich und bestehen aus mehreren übereinandergeschichteten Lagen oder Fächern, die wiederum nichts mit dem zu tun haben, womit man sich Kühlung zufächelt (obwohl das nach dem Genuß einer richtigen, geilen Fladentorte dringend ratsam wäre). Die einzelnen Lagen werden aus Mohn sowie aus verschiedenartig präparierten Obstsorten hergestellt, immer mit einer dünnen Teigschicht dazwischen und manchmal noch mit Schokolade versetzt. Je vielfältiger die Fächer, je raffinierter ihre Zusammenstellung, desto höher die Qualität der Fladentorte. Und wenn nun eine Hausfrau (etwa Löwenthalscher Prägung) an den Rand einer weithin merkbaren Verzweiflung gerät, weil sie sich trotz stundenlangem Nachdenken nicht entscheiden kann, ob sie jetzt noch eine Lage gedünsteter Birnen dazutun soll oder nicht doch lieber gestoßene Nüsse, dann bezeichnet man die Sorgen, von denen sie da gepeinigt wird, als Fladenzores.

Es gibt solcher Fladenzores viele. Im Grunde sind *sie* gemeint, wenn man einem Menschen, der seine Umwelt mit ihnen belästigt, halb tadelnd und halb neidig zuruft: »*Ihre* Sorgen möcht ich haben!«

Die Fladentorte gehörte zu den Spezialitäten, für die das Restaurant Neugröschl im II. Wiener Gemeindebezirk berühmt war. Noch berühmter war es für die Person seines Besitzers, eines Originals von seltener Urwüchsigkeit und ebensolcher Grobheit, die an seiner vierschrötigen Gestalt nachdrückliche Stützung fand. Es war nicht gut, Herrn Neugröschl zu widersprechen oder sich sonstwie mit ihm anzulegen. Wenn ein Stammgast gelegentlich fragte (und nur ein Stammgast durfte das überhaupt riskieren): »Herr Neugröschl, was gibt's denn heute besonders Gutes?« und wenn Herr Neugröschl antwortete: »Was auf der Karte steht«, dann tat der Stammgast am klügsten, den schroffen Bescheid hinzunehmen und nicht etwa aufzumucken, wie ein Verwegener es einmal tat: »Dazu hätte ich Sie ja nicht fragen müssen«, murrte er, und empfing die prompte Replik: »Nicht? Was fragen Sie dann so blöd? Von mir aus müssen Sie erst gar nicht herkommen!« Denn Herr Neugröschl konnte auf Gäste mühelos verzichten. Er hatte ihrer übergenug.

Auch ich durfte einmal einer garantiert echten Neugröschl-Grobheit teilhaftig werden. Ich war gemeinsam mit einem Freund zum Mittagessen gekommen, mit Absicht ein wenig spät: wir hofften auf raschere Bedienung, wenn der übliche Andrang vorüber wäre. Tatsächlich fanden wir bei unserm Eintritt nur noch zwei oder drei Tische besetzt, und als auch diese sich geleert hatten, waren wir die einzigen, die noch essen wollten.

Aber wir warteten vergebens auf einen Kellner, dem wir das hätten sagen können. Offenbar hatten wir uns übermäßig verspätet, und es war bereits die Essenszeit für das Personal angebrochen.

Ungefähr zehn Minuten mochten vergangen sein, als die zweiflügelige Milchglastüre, die zur Küche führte, von innen aufgestoßen wurde. Herr Neugröschl erschien im Lokal, näherte sich unserm Tisch und blieb, wenn auch mit nur undeutlich gemurmeltem Gruß, so doch mit deutlich fragendem Gesichtsausdruck vor uns stehen.

»Herr Neugröschl«, sagte ich zaghaft, »wir sitzen jetzt schon seit einer Viertelstunde hier und möchten gerne etwas bestellen. Wäre das möglich?«

Daraufhin wandte Herr Neugröschl sich wortlos um, schritt zur Küchentüre zurück, öffnete sie vermittels eines wuchtigen Tritts gegen den einen Flügel und rief so laut, daß auch wir es hören konnten, in die Küche hinein:

»Was ist denn? Zwei lausige Gäst' sind da und nicht einmal bedient werden sie?!«

Ich versage mir – wie bei so vielen ähnlichen Gelegenheiten – eine Wiedergabe der wienerisch-jüdischen Dialektmixtur, deren er sich bediente. Der Leser mag sie nach Möglichkeit erahnen, erfühlen oder (in günstigen Fällen) erinnern. Das käme auch der nun folgenden Geschichte sehr zustatten, die sozusagen das Paradigma der Behandlung darstellt, die Herr Neugröschl seinen Gästen angedeihen ließ und die auf einer Umkehrung des im Gastgewerbe üblichen Leitsatzes beruhte, demzufolge der Gast immer recht hat. Bei Herrn Neugröschl hatte der Gast immer unrecht.

Die Geschichte, die das auf einmalig überzeugende Art bestätigt, wurde von so vielen Seiten berichtet und herumgeboten, daß sich die Frage nach ihrer historischen Wahrhaftigkeit erübrigt. Sie weist die unverkennbaren Merkmale einer weitaus höher einzuschätzenden inneren Wahrhaftigkeit auf, und es gab eine Zeit, da sie in Wien so populär war, daß ihre Schlußwendung den Rang eines Zitats erreichte. Heutzutage würde man sicherheitshalber wohl erst erklären müssen, daß »Kaiserschmarrn« eine beliebte Wiener Mehlspeise ist (bestehend aus kleingerissenem, mit Zibeben angerichtetem Palatschinkenteig) und daß die »Zwetschgenröster« – im eigenen Saft gedünstete Pflaumen – als des Kaiserschmarrns klassische, aber keineswegs einzig zulässige Beilage gelten.

Die Geschichte beginnt damit, daß eines heißen Sommertages ein Gast des Restaurants Neugröschl zum Abschluß seines Menüs einen Kaiserschmarrn bestellt.

»Was dazu?« fragt der Kellner, unter der Einwirkung der Hitze – die überhaupt eine gewisse Knappheit des Dialogs zur Folge hat – noch mürrischer als sonst.

»Ein Kompott.«

»Was für ein Kompott?«

»Egal.«

Nach einer angemessenen Frist serviert der Kellner den Kaiserschmarrn mit einer Portion Zwetschgenröster als Beilage; er will sich entfernen, wird jedoch vom Gast zurückgehalten:

»Herr Ober, ich habe als Beilage ein Kompott bestellt.«

Der Kellner, mit entsprechender Handbewegung:

»Da steht's ja.«

»*Was* steht da?«

»Ihr Kompott.«

»Das sind Zwetschgenröster.«

»Eben.«

»Was heißt eben? Wenn ich ein Kompott bestelle, will ich keine Zwetschgenröster.«

»Warum nicht?«

»Weil Zwetschgenröster kein Kompott sind!«

»Zwetschgenröster sind kein Kompott?« fragt mit provokanter Überlegenheit der Kellner.

»Nein!« brüllt der Gast.

»Zwetschgenröster *sind* ein Kompott.« Jetzt hebt auch der Kellner die Stimme.

»Zwetschgenröster sind *kein* Kompott! Rufen Sie mir den Chef!«

Das erweist sich als überflüssig. Herr Neugröschl, angelockt durch die immer lauter gewordene Auseinandersetzung, die bereits vom ganzen, dicht gefüllten Lokal mit größter Aufmerksamkeit verfolgt wird, ist an den Tisch getreten und fragt nach der Ursache des Lärms. Selbstverständlich fragt er den Kellner und nicht den Gast, dem er mit einer scharfen Handbewegung Schweigen gebietet.

»Der Herr hat Kaiserschmarrn mit Kompott bestellt«, berichtet der Kellner, »und ich hab ihm Zwetschgenröster gebracht.«

»No also.« Mit gerunzelten Brauen mustert Herr Neugröschl den widerspenstigen Gast. »Was will er dann noch?«

»Er sagt, Zwetschgenröster sind kein Kompott.«

»Was sagt er?« Herr Neugröschl tritt dicht an den Beschuldigten heran. »Das haben Sie wirklich gesagt?«

»Natürlich«, antwortet der Gast.

»Sagen Sie's noch einmal.«

»Zwetschgenröster sind kein Kompott.«

Daß er von Herrn Neugröschl niemals recht bekommen wird, muß ihm längst klar gewesen sein. Aber was ihm jetzt passiert, hat er ganz gewiß nicht vorausgesehen: Herr Neugröschl, der Hitze wegen in Hemdsärmeln, krempelt dieselben hoch, packt ihn mit der einen Hand am Genick, mit der andern um die Taille und befördert ihn mit dem Ruf: »Zahlen brauchen Sie nicht, Sie sind mein Gast!« zur Türe hinaus.

Dann – und das ist der eigentliche Kern der Geschichte – pflanzt sich Herr Neugröschl mitten im Lokal auf, seine Blicke schweifen in die jäh verstummte Runde der Gäste, die sich ängstlich über ihre Teller ducken, und seine Stimme klingt unheilkündend, als er Anlauf nimmt:

»Es sind *noch* ein paar da, die sagen, Zwetschgenröster sind kein Kompott!« Und schüttelt drohend die erhobene Faust: »Aber ich kenn sie alle!!«

*

Daß Neugröschls Konkurrenten ihm nicht wirklich gefährlich werden konnten, bekundet eine Geschichte, die aus dem geographisch wie ideologisch nahe zu Neugröschl gelegenen Restaurant Tonello berichtet wird. Dort erschien zu früher Mittagsstunde ein Gast und bestellte Scholet, jenes ungemein fetthaltige, schwer verdauliche Meisterwerk jüdischer Kochkunst, das von Heinrich Heine in frevler Schiller-Parodie als »schöner Götterfunken« besungen wurde.

Der Kellner kam aus der Küche zurück und bedauerte: das Scholet sei noch nicht fertig.

»Was?« rief der enttäuschte Gourmet. »Halb eins und noch kein Scholet? Bei Neugröschl wird schon gerülpst!«

Von den übrigen jüdischen Eßlokalen behauptete sich am weitaus besten der sogenannte »Würstel-Biel«, eine Selchwarenhandlung mit angeschlossenem Speisesaal, wo man außer den hauseigenen Erzeugnissen auch noch andere Gerichte bestellen konnte. Zum Unterschied von Herrn Neugröschl, wenn auch aus ähnlich mürrischer Veranlagung, trat Herr Biel mit seinen Gästen in keinerlei Kontakt. Ab und zu sah man ihn im Hintergrund des Lokals auftauchen und übellaunig die Kassa kontrollieren (die ihm zu übler Laune gewiß keinen Anlaß gab) – dann verschwand er wieder im Comptoir, ohne jemanden eines Blicks gewürdigt zu haben. Von Eingeweihten hörte man, daß er trotz zufriedenstellendem Geschäftsgang mit seinem Leben unzufrieden war, und manche Anzeichen sprachen dafür, daß er seinen Beruf verfehlt zu haben glaubte. Sie sprachen aus den von ihm textierten Plakaten, die – teils gereimt, teils in jeder Hinsicht ungereimt – an den Wänden des Lokals hingen. Er verkehrte mit seiner Kundschaft sozusagen per Plakat.

Von den gereimten waren es besonders zwei, die seiner abgeschnürten lyrischen Ader zur Geltung und sogar zu einer gewissen Popularität verholfen hatten:

> *Willst du essen gut und viel,*
> *Mußt du gehn zum Würstel-Biel.*

> *Schon Hamlet fragte einst, so geht die Sage:*
> *To Biel or not to Biel, das ist die Frage.*

Diese beiden markigen Sinnsprüche wurden auch als Inserate verwendet, indessen Biels Prosa sich auf das eigentliche Lokal beschränkte und nicht ohneweiters verständlich war:

»Die P.T. Gäste werden ersucht, das Essen nicht auf den Boden zu werfen«, lautete eine an mehreren Stellen angebrachte Warnung, die den Eindruck entstehen ließ, daß die Gäste, wenn sie an einem Gericht etwas auszusetzen fanden, kurzen Prozeß machten und es mit entrüstetem Schwung zu Boden schleuderten. Dem war nicht so. Vielmehr bewirkten Qualität und niedrige Preise des Bielschen Angebots, daß der ohnehin nicht sehr geräumige Speisesaal immer gesteckt voll war und die runden Tische weit über ihre Kapazität ausgenützt wurden. Wenn nun an einem Tisch, der maximal fünf Personen halbwegs auskömmlichen Platz geboten hätte, ihrer sechs oder sieben saßen, konnten sie im solcherart eingeengten Aktionsradius ihren Tellern nur dadurch die nötige Aufnahmefähigkeit sichern, daß sie die verbliebenen Knochen und sonstigen unbrauchbaren Reste möglichst unauffällig unter den Tisch fegten. Und dies wurde ihnen von Herrn Biel – statt daß er für mehr Platz oder rasches Abräumen gesorgt hätte – mittels Plakats untersagt.

Noch komplizierter verhielt es sich mit der Aufschrift einer Tafel, die das P. T. Publikum auf die Sonntagssperre aufmerksam machte. In jedem andern Lokal hieß es ganz einfach: »Sonntag geschlossen.« Bei Biel hieß es: »Jeden Sonntag den ganzen Tag geschlossen«, und ich habe lange über die Entstehungsgeschichte dieser einigermaßen überladenen Form gerätselt. Wahrscheinlich hatte sich auch Herr Biel, als die einschlägige Vorschrift der Gewerbeordnung erschien, zuerst mit einem simplen »Sonntag geschlossen« begnügt. Da aber drangen seine gierigen Stammgäste zu dem schwer Zugänglichen vor und fragten, ob er nicht wenigstens zu Mittag oder nicht wenigstens am Abend aufmachen könnte, um sie zu verkösti-gen. Herr Biel verneinte und hielt das in einem entsprechend erweiterten Wortlaut fest: »Sonntag den ganzen Tag geschlossen.« Auch ein erneutes Drängen, dann wenigstens nur jeden zweiten Sonntag zu schließen, wies Herr Biel zurück, womit die Textfassung ein für allemal gegeben war: »Jeden Sonntag den ganzen Tag geschlossen.«

Ich wüßte nicht, wie sie anders zustande gekommen wäre. Ich sehe die aufgeregten Beschwerdeführer vor mir, höre sie auf Herrn Biel einsprechen, höre seine kurzen, von scharf akzentuierenden Gesten begleiteten Ablehnungsworte, die in der oben zitierten Schlußformel ihren endgültigen Ausdruck fanden. Und noch selten hat mir ein an sich korrekter deutscher Satz so massiv entgegengejüdelt wie dieser.

*

Nur weil es schade wäre, wenn sie verloren ginge, sei hier – sozusagen »als Gast« – eine kulinarische Anekdote festgehalten, zu der ich höchstens insofern eine persönliche Verbindung anmelden darf, als ich mit dem Sohn ihres Helden befreundet bin. Der Held ist Leo Slezak, Wiens unvergessener Operntenor und Filmliebling, und die Richtigkeit der Anekdote wurde mir von seinem Sohn Walter bestätigt (der sich mit einer höchst erfolgreichen Karriere im amerikanischen Film und Fernsehen ausweisen kann, also ein rares Exempel darstellt: er ist als Sohn eines berühmten Vaters aus eigener, origineller Begabung, ohne am väterlichen Namen zu schmarotzen, auch seinerseits berühmt geworden).

Leo Slezak gastierte häufig in München und speiste dort mit Vorliebe in einem kleinen jüdischen Restaurant, dessen Besitzer die große Ehre sehr zu schätzen wußte. Als er seinen prominenten Stammgast wieder einmal händereibend mit der Frage umdienerte: »Herr Kammersänger, was werden wir heute essen?« antwortete Leo Slezak kurz und entschieden:

»Gänse.«

AM KARTENTISCH

In der Reihe der mürrischen Käuze – denen in gewissem Sinn ja auch die Herren Neugröschl und Biel beizurechnen sind – fehlt noch der alte Schwarz, zum Unterschied vom Onkel Hahn und vom Herrn Buchsbaum kein Junggeselle, sondern Witwer (und Vater einer unverheiratet gebliebenen Tochter, von der sogleich die Rede sein wird).

Der alte Schwarz, wohlhabend und weißhaarig, auf Grund seiner Weltgewandtheit und eines langjährigen Aufenthalts in England von seinen Freunden zärtlich »Old Black« geheißen, war ein leidenschaftlicher Opernhabitué und ein noch leidenschaftlicherer Kartenspieler. Im Bridge zählte er zur österreichischen Spitzenklasse, nahm erfolgreich an internationalen Turnieren teil und akzeptierte auch für Kaffeehaus-Partien nur die besten, von ihm als halbwegs gleichwertig anerkannten Partner. In diesem Zusammenhang verstand er keinen Spaß (den er sonst sehr wohl verstand). Wer sich mit Old Black an den Kartentisch setzte, mußte darauf gefaßt sein, von ihm nicht nur besiegt, sondern geschulmeistert, gehöhnt und überhaupt wie ein Anfänger behandelt zu werden – ganz abgesehen von dem mit Sicherheit zu erwartenden Geldverlust, der nicht selten ein Ausmaß annahm, auf das die Verlierer mit unverhohlenem Mißmut reagierten. Den alten Schwarz störte das nicht. »Schimpferint, dum zahleant«, pflegte er zu sagen und variierte damit das politische Credo des Römerkaisers Caligula: »Oderint, dum metuant« – mögen sie mich hassen, wenn sie mich nur fürchten. Nun, gehaßt wurde der alte Schwarz gewiß nicht. Aber von Furcht war der Respekt, den man ihm entgegenbrachte, nicht ganz frei. Man buhlte um sein Lob und bangte vor seinem Tadel. Er war, kurzum, der allseits anerkannte Meister.

Auf diese Qualifikation konnte seine unverheiratet gebliebene Tochter Therese keinerlei Anspruch erheben. Auch sie oblag dem Bridgespiel, tat es jedoch in einer Weise, die dem Sinn und der Würde des Spiels, wie es die wirklichen Bridgespieler verstanden, eitel Hohn sprach und von der ein Aphoristiker des Kartentisches zu der bemerkenswerten Formulierung inspiriert wurde: »Frauen spielen nicht Bridge, sie spielen Bridgespielen.« Zwar traf das ohne Zweifel auch auf viele ihrer Geschlechtsgenossinnen zu, aber keine von ihnen hatte den alten Schwarz zum Vater. Fräulein Therese Schwarz hatte ihn. Und zu allem Unglück frequentierten sie beide auch noch die selbe Bridgestube.

Es konnte nicht ausbleiben, daß das Verhältnis zwischen Vater und Tochter immer schlechter wurde – bis eines Tags der alte Schwarz die Leiterin der Bridgecercles wissen ließ, daß er nicht mehr in eine gemeinsame Partie mit seiner Tochter eingeteilt werden möchte. Und als er ihr auch noch untersagte, ihm zu kiebitzen, hatte die Atmosphäre eine Gespanntheit erreicht, die es den beiden unmöglich machte, sich gleichzeitig in der Bridgestube aufzuhalten. Durch Vermittlung der Bridgedame kam eine Art Entflechtung zustande: jeweils um sechs Uhr abend sollte die Aufenthaltszeit der Tochter enden und die des Vaters beginnen. Natürlich ergaben sich alsbald Betriebsunfälle, einmal ging die Tochter zu spät, einmal erschien der Vater zu früh, es kam zu unerquicklichen Szenen und schließlich zu einem Ultimatum des alten Schwarz: entweder er oder sie. Die Bridgedame, die auf ihren Star und stärksten Anziehungsfaktor nicht verzichten konnte, entschied sich begreiflicherweise für den Vater. Das war, ebenso begreiflicherweise, nun wiederum der Tochter zuviel: sie kündigte nicht nur der Bridgedame die Freundschaft, sondern zog aus der väterlichen Wohnung aus, und das Ende war, daß die beiden kein Wort mehr miteinander sprachen.

War es das Ende? Für eine Strindbergsche Tragödie hätte es vielleicht ausgereicht – für eine restlos überzeugende Demonstration des Übergewichts, das dem Kartenspiel über alle anderen menschlichen Regungen zukommen kann, war noch ein Nachspiel vonnöten, ein makabres, tatsächlich von Nöten bewirktes Nachspiel.

Jahre vergingen. Der März 1938 brachte die Annexion Österreichs durch das Nazi-Regime und brachte schwere Zeiten für die österreichischen Juden, viel schwerere, als es sich vorerst noch absehen ließ – hier ist nicht der Ort, dies alles zu schildern, hier handelt sich's um den alten Schwarz und um den Versuch seiner wenigen noch in Wien verbliebenen Freunde, ihm über die schwere Zeit hinwegzuhelfen. Daß es dafür kein besseres, ja schlechterdings kein andres Mittel gab als Bridge, war klar. Da aber die Kaffeehäuser den Juden nicht mehr offenstanden, mußten die Partien für den alten Schwarz in Privatwohnungen arrangiert werden. Und sowohl die Zahl der geeigneten Wohnungen wie die Zahl der geeigneten Partner schrumpfte immer bedrohlicher zusammen. Bald konnte der nun schon hochbetagte Herr es nicht mehr riskieren, das Haus zu verlassen, und nur noch mit größter Mühe fanden sich drei akzeptable Bridgepartner, die das Risiko auf sich nahmen, ihn zu besuchen.

Zu den akzeptablen Partnern gehörte seine Tochter Therese selbstverständlich nicht. Zwar hatte sie – notgedrungen, nicht etwa aus Kindesliebe – wieder in der väterlichen Wohnung

Quartier genommen, aber daraus entstanden keine weiteren Kontakte. In stummer, grußloser Unversöhnlichkeit lebten die beiden nebeneinander her, und als ein Beherzter die erste leise Andeutung vorzubringen wagte, ob man denn nicht die Thesi mitspielen lassen könnte, das wäre doch am einfachsten und würde die wachsenden Schwierigkeiten, überhaupt noch eine Partie zusammenzukriegen, auf sozusagen natürlichem Weg beseitigen – da wies der mit den Jahren noch bockiger gewordene alte Schwarz das Ansinnen schroff zurück; er würde, so erklärte er, lieber gar nicht mehr Bridge spielen als mit seiner Tochter.

Nicht lange danach sah er sich mit dieser Alternative tatsächlich konfrontiert. Die beiden letzten Getreuen machten ihm klar, daß ohne Thesis Mitwirkung keine Partie mehr zustande käme. Sie hätten auch schon mit Thesi gesprochen, und an ihr würde es nicht scheitern.

Der alte Schwarz brach zusammen, erbat sich Bedenkzeit und wich nach langen inneren Kämpfen der Gewalt: er sei bereit, sich mit seiner Tochter an den Bridgetisch zu setzen, aber das wäre auch schon alles, wozu er bereit sei. Keine Versöhnungszeremonien, keine Sentimentalitäten, keine Wiederaufnahme des persönlichen Verkehrs. Nur Bridge.

Die Partie begann. Es fügte sich so, daß Vater und Tochter zusammen gegen die beiden anderen zu spielen hatten. Es wurde gemischt. Es wurde abgehoben. Es wurde geteilt. Und Thesi spielte die erste Karte aus.

Die schicksalsschwangere Stille, in der das alles vor sich ging, hielt noch ein paar Sekunden an. Dann schüttelte der alte Schwarz verzweifelt den Kopf:

»Also, meine liebe Thesi«, sagte er, »*das* Regime ist auch noch nicht erfunden, wo du nicht möchtest sofort das Blödeste ausspielen!«

Es waren die ersten Worte, die er nach jahrelangem Schweigen an seine Tochter richtete (und es sollten die letzten bleiben).

Übrigens war es auch seine einzige Stellungnahme zum Nationalsozialismus.

Daß der ständige Aufenthalt im Kaffeehaus sich nicht eben förderlich auf die Gesundheit auswirkt, ist eine bekannte Tatsache, die – viele Jahre zuvor – auch der alte Schwarz zu spüren bekam. Er klagte über Kopfschmerzen, seine rosigen Bäckchen nahmen eine bläßliche Farbtönung an, sein Gleichmut wich immer öfter einer deutlichen Nervosität, und sogar seine Grobheit ließ nach.

»Old Black«, sprachen seine Freunde, »es muß etwas geschehen. Wir haben beschlossen, daß du nach Gastein fahren wirst.«

»Wozu?«

»Zur Kur.«

»Ich denke nicht daran.«

»Es würde aber deiner Gesundheit und deinen Nerven sehr gut tun, Old Black.«

»Es würde mir gar nicht gut tun.«

»Weil du keine Bridgepartie hättest?«

»Vielleicht würde ich sogar eine finden. Aber was mach ich bis dahin?«

»Was man eben in einem Kurort macht.«

»Richtig. Und gerade deshalb fahre ich nicht nach Gastein.«

»Sei nicht kindisch, Old Black. Warum willst du nicht fahren?«

»Das kann ich euch ganz genau erklären. Also ich steh in der Früh auf, und weil ich die Kur mache, geh ich zuerst auf nüchternen Magen spazieren. Dann kommt das Frühstück. Dann geh ich ins Kurmittelhaus oder in die Trinkhalle oder wie das heißt und tu etwas für meine Gesundheit. Dazu gehört ein anschließender Spaziergang. Dann komm ich wieder ins Hotel zurück, mittlerweile war die Post schon da und ich lese die Zeitungen. Dann geh ich in Gottes Namen *noch* einmal spazieren. Und dann denk ich mir: jetzt wär gut Mittagessen – und da ist es erst halb zehn. Ich fahre nicht nach Gastein.«

Ob das in Wahrheit nur ein Vorwand für den befürchteten Entgang der Bridgepartie war oder nicht – kürzer und präziser ist die lähmende Trostlosigkeit eines Kuraufenthalts wohl niemals geschildert worden.

*

Natürlich ging es nicht in allen Kurorten (und nicht einmal in Bad Gastein) so trostlos zu, wie es der alte Schwarz wahrhaben wollte; manche von ihnen warteten mit einer Fülle anregender Betätigungsmöglichkeiten auf, für die dann wiederum der Kurgebrauch als Vorwand herhalten mußte. Karlsbad etwa oder Bad Ischl wurden vom Publikum nicht unbedingt ihrer heilkräftigen Quellen wegen aufgesucht und galten nicht nur als Kurorte, sondern als besonders attraktive Sommerfrischen. Aber das ist schon wieder ein andres und eigenes Kapitel. Es wird als solches behandelt werden.

Jetzt sind wir beim Kartenspiel, und jetzt ist es Zeit, die schier übermenschliche Opferbereitschaft des echten Kartenspielers, das unantastbare Primat, das er den Karten selbst vor seinem eigenen Fleisch und Blut einräumt, durch eine weitere Geschichte zu belegen.

Diesmal handelt sich's nicht (wie beim alten Schwarz) um eine volljährige Tochter, sondern um einen minderjährigen

Sohn. Er gehörte dem Ehepaar Feldmann, trug den unter Juden eher ungebräuchlichen Vornamen Toni, mochte zur Zeit der Handlung etwa zehn Jahre alt sein und war, um es kurz zu sagen, ein widerlicher Balg. Daß er meistens ungewaschen und immer ungekämmt einherkam, sommersprossig und auf zwei für sein Alter erstaunlich ausgereiften Plattfüßen, daß er nicht grüßte und für einen Gruß nicht dankte – das alles hätte sich noch ertragen lassen, wären Herr und Frau Feldmann nicht gar so demonstrativ überzeugt gewesen, ein Prachtexemplar der Menschheit hergestellt zu haben, und hätten sie ihn nicht mit all der Affenliebe, zu der jüdische Eltern einem einzigen Sohn gegenüber fähig sind, verzogen und verwöhnt. Toni durfte sich einfach alles erlauben, und er ließ sich nur selten etwas entgehen. Noch heute denke ich mit Ingrimm an den Tag zurück, als ich seinem Vater eine dringende telephonische Nachricht übermitteln wollte und das Pech hatte, an Toni zu geraten: er hob den Hörer ab, imitierte mit beharrlichem »Tü-tütü-tütü« das Besetztzeichen und war durch nichts zu bewegen, die Verbindung aufzunehmen.

Auch wenn Gäste ins Haus kamen, litten sie unter Tonis Exzessen, die von seinen Eltern mit wohlwollendem Schmunzeln verfolgt und als Ausdruck seiner frühzeitig entwickelten Persönlichkeit interpretiert wurden. Nicht einmal vor der an jedem Donnerstag stattfindenden Tarockpartie machte er halt, und der Papa mochte sich auch dann nicht zum Eingreifen entschließen, wenn das geniale Kind unter den Tisch kroch, die Hosenaufschläge der Spieler mit Asche und Zigarettenresten füllte, ihre Schuhbänder durchschnitt oder ähnlich erfindungsreichen Unfug trieb.

Eines Nachmittags aber trieb er's zu bunt. Sei es, daß Papa Feldmann im Verlust und folglich mißgelaunt war, sei es, daß

er (in Abwesenheit von Frau Feldmann) den Augenblick gekommen sah, endlich einmal den Herrn hervorzukehren – jedenfalls erhob er sich plötzlich mit energischem Ruck, packte
seinen Sohn an der Hand und führte ihn aus dem Zimmer.
Nach einigen Minuten kam er allein zurück, nahm seinen
Platz wieder ein, fragte: »Wer teilt?« – und die Partie nahm
ihren erstmals ungestörten Fortgang, den niemand am Tisch
durch voreilige Fragen oder sonstige Bemerkungen gefährden
wollte.

Erst als die Partie beendet, die Abrechnung durchgeführt
und die Zahlungsprozedur vollzogen war, erkundigte sich einer der Teilnehmer:

»Sagen Sie, Feldmann – was haben Sie eigentlich mit Ihrem
Buben gemacht, daß er uns nicht mehr gestört hat?«

Herrn Feldmanns Antwort erfolgte zwar in keinem einwandfreien Deutsch, aber mit einwandfreier Klarheit (und offenbarte ein Ausmaß von väterlicher Selbstüberwindung, wie
es eben nur ein Kartenspieler aufbringen kann):

»Ich hab ihm onanieren gelernt.«

Nicht nur auf Lieblingskinder, auch auf Lieblingstiere erstreckte sich dieser Heroismus – manchmal allerdings nur widerwillig, wie im Fall des Bridgespielers und Hundebesitzers
Lewkow. War Toni Feldmann ein widerlicher Balg, so darf man
Herrn Lewkows Boxerhund Gogo getrost als widerlichen
Köter bezeichnen. Die übrigen Unterschiede verschwimmen,
denn auch Herr Lewkow sah in seinem Gogo ein Spitzenpro-
dukt aller Hunderassen, verzog und verwöhnte ihn, ließ ihm
alles durchgehen, was man einem Hund nicht durchgehen
lassen soll, überschüttete ihn mit Liebesbeweisen und nahm
ihn selbstverständlich auch in die Bridgestube mit, die er täg-

lich aufsuchte. Dort hockte Gogo speichelnd und knurrend zu Füßen seines Herrn, verfiel von Zeit zu Zeit in ein völlig unmotiviertes, keifendes Gebell, kläffte die Neuankömmlinge an, fuhr nachdenkenden Spielern meuchlings an die Waden und machte sich im ganzen Lokal, besonders aber bei Lewkows unmittelbaren Partnern im höchsten Grad mißliebig. Am häufigsten richtete sich Gogos Aggressivität gegen einen mit Lewkow befreundeten, gleichfalls aus dem Osten der einstigen Monarchie zugewanderten Spieler namens Torczyner, auf den Gogo offenbar eifersüchtig war und der schon manch ein zerfetztes Hosenbein zu beklagen hatte, ja einmal sogar eine schmerzhafte, wenn auch ungefährliche Bißwunde.

Vergebens beschwerten sich die Insassen der Bridgestube bei deren Leiterin, vergebens wurde Lewkow von seinen Partnern bestürmt, das abscheuliche Vieh entweder zu Hause zu lassen oder strenger zu behandeln. Lewkow tätschelte ihm zärtlich die Flanken, kraulte ihm den Kopf, wischte sich lächelnd den Schleim ab, der ihm dabei auf die Hand geträufelt war und zeigte sich im übrigen unzugänglich.

Indessen wurde Gogo immer gereizter und bösartiger, so daß selbst die Geduldigsten sich zu energischem Einschreiten veranlaßt sahen:

»Lewkow, was Ihr Hund aufführt, ist nicht normal. Mit dem stimmt etwas nicht. Führen Sie ihn zum Tierarzt und lassen Sie ihn untersuchen. So geht's nicht weiter.«

Eine Zeitlang ging's trotzdem noch so weiter, dann wich Lewkow den Drohungen seiner Mitspieler, andernfalls die Partie aufzulösen, und ging zum Tierarzt. Dort wurde festgestellt, daß mit dem Hund tatsächlich etwas nicht stimmte. Er litt an einer krankhaften Überfunktion der Geschlechtsdrüsen und mußte kastriert werden.

Lewkow zögerte die Operation immer wieder hinaus. Schließlich – zermürbt von den drängenden Fragen, die ihn täglich in Empfang nahmen, und von den ultimativ verschärften Drohungen, daß man die Anwesenheit eines unkastrierten Gogo nicht länger dulden würde – entschloß er sich zu dem nie wieder gutzumachenden Schritt und Schnitt.

Als er am Abend dieses hauptsächlich für Gogo trübseligen Tages seine Teilnahme an der Bridgepartie telephonisch absagte, jedoch keinen Grund angab, wurde – zwecks Erforschung der näheren Umstände – Torczyner in die Wohnung seines Freundes entsandt.

Lewkow selbst öffnete und geleitete ihn ins Wohnzimmer.

In einem Fauteuil lag Gogo, mit einem Verband um die operierte Stelle und zutiefst niedergeschlagen, richtete sich jedoch, als Torczyner eintrat, knurrend empor und schien auf ihn losspringen zu wollen.

Schreckensbleich fuhr Torczyner zurück.

»Sie brauchen keine Angst mehr zu haben«, beruhigte ihn Lewkow. »Er ist schon kastriert.«

Torczyner, immer noch schlotternd, wandte sich zur Türe:

»Ich hab ja nicht Angst, er will mich vögeln – ich hab Angst, er will mich beißen.«

Und damit war der Sachverhalt unwidersprechlich zurechtgerückt.

*

Nichts auf Erden, absolut nichts, ist dem Kartenspieler so unvorstellbar wie der freiwillige Verzicht auf sein Lieblingsspiel oder auf die ihm gewohnte Partie. Das Beharrungsvermögen, das er da entwickelt, kann auch durch noch so große, noch so ständige Verluste nicht erschüttert werden. Ein gelegentlich auftretender Katzenjammer vergeht, ein gelegentlich – zumal nach schweren Geldeinbußen – geäußerter Vorsatz, nie wieder spielen zu wollen, ist nicht ernst zu nehmen.

Denken wir zum Beispiel an Poldi Singer, dessen ganzes Sinnen und Trachten dem Kartenspiel galt, der sein im Antiquitätenhandel mühsam erworbenes Geld ausschließlich ins Kartenspiel investierte und der es schlechterdings für unmöglich hielt, daß ein Mensch auf irgend etwas andres als aufs Kartenspiel Wert legen könnte. »Habt ihr schon gehört – der Pollak macht eine Indienreise«, verlautbarte jemand am Kaffeehaustisch, und prompt erkundigte sich Poldi Singer: »Um *was* zu spielen?« Denn selbst eine Indienreise konnte in seinen Augen nur zum Zweck einer Kartenpartie unternommen werden. Übrigens hatte er mit dieser Frage eine Formel geprägt, die lange Zeit als Synonym für »Wozu?« verwendet wurde: »Morgen treffe ich Herrn X.« – »Um was zu spielen?«

Poldi Singer spielte besonders gerne Poker, und Kenner dieses reizvollsten aller Hasardspiele – des einzigen, bei dem nicht unbedingt der Valeur des Blattes entscheidend ist – werden aus Erfahrung wissen, daß einer, der gerne Poker spielt, eben darum verlieren muß.* Poldi Singer verlor. Er verlor ständig, und da er nicht aufhören konnte, verlor er immer mehr, was seinen Mitspielern – die ja außerdem mit ihm befreundet waren – immer peinlicher wurde. Man versuchte ihn gewinnen zu lassen, aber er verlor.

Er verlor auch an jenem Abend, da die Partie in seiner Wohnung immer wieder verlängert wurde, um ihm eine Chance

---

* Alfred Polgar hat die Roulettespieler in zwei Kategorien eingeteilt: die einen spielen zum Vergnügen, die anderen, weil sie das Geld brauchen; zwangsläufig – so Polgar – geht nach einiger Zeit die erste Kategorie in die zweite über. Mit den Pokerspielern verhält es sich ähnlich.

zu geben, und er hatte am Ende – es kam erst in den frühen Morgenstunden – eine so hohe Summe verloren, daß die Gewinner (zu denen ausnahmsweise auch ich gehörte) sich vor Verlegenheit krümmten, als sie das Bargeld für die von ihnen angehäuften Jetons entgegennahmen. Niemand wußte etwas zu sagen oder zu tun, niemand wollte sich als erster mit dem gewonnenen Geld entfernen, alle hockten schweigend um den Tisch herum.

Bis Poldi Singer sich erhob, bleich und verwüstet stand er da, seine Stimme zitterte:

»Meine Freunde, ihr werdet gewiß verstehen, was ich jetzt sage. Es ist genug. Ich schwöre – und ihr seid Zeugen – ich schwöre bei der Seligkeit meiner Eltern, daß ich nie wieder Poker spielen werde. Nie – wieder – im – Leben«, wiederholte er mit dramatischer Betonung auf jedem Wort und schöpfte tiefen Atem. »Außer natürlich«, setzte er stockend hinzu, »wenn ich Hausherr bin und wenn das Zustandekommen einer Partie von meiner Mitwirkung abhängt, also wenn ich damit den Geboten der Gastfreundschaft folge.« Abermals ein Atemholen, abermals eine kleine Pause – dann, in jähem Entschluß, leise, aber deutlich hörbar: »Und bei sonstigen Gelegenheiten.«

Denn die Seligkeit seiner Eltern wollte Poldi Singer nicht aufs Spiel setzen.

Ähnlich in der Struktur, nicht ganz so tragisch in der Exposition und von überragender Prägnanz in der Auflösung ist die Geschichte der Karlsbader Pokerpartie, die mir von einem Teilnehmer berichtet wurde, von dem (schon im kulinarischen Zusammenhang vorteilhaft aufgetretenen) Pelzmagnaten Max Penižek.

Die Karlsbader Pokerpartie fand in der Sommervilla des angesehenen Prager Rechtsanwalts Dr. Krasa statt und durfte füglich als *die* Karlsbader Pokerpartie gelten, denn es gab ihrer mehrere, eine davon mit so namhaften Teilnehmern wie Franz Molnár und Max Pallenberg. Aber bei keiner andern spielten so gute Spieler um so hohe Einsätze. Dr. Krasa – ich spreche aus eigener, in Prag gesammelter Kiebitz-Erfahrung – war ein ganz hervorragender Pokerspieler, diszipliniert, instinktsicher und von einem geradezu märchenhaften Einschätzungsvermögen für die Stärken und Schwächen seiner Gegner, denen er sich denn auch anhaltend überlegen zeigte. Die Partie begann immer schon am Nachmittag und dauerte bis weit über das in der Villa Krasa servierte Abendessen. Die drei oder vier Mitspieler pflegten vorher im »Pupp« die Jause einzunehmen und erreichten von dort, auf einem gesundheitsfördernden Spaziergang durch den Kaiserpark, den Ort der Handlung, wo sie ein nahezu sicherer Geldverlust erwartete. Er war manchmal höher und manchmal weniger hoch, manchmal verloren sie alle und manchmal nur zwei oder drei – aber Dr. Krasa verlor niemals. Dr. Krasa gewann immer.

Man sollte es nicht glauben: nach einiger Zeit wurde es den Verlierern zu dumm. Und als sie eines Sommernachmittags, die Jacketts an den geschulterten Spazierstöcken befestigt, durch den sonnendurchfluteten Kaiserpark ihrer Opferstatt zustrebten, hielten sie auf einer waldartigen Lichtung plötzlich inne, sahen einander an und stellten fest, daß sie doch eigentlich Idioten wären, dem Dr. Krasa jeden Nachmittag ihr Geld abzuliefern. Und kreuzten die Hände ineinander wie einst die Eidgenossen auf dem Rütli und verschworen sich feierlich, während der restlichen Wochen ihres Aufenthalts nicht mehr

Poker zu spielen. Und in das weihevolle Schweigen hinein sagte Max Penižek:

»Schon *gar* nicht bei schönem Wetter!«

Es war der seltene Fall einer Bekräftigung, die den Schwur in Wahrheit rückgängig machte.

Damit, daß diese Geschichte in Karlsbad spielt, wäre einerseits ein klagloser Übergang zum Thema Sommerfrische geschaffen, anderseits ist zu berücksichtigen, daß sie ebensogut »in der Stadt« spielen könnte – »Stadt« als pauschaler Gegenbegriff zum »Land« verstanden, auf das man »ging« oder »fuhr«. Mit der Frage: »Wohin gehen Sie heuer aufs Land?« war eindeutig die Wahl des Ferienortes gemeint, für den man sich entschieden hatte, nicht etwa eine Fußwanderung größeren Umfangs und flachen Charakters.

Auch die kleinen Episoden, die ich im folgenden aus Bad Ischl zu berichten habe, sind keineswegs an eine Sommerfrische gebunden, sondern in erster Linie an einen Kartentisch, er stehe wo immer. Allerdings fällt dem Ort der Handlung insofern eine etwas größere Rolle zu, als die Träger der Episoden ihrerseits an Ischl gebunden waren, und zwar lebenslänglich. Es handelt sich um die Brüder Emil und Arnold Golz, zwei erfolgreiche Bühnenautoren, am erfolgreichsten mit den betulichen, im jüdischen Kleinbürgermilieu angesiedelten Lustspielen, die sie der grandiosen Gisela Werbezirk auf den Leib schrieben, einer Schauspielerin von unvergleichlicher Persönlichkeitswirkung … ach, ich gerate schon wieder auf verbotenes Terrain, oder zumindest auf ein von hier aus unzugängliches, gekennzeichnet durch eine Warnungstafel mit der Aufschrift: »Vorläufig kein Eintritt. Vielleicht später.«

Aber von den Brüdern Golz darf und muß ich schon jetzt ein wenig sprechen.

Die Brüder Golz waren nicht nur Brüder, sondern Zwillinge, und nicht nur Zwillinge, sondern derart eineiige, daß sie einander tatsächlich wie ein Ei dem andern glichen. Es war völlig unmöglich, sie voneinander zu unterscheiden, und sie taten auch noch alles dazu, um dieses unverschämte Spiel der Natur mit arger List auf die Spitze zu treiben. Der eine war kurzsichtig – infolgedessen trugen beide Monokel. Der andre war schwerhörig – infolgedessen legten beide die Hand ans Ohr, wenn man mit ihnen sprach. Und sie waren immer bis ins kleinste Detail gleich gekleidet.

An diesem Umstand versuchte ich einmal einzuhaken und fragte möglichst beiläufig den einen (welchen nur, welchen), ob sie auch immer zur gleichen Zeit ihr Tagwerk begännen? Nein, wurde mir bedeutet, da lägen oft Stunden dazwischen. Wie käme dann die völlige Gleichheit in der Kleidung zustande? forschte ich weiter und hoffte den Befragten damit zu der Antwort zu verleiten, daß er dann eben dem Arnold – oder dem Emil – entsprechende Anweisungen zurückließe, und da hätte ich endlich gewußt, mit welchem ich sprach. Aber die Antwort, die ich zu hören bekam, lautete:

»Wer früher aufsteht, legt dem Bruder heraus, was er anziehen soll.«

Und da wußte ich wieder nichts. So war's ja auch beabsichtigt.

Überflüssig zu sagen, daß sich um die Brüder Golz zahllose Anekdoten ranken, manche echt, manche erfunden, alle auf ihre nicht unterscheidbare Zwillingshaftigkeit bezogen und keine hierher gehörig. Die einzige mir bekannte Ausnahme bezieht sich auf die Popularität der beiden Brüder und gehört allenfalls deshalb hierher, weil sie in Ischl spielt und weil die Brüder Golz zu Ischl gehört haben. Sie waren aus dessen sommerlichem Bild so wenig wegzudenken wie der Kaiser Franz Joseph selbst (auf den ja Ischls einzigartiger Rang unter den österreichischen Sommerfrischen zurückgeht). Dieser Ausnahms-Anekdote zufolge hätte der Kaiser gelegentlich eines Morgenspaziergangs auf der Esplanade die Brüder Golz leutselig ins Gespräch gezogen, und unter den Vorübergehenden sei flüsternd die Frage entstanden: »Wer ist der alte Offizier, der dort mit den Brüdern Golz steht?«

Wo die Brüder Golz in Wien ihre Tarockpartie hatten, weiß ich nicht (selbstverständlich »hatten« Kartenspieler, die etwas auf sich hielten, ihre Partie an einem bestimmten Ort und nirgends sonst) – in Ischl war es kein richtiges Kaffeehaus, sondern die berühmte Konditorei Zauner. Dort, im Hinterzimmer, pflegten die Brüder Golz immer am Nachmittag des Tarocks, mit wechselnden Partnern, meistens Angehörigen der Operettenbranche, die in Bad Ischl, dem kaiserlichen Hof nacheifernd, ihre traditionelle Sommerresidenz aufgeschlagen hatte (wovon die als Museum eingerichtete Lehár-Villa und der Oscar Straus-Kai noch heute Zeugnis ablegen).

Zu den Usancen der Operettenbranche gehörte der Ehrgeiz ihrer kommerziellen Lenker, sich mit möglichst hohen Aufführungsziffern zu brüsten, bei deren Errechnung es nicht gerade pedantisch zuging. Besonders Hubert Marischka, Direktor und Star des altehrwürdigen »Theaters an der Wien«, stand diesbezüglich im Ruf einer gewissen Großzügigkeit. Daraus erklärt sich die Bemerkung des einen der Brüder Golz (oder war es der andre?), als die Endabrechnung einer Tarockpartie 189 Punkte zu seinen Gunsten ergab:

»Bei Marischka sind das 200«, sagte er.

Auf ihn oder seinen Bruder geht auch ein Ausspruch zurück, der nachmals anderen Spielern zugeschrieben oder von ihnen usurpiert und als urheberrechtlich nicht geschütztes Allgemeingut behandelt wurde. Er stammt aber von ihm oder seinem Bruder und erfolgte nach mißtrauischer Kontrolle einer Abrechnungssumme, die unter großen Schwierigkeiten, gestützt auf viele Vergewisserungen und vergleichende Angaben der Partner, endlich fixiert worden war. Daraufhin also nahm der eine der beiden Brüder Golz die mit wirren Zahlenkolonnen bedeckte Schreibtafel an sich, rechnete das Ganze noch einmal durch und verkündete, oder wie es in den klassischen Homer-Übersetzungen heißt: und sprach die geflügelten Worte:

»Meine Herren – es stimmt. Da muß sich jemand geirrt haben.«

Auch sonst gab es bei den Ischler Verrechnungen häufig Komplikationen, die von den Spielern – wie wir zu ihrer Ehre annehmen wollen: spaßeshalber – durch Zerstreutheit, irrige Angaben der von ihnen erzielten Punkte und ähnlich unlautere Manöver noch gesteigert wurden. Sei's aus purem Übermut, sei's weil man sich davon einen umfassenden Überblick über das Auf und Ab von Gewinn und Verlust erhoffte, sei's weil die vielfach wechselnden Partner der einzig stabilen Brüder Golz dieses System bevorzugten – eines Tags wurde beschlossen, die am Ende jeder Partie errechneten Summen nicht sofort auszuzahlen, sondern sie in einer von den Brüdern Golz zu führenden Buchhaltung aufzuzeichnen und nach Ablauf einer bestimmten Frist eine Generalabrechnung vorzunehmen. Die Folgen waren verheerend. Binnen kurzem entartete die als einfach gedachte Buchhaltung nicht bloß zur doppelten, sondern zu einer drei- und vierfachen, Gewinne wurden von einem Spieler an den andern zediert und gegen einen vorangegangenen Verlust angerechnet, Verluste wurden übertragen und durch einen Gewinn von dritter Seite ausgeglichen, eine vierte schaltete sich mit einem vom vorletzten Mal übriggebliebenen Restbetrag ein – es ging kreuz und quer und derart durcheinander, daß ein Bruder Golz, nachdem er die Gewinn- und Verlustsummen der soeben abgeschlossenen Partie verbucht hatte, einen längeren Blick über die angesammelten Ziffern schweifen ließ und sich mit folgenden Worten an Oscar Straus wandte:

»Oscar, gib dem Beda siebzehn Schilling, dann ist mir der Leopoldi nix mehr schuldig.«

Von diesem Tag an wurde wieder nach jeder Partie bar ausgezahlt.

IN DER SOMMERFRISCHE

Wir sind bereits in der Sommerfrische, und nicht in irgendeiner, sondern in der klassischen Sommerfrische des alten
Österreich, in Ischl. Was ihr diesen Rang verschafft hat, wissen wir – *wann* das der Fall war, also wann Ischl von Kaiser Franz Joseph zur Sommerresidenz gekürt wurde, mögen
Wißbegierige in den diesbezüglichen Nachschlagewerken
erkunden, die ihnen auch Auskunft geben werden, seit wann
sich Ischl »Bad Ischl« schreibt. Das tut es ja wirklich nur im
Schreibgebrauch. Im Sprachgebrauch heißt es Ischl, und das
mit Recht. Denn Ischl – anders etwa als Bad Nauheim, das
noch von keinem Menschen jemals »Nauheim« genannt wurde – bedarf des Bades nicht und hat seiner niemals bedurft,
um sich Geltung und Anziehungskraft zu erwerben. Dafür
sorgte der kaiserliche Hof und ein kaisertreues Bürgertum,
das sich nichts Schöneres wünschte, als mit dem geliebten
Monarchen die Sommerfrische zu teilen, und das alljährlich
aus allen Gauen des Habsburgerreichs, vornehmlich aber aus
der Haupt- und Residenzstadt Wien herbeigeströmt kam,
um sich diesen Herzenswunsch – den man heute wohl eher
herzlos als »Statussymbol« bezeichnen würde – zu erfüllen.
Die sich's leisten konnten, besaßen in Ischl eine Sommervilla.
Die's ihnen ein paar Monate lang gleichtun wollten, mieteten
sich eine solche (oder wenigstens ein Stockwerk darin). Aber
man wohnte, was manche sogar für nobler hielten, auch im
Hotel oder in Privathäusern, vorausgesetzt, daß sie über jenen
für den Ischler Baustil typischen Balkon verfügten, von dem
man die diversen Trachtenumzüge sehen konnte, die festli-

chen Aufmärsche an Kaisers Geburtstag, das große Feuerwerk am Vorabend, und vielleicht hatte man einmal Glück und sah gar den Kaiser selbst. Das war es, und nicht die Schlammbäder oder die Heilquellen, weshalb man nach Ischl auf Sommerfrische ging.

In der Regel wurde »mit Wirtschaft« auf Sommerfrische gegangen, nicht nur nach Ischl, sondern überallhin, wo man für die Zeit von Ende Juni bis Anfang September entsprechende Räumlichkeiten bezog. »Man« bedeutete die ganze Familie, zeitweilig mit Ausschluß des Vaters (der sich ja auch im Sommer ums Geschäft, um die Kanzlei, um die Ordination oder um sonstwelche beruflichen Obliegenheiten kümmern mußte), dafür aber mit Einschluß der Köchin, die sowieso als Familienmitglied galt. Und »mit Wirtschaft« bedeutete alle zur mehrmonatigen Führung eines Haushalts erforderlichen Geräte, unter denen weder Kaffeeservice noch Salatbesteck, weder Besen noch Staubtücher fehlen durften. Je nach Anzahl und Anspruch der weiblichen Familienmitglieder kam eine mehr oder minder reichhaltige Garderobe hinzu, Wäsche und Kleidung für sonniges und regnerisches Wetter, Spielzeug für die Kinder, Studienmaterial für den Ältesten, Tennis-, Bade- und Wanderausrüstung und was es eben an vermeintlich Unentbehrlichem geben mochte. Die Atmosphäre einer Übersiedlung, die aus alledem entstand, verstärkte sich noch durch die Ungetüme von braunen oder grünen Rohrplattenkoffern, in denen das ganze Zeug verstaut wurde, durch die mit abweisenden Überzügen versehenen Sitzmöbel, vor allem aber dadurch, daß diese zeitraubenden Vorkehrungen den normalen Haushaltsbetrieb fast völlig zum Erliegen brachten und daß man an den letzten Tagen vor der Abreise die Mahlzeiten nicht mehr zu Hause einnahm, sondern im Restaurant.

Ich erinnere mich sehr genau an den seltsam erregenden Schwebezustand dieser Übergangstage, in denen man gewissermaßen gleichzeitig zu Hause und auf Sommerfrische war. Ich empfand sie als die schönsten der Ferienzeit überhaupt, besonders wegen der Mahlzeiten im Restaurant, wo ich plötzlich gefragt wurde, was ich essen wollte und sogar selbst bestellen durfte. Es waren die einzigen Tage im Jahr, die mir Gelegenheit boten, meinen Appetit nach eigener Wahl zu befriedigen. Daß dergleichen zu Hause nicht in Betracht kam, schien mir durchaus natürlich. Aber bisweilen hatte ich das dumpfe Gefühl, daß nur deshalb »mit Wirtschaft« auf Sommerfrische gegangen wurde, um es auch dort zu verhindern.

Ob Ischl auf die Bezeichnung »Perle des Salzkammerguts« tatsächlich Anspruch hatte oder hat, bleibe dahingestellt – ich für meine Person, kaum daß dieselbe der elterlichen Verfügung nicht mehr unterlag, habe mich für Alt-Aussee entschieden; aber das halte jeder wie er will, die Auswahl ist groß genug, und darum geht's mir nicht.

Mir geht es um die tatsächlich einmalige Atmosphäre, die sich in Ischl akkumuliert hatte und noch bis tief in die Zwischenkriegszeit wirksam blieb, obwohl es längst keinen kaiserlichen Hof mehr gab und die Kaiservilla nur noch als Glotzobjekt des Fremdenverkehrs fungierte;

mir geht es um die tatsächlich einmalige Struktur des Publikums, das sich hier Jahr um Jahr zusammenfand, dessen Angehörige sich einen Sommeraufenthalt anderswo als in Ischl nicht vorstellen konnten und an diesem Vorstellungsmangel immer noch festhielten, auch als seine Motive beim Teufel waren und die Immernochfesthalter wohl gar nicht mehr wußten, warum sie gerade nach Ischl kamen;

mir geht es, genau genommen, um ein Ischl, das immer nur während der Sommermonate Wirklichkeit wurde und mit dem eigentlichen, mit dem Ischl des übrigen Jahres ungefähr soviel zu tun hatte wie die Philharmoniker mit ihren Notenpulten ... oder doch mit den Noten selbst? Konnte sich jene sommerliche Wirklichkeit vielleicht nur in Ischl entfalten?

Eine müßige Frage, und schon deshalb nicht zu beantworten, weil ihre Voraussetzungen nicht mehr gegeben sind. Zwar kommen auch heute noch Sommergäste nach Ischl, denen neuerdings sogar »Operettenwochen« geboten werden, und an der Schönheit der Landschaft hat sich so wenig geändert wie an der Qualität der Konditorei Zauner. Aber die Sommergäste sind keine Sommerfrischler mehr, kommen größtenteils aus der benachbarten Bundesrepublik und meistens nur für wenige Tage, mit großen Autobussen, im Rahmen einer von organisationstüchtigen Reisebüros veranstalteten Salzkammergut-Tour;

die Operettenwochen finden im großen Saal des Kurhauses statt, nicht im Kurtheater, das längst zum Kino degradiert ist und das der Kaiser einmal mitten in der Vorstellung verließ, weil ihm die junge Adele Sandrock gar nicht gefiel (ich selbst habe dort als sehr jugendlicher Theaterenthusiast noch die Niese und den Jarno bewundern dürfen); die Komponisten und Textdichter der aufgeführten Operetten kann man weder vorher noch nachher hofhalten sehen, weder bei Zauner noch im »Stüberl« des nach der Kaiserin benannten Hotel Elisabeth (heute ein Krankenhaus), bestenfalls kann man – sofern sie nicht in einem KZ umgekommen sind – ihre Gräber besuchen, und in den ersten Jahren nach 1945 konnte man bei Zauner oder in der Halle des Hotel Post noch ein paar Überlebende aus dem Kreis der ehemaligen Ischler Sommergäste sitzen sehen und konnte wenigstens noch hören, wie der eine dem andern mit diskretem Fingerzeig nach einem dritten zuraunte: »Dort sitzt der Schwager vom Granichstaedten« oder: »Der jetzt hereinkommt, war früher der Anwalt von Schanzer und Welisch«, die gab's in den ersten Jahren nach 1945 noch, die Randfiguren der einstigen Komponisten-Glorie, die Boten zum Thron der Librettistenpaare, und es gab noch welche, die sie erkannten, und inzwischen gibt's die alle nicht mehr, nicht einmal sie;

und aus dem Musikpavillon auf der Esplanade, die noch immer entlang der Traun verläuft, erklingt kein Vormittagskonzert der Kurkapelle André Hummer, kein Divertissement aus dem »Rastelbinder« und keine Ouvertüre zu Boieldieus »Kalif von Bagdad«, im Esplanaden-Café der im Innern des Ortes gelegenen Konditorei Zauner erholen sich keine vom Spaziergang ermüdeten Advokaten und Industriellen und Kunstmäzene, es mopsen sich keine Kinder an der Hand ihrer Gouvernanten, es wandeln keine Vertreter des Geisteslebens gebärdenreich diskutierend nebeneinander her, es ist vorbei mit der Esplanade, vorbei mit allem, was einstmals Ischl war, mit seiner einmaligen Struktur und Atmosphäre, es ist vorbei.

Daß Struktur und Atmosphäre überwiegend jüdisch determiniert waren, bedarf keiner Unterstreichung mehr und wird an dieser Stelle nur als Übergang zu einem Ausspruch des Komikers Armin Berg angeführt:

»Es gibt 500 Millionen Chinesen auf der Welt und nur 15 Millionen Juden«, sinnierte er vor sich hin. »Wieso sieht man in Ischl nicht *einen* Chinesen?«

Ein unerschütterlich getreuer Stammgast Ischls war Heinrich Eisenbach, geographisch und künstlerisch der gleichen

Gegend zugehörig wie Armin Berg und zweifellos ihr höchst-
wertiges Produkt (Karl Kraus pries ihn als einen der großen
Charakterdarsteller des zeitgenössischen Theaters). Eisenbach
kam Sommer für Sommer und unternahm Tag für Tag den
gleichen Spaziergang: auf eine schon etwas weiter entfernte
Anhöhe mit Jausenstation und Aussichtswarte, zu Ehren der
Erzherzogin Sophie und des nach zwei Seiten sich öffnen-
den Panoramas »Sophiens Doppelblick« geheißen. An diesem
Spaziergang ließ sich Eisenbach durch kein noch so schlechtes
Wetter hindern, und selbst als eines Sommers der berüchtig-
te Salzkammergutregen kein Ende nahm, machte der unver-
drossene »Doppelblick«-Liebhaber, mit Wettermantel, Kapuze
und Schirm bewehrt, sich täglich auf den Weg. Wochenlang
war er der einzige Gast, der im Jausenlokal seinen Kaffee einnahm, wochenlang erstieg er als einziger die Aussichtsterrasse
und spähte vergebens rundum, ob sich nicht vielleicht irgendwo eine Art Lichtblick böte.

Da, eines Tages, entdeckte er oben einen offensichtlich Fremden, dem man daheim den Besuch von »Sophiens Doppelblick« als besonders lohnend empfohlen haben mochte und der
jetzt völlig verloren dastand, nicht wissend, was es ihm sollte.

Eisenbach nahm ihn wortlos an der Hand, führte ihn zur
entgegengesetzten Barriere, deutete ins undurchdringlich re-
genverhangene Grau und sagte im Ton eines Fremdenführers:

»Von hier aus, mein Herr, haben die alten Juden den Dach-
stein gesehen.«

Die wichtigsten Äußerungen fielen natürlich in den peripa-
tetischen Diskussionen auf der Esplanade. Der folgende Dia-
logfetzen war vielleicht das Ende, vielleicht der Anfang eines
Gesprächs über die letzten Dinge:

»Also wie ist das – *gibt* es ein Fortleben nach dem Tod oder nicht?«

»Mein Onkel Willomitzer sagt *nein.*«

Das ist wenigstens klar. Hingegen wird sich nie eruieren lassen, welche Auseinandersetzungen oder Überlegungen zu dem Stoßseufzer geführt hatten, der sich dem einen von zweien Esplanadenbesuchern entrang, nachdem sie minutenlang schweigend auf einer Bank in der Nähe der Traunbrücke gesessen waren. Meinem Gewährsmann zufolge hatte man zunächst gar nicht den Eindruck, daß die beiden zusammengehörten, und jedenfalls muß diesem Stoßseufzer zutiefst Pessimistisches vorausgegangen sein; er lautete:

»Ein Glück ist die Brücke überm Wasser!«

Zum besseren Verständnis des folgenden bedarf es zweier Vorbemerkungen.

Erstens muß man sich erinnern, daß zu jener Zeit die Bezeichnung »Tourist« kein Synonym für einen Träger des Fremdenverkehrs war; ein Tourist war jemand, der auf Berge stieg (wenn er auf hohe Berge stieg, war er ein Hochtourist).

Zweitens muß man über Moritz Frisch und seine Sprechweise Bescheid wissen. Moritz Frisch – übrigens der erste Verleger der »Fackel«, Vater des Übersetzers und Verlagsfachmanns Justinian Frisch und Großvater des bedeutenden, in Oxford lebenden Atomphysikers Otto Frisch – entwickelte beim Sprechen eine Verschleppungstaktik, die zeitgenössischen Berichten zufolge – ich selbst habe ihn nicht gekannt – Nerven und Geduld seiner Zuhörer auf arge Proben stellte. Abgesehen von der Mißachtung, die er den Umlauten entgegenbrachte und die er in der besonders gründlichen, ein wenig fettigen mährischen Variante praktizierte, begann er seine Sätze sehr,

sehr langsam, legte zwischen die einzelnen Worte quälend lange Pausen ein, als bereite er die Entdeckung einer profunden Erkenntnis vor – und gab den Rest des Satzes in einem so unvermittelt rasenden Tempo von sich, daß man ihn nur mit Mühe verstand (wobei die Mühe in den meisten Fällen nicht lohnte). Musterbeispiel:

»Ich hab ...« (Pause nach langsamem Beginn) »... sehr ...« (noch langsamer) »... nicht gern ...« (noch längere Pause, ins Maßlose gesteigerte Erwartung der Zuhörer, *was* Moritz Frisch nicht gern hat – und da explodiert es auch schon): »wenn der Mensch is bleed!«

Der Satz aber, der auf der Ischler Esplanade fiel, kam offenbar zustande, als Moritz Frisch – der ebenso langsam ging, wie er sprach – von seinem Begleiter zu etwas beschleunigter Gangart aufgefordert wurde und mit abwehrendem Kopfschütteln antwortete:

»Was is ... ein echter ... Tourist ... werden Sie *nie* sehn gehn schnell!«

Die nun folgende Geschichte – vielleicht die schönste von allen, die nur in Ischl und nur auf der Esplanade spielen konnten – verdanke ich meinem in der New Yorker Emigration verstorbenen Freund Viktor von Kahler (dem ich überhaupt viele Geschichten – zumal pragerischen Ursprungs – verdanke). Sie ist mir deshalb besonders lieb, weil sie mich an eine Episode in Joseph Roths »Radetzkymarsch« erinnert, die mir gleichfalls besonders lieb ist:

Manöver in Galizien. Der alte Kaiser reitet mit seiner Suite dem nächstgelegenen Ort zu. Es kommt ihm eine Delegation der dortigen Judengemeinde entgegen, angeführt vom Gemeinde-Ältesten, der auf einem Kissen den symbolischen

Schlüssel vor sich her trägt und ihn dem Kaiser überreichen will. Der Kaiser hält an, nimmt die Huldigung entgegen und hört den hebräischen Worten, mit denen der Greis sie begleitet, bis zum Schluß aufmerksam zu. Als er das Zeichen zum Weiterreiten gegeben hat, wendet sich der nah hinter ihm reitende Fürst Kaunitz an einen andern Herrn der Suite: »Hab kein Wort verstanden, was der alte Jud g'redt hat.« Worauf der Kaiser sich umdreht und ihn mit sanftem Lächeln zurechtweist: »Er hat ja auch nicht zu Ihnen gesprochen, mein lieber Kaunitz.«

Soweit die erfundene Geschichte Joseph Roths, handelnd – für mein Gefühl zumindest – von jenem rührend selbstverständlichen Einvernehmen, das sich zwischen zwei alten Männern ergeben kann, auch wenn sie nichts miteinander gemeinsam haben als ihr Alter.

Die authentische Geschichte von der Ischler Esplanade ist nicht meinem eingangs zitierten Gewährsmann passiert, sondern seinem Vater, dessen Freunde als Augenzeugen und Berichterstatter fungierten. Die aus drei älteren Herren bestehende Gruppe befand sich auf einem frühmorgendlichen Spaziergang und sah den Kaiser, der um diese frühe Stunde ein gleiches zu tun liebte, in Begleitung eines nicht identifizierten Adjutanten herankommen. Die beiden anderen Herren blieben stehen, zogen den Hut und verharrten in tiefer Verneigung – indessen der alte Baron Kahler, der auch nach seiner Nobilitierung ein frommer Jude geblieben war, einige Schritte zur Seite trat und den Hut nicht abnahm. Schon wollte der Adjutant auf den vermeintlich Respektlosen, dessen Lippen sich murmelnd bewegten, pflichtgemäß empört losfahren, als der Kaiser – in Fragen der Etikette sonst eher von pedantischer Strenge – abwinkte: »Lassen S' nur, lassen S' nur«, sagte er. »Das ist in Ordnung.« Und ging grüßend weiter.

Er kann unmöglich gewußt haben, daß jener den »Segensspruch beim Anblick eines gekrönten Hauptes« vor sich hinsprach und daß man dabei den Hut auf dem Kopf behalten muß. Aber vielleicht hat er etwas dergleichen geahnt.

Unter direkter Mitwirkung meines Freundes Viktor vollzog sich eine Begebenheit, die im heute üblichen Titeljargon etwa »Einschüchterung einer Köchin« heißen würde.

Ein Geschäftsfreund der Kahlers hatte ihnen für den Sommer seinen Palazzo in Venedig zur Verfügung gestellt, die Kahlers nahmen an und gingen entgegen aller Tradition nach Venedig auf Sommerfrische – mit Wirtschaft natürlich, also außer Papa, Mama und den Söhnen Viky und Felix auch die Köchin Mařenka. Während der langen Eisenbahnfahrt kamen die beiden bösen Buben auf den Gedanken, die Köchin Mařenka über das bevorstehende Reiseziel zu unterrichten:

»Weißt du, Mařenko, wir kommen jetzt in eine Stadt, wo die Straßen aus Wasser bestehen und wo es noch Menschenfresser gibt.«

Die Köchin Mařenka wollte sich vor Lachen fast ausschütten, nein, was den jungen Herren da schon wieder eingefallen sei … Menschenfresser … Straßen aus Wasser … nein, so was … und sie schlug sich prustend auf die dicken Schenkel.

Als man in Venedig ankam, eine Gondel bestieg und auf vielfältig verzweigten Wasserstraßen dem Palazzo zustrebte, verging ihr nicht nur das Prusten, sondern sie wagte sich während des ganzen Sommers nicht vor die Türe.

Zur Institution der Sommerfrische gehörten bestimmte Usancen wie das Ankunftstelegramm oder der Familienpfiff.

Dieser, meistens ein Motiv aus einer Wagneroper, diente den Zusammengehörigen zur Standortbestimmung, wenn sie einander im Trubel eines Bahnhofs oder bei der Landung eines Ausflugdampfers zu verlieren drohten. Das Telegramm verständigte den vorerst zu Hause verbliebenen Familienvater vom glücklichen Abschluß der Reise und begann unweigerlich mit den Worten »wohlbehalten eingetroffen«. Übrigens hatten Telegramme, von interurbanen Telephongesprächen ganz zu schweigen, damals noch etwas Aufregendes an sich, sei's feierlicher oder unheilkündender Art; sie achteten auf größte Sparsamkeit im Text und stellten im Bedarfsfall durch die Floskel »Brief folgt« genauere Mitteilung in Aussicht. (Berühmt gewordenes Beispiel eines solchen Bedarfsfalles: »seid besorgt brief folgt«.) Aus alltäglichen Anlässen wurde niemals telegraphiert. Es mußte ein außergewöhnliches Ereignis sein. Und die Ankunft in der Sommerfrische war ein solches.

Halten wir abschließend fest, daß unter den Gründen, aus denen man einen bestimmten Ferienort wählte, gesundheitliche Erwägungen, wenn überhaupt irgendwo, an letzter Stelle lagen. Das dokumentierte sich aufs schönste in jenem Sommer, da ein günstiger Zufall mehreren untereinander befreundeten Redakteuren des »Prager Tagblatts«, zu denen als jüngster auch ich gehörte, die unverhoffte Möglichkeit bot, zur gleichen Zeit Urlaub zu nehmen und gemeinsam auf Sommerfrische zu gehen. Nach längeren Beratungen kamen das Riesengebirge und Marienbad in die engere Wahl (Karlsbad war für die meisten von uns zu teuer). Die Entscheidung lag bei Rudi Thomas, dem stellvertretenden Chefredakteur (siehe diesen), der seine äußerst dürftige Beziehung zu Wald und Feld und Flur schon früher einmal auf die Formel gebracht hatte: »Was die Natur betrifft, genügt mir der Schnittlauch auf der Suppe.« Er plädierte mit folgenden Argumenten für Marienbad, das übrigens im Jargon der Prager Umlaut-Verächter auf der ersten Silbe betont wurde:

»Also schaut's, Kinder. Nicht daß Márienbad so scheen is – scheen is bald was. Aber es hat *sehr* gute Kaffeehäuser, wo man alle Zeitungen kriegt – in ein paar Restaurants kann man ganz anständig essen – das Theater ist gar nicht schlecht, besonders mit den Gastspielen im Sommer – man trifft Leute – und das bissel frische Luft muß man eben in Kauf nehmen.«

DIE PRAGER HIERARCHIE

Es läge nahe, das Kapitel »Prag«, das sich jetzt anschließen soll, gleich mit dem »Prager Tagblatt« zu beginnen. Wenn ich auf diesen zwanglos zu bewerkstelligenden Übergang dennoch verzichte, so deshalb, weil das »Prager Tagblatt« die Gloriole all meiner mit Prag verbundenen Erinnerungen und Erfahrungen, den Gipfel meines ganzen in Prag verbrachten Lebensabschnitts darstellt – und am Gipfel kann man nicht gut anfangen; nicht einmal dann, ja dann erst recht nicht, wenn er sich auch in manch einer andern Hinsicht als solcher präsentiert, und wahrlich nicht nur mir. Für jenes Prag, das ich hier im Auge habe, für jenes seltsame Rassen- und Kultur-Konglomerat, dessen deutsch-jüdisches Überbleibsel aus den Zeiten der Monarchie sich immer noch darauf berufen durfte, eine von Namen wie Kafka, Rilke, Werfel, Brod und Meyrink getragene Literatur hervorgebracht zu haben, über eines der traditionsreichsten deutschen Theater zu verfügen und wohl auch auf wirtschaftlich-finanziellem Gebiet eine unverhältnismäßig bedeutende Rolle zu spielen – für dieses Prag war das »Prager Tagblatt« so repräsentativ, daß es füglich selbst zu den Gipfelpunkten gerechnet werden darf, die es repräsentierte, und füglicher noch zu den Anhaltspunkten, von denen aus sich ein Bericht über Prag entfalten könnte.

Indessen möchte ich – im unverdrossenen, schon mehrmals gescheiterten Bemühen, meinen Reminiszenzen zu einer halbwegs geordneten Struktur zu verhelfen – doch lieber von einem der anderen (und nicht minder füglichen) Anhaltspunkte ausgehen, die sich bereits in früheren Kapiteln angeboten haben. Ich denke da vor allem an Frau Löwenthal, Prags prominente Gastgeberin, die im »Kulinarischen Zwischenspiel« ruhmbekränzt aufgetreten ist und mir schon dort Gelegenheit gab, auf die für Prag so überaus kennzeichnende Wechselbeziehung zwischen erstrangiger Küche und erstrangiger gesellschaftlicher Position hinzuweisen, auf die hierarchische Strenge, mit der die Prager Gesellschaft eingeteilt wurde oder sich einteilte, denn außerhalb ihrer selbst hatte das alles keine Geltung, und innerhalb hielt sie sich für so unanfechtbar »gut«, daß sie den andernorts üblichen Begriff der »guten Gesellschaft« erst gar nicht akzeptierte und es bei bloßer »Gesellschaft« bewenden ließ. Der hier gegebene wie der hier behandelte Raum, dessen kulturgeschichtlicher Hintergrund immer nur von flüchtigen Blink- und Streiflichtern angeleuchtet werden kann, verschließt sich einem gründlicheren Eingehen auf diese nur in Prag beheimatet gewesene Mischung von Qualität und Snobismus, von kritischem Anspruch und provinziellem Eigendünkel. Der Chronist bleibt auf beispielhafte Anekdoten angewiesen, was ja a priori in seiner Absicht lag; hält er doch Anekdoten seit jeher für schlüssiger und aufschlußreicher als langatmige Analysen.

✳

So ließe sich für die prekär ausgewogene Hierarchie, die beispielsweise im Bankwesen herrschte, kein besserer Beleg finden als jenes Gespräch, das aus dem Café Savarin am Graben berichtet wird, wo sich alltäglich nach dem Mittagessen, um das Erscheinen der »Abendzeitung« mit den Schlußkursen der Börse und den letzten Wirtschaftsnachrichten abzuwarten, die Prager Finanzgewaltigen zusammenfanden, die Präsidenten, Generaldirektoren und Prokuristen der großen Bankhäuser, *nur* der großen, denn die bescheidenen Privatbankiers, mochten sie sich noch so noblen und soliden Rufs erfreuen, hatten zu diesen Zusammenkünften keinen Zutritt und würden auf Befragen zweifellos erklärt haben, daß sie ihn gar nicht suchten.

Dort also, im Café Savarin, äußerte eines Nachmittags, während er seine Zigarre in Brand setzte, der als Aktienfachmann geltende Generaldirektor Winternitz von der Länderbank die nachlässig gemurmelten Worte:

»Trifailer wird man abstoßen müssen. Bevor sie fallen.«

»Woher wissen Sie das?« fragte ebenso beiläufig und kaum von der Zeitungslektüre aufblickend Herr Fanto, Prokurist der Merkurbank, wobei er zweifellos erwartete, daß die Information seines Kollegen aus Spitzenregionen käme und nicht etwa aus einem privaten Kleinbetrieb.

»Der Popper von Seelig hat's mir gesagt«, antwortete Winternitz.

Da nun das Bankgeschäft Seelig tatsächlich zu jenen zählte, die von den Großen zwar als durchaus honorig angesehen wurden, dies jedoch über die Achsel, löste Winternitzens Antwort einige Überraschung aus.

Es war Generaldirektor Hecht von der Unionbank, der ihr Ausdruck verlieh:

»Was ist los?« fragte er indigniert. »Seelig hat *auch* schon einen Popper?«

Natürlich bedeutete »Popper« in diesem Zusammenhang keine Person, sondern die Chiffre für einen Aktionsradius, der einem Unternehmen von der geringen Bedeutung des Seeligschen nicht zustand. Nach Herrn Hechts Auffassung hatte ein Bankgeschäft dieses Ranges offenbar nur aus dem Bankier zu bestehen.

Um eine konkrete Namens-Angelegenheit ging es im Fall des ehrgeizigen Bankbeamten Nelkenblum, der seinen Namen geändert haben wollte – wie das in jenen Jahren von den Inhabern ausgefallener oder komisch klingender und obendrein deklariert jüdischer Familiennamen häufig gewünscht wurde (meistens als Vorbereitung zur Taufe).

Herr Nelkenblum reichte also ein Gesuch um Namensänderung ein und wurde von der zuständigen Behörde aufgefordert, eine ausreichende Begründung für seinen Wunsch beizubringen.

Der Name Nelkenblum sei ihm in seiner Berufskarriere hinderlich, brachte Herr Nelkenblum bei.

Das müßten seine Arbeitgeber bestätigen, antwortete die Behörde.

Herr Nelkenblum begab sich zu seinen Arbeitgebern in die Direktion der Prager Kommerzbank, trug ihnen sein Anliegen vor und verließ das Direktionszimmer mit einem Dokument des folgenden Wortlauts:

»Auf Wunsch von Herrn Bernhard Nelkenblum bestätigen wir gerne die Notwendigkeit der von ihm angestrebten Namensänderung, da sich der Name Nelkenblum auf ein berufliches Fortkommen nachteilig auswirken könnte. (Gezeichnet) Feilchenfeld, Generaldirektor. Rosenblatt, Prokurist.«

Dazu gibt es eine Art Gegengeschichte, berichtet vom selben Gewährsmann, meinem schon mehrmals dankbar zitierten Freund Viktor von Kahler.

Der Sohn einer angesehenen Innsbrucker Familie, Jakob Tschurtschenthaler, hatte sich bereits in jungen Jahren als mathematisches und Finanz-Genie zu erkennen gegeben und schien unausweichlich für eine Karriere im Bankwesen prädestiniert. Sie wurde ihm von befreundeter Prager Seite auch prompt angeboten und durch lockende Bedingungen, zu denen u. a. eine Einladung nach Prag gehörte, noch attraktiver gemacht.

Tschurtschenthaler sah sich ein paar Tage lang in Prag um, entschied sich für die Annahme des Offerts und reichte an Ort und Stelle ein Gesuch um Namensänderung ein. Er befürchtete, daß man einen Tschurtschenthaler in Prags Finanzkreisen nicht ernst nehmen würde. Fortan wollte er Taussig heißen.

✳

An der Spitze der Prager Geldhierarchie stand unumstritten die Familie Plessnik. Sie hieß in Wahrheit anders, aber da es nicht nur eine sehr reiche, sondern auch sehr empfindliche Familie war, möchte ich mit ihren nach Übersee emigrierten Nachkommen um keinen Preis (den ich im Ernstfall nicht bezahlen könnte) in Konflikt geraten – wer weiß, vielleicht nähmen sie Anstoß an einer der Anekdoten, die sich um ihren Namen ranken, um ihren fast schon legendären Reichtum, der auf einem der großen Prager Bankhäuser und auf einem führenden Anteil an der Kohlenindustrie des Landes beruhte. Er wurde ihnen nicht geneidet, im Gegenteil, man war in Prag eher stolz auf die Plessniks, ähnlich wie in Frankfurt auf die Rothschilds, man gönnte ihnen das Geld und man gönnte ihnen – aber da wird wohl am besten eine Anekdote herhalten.

Sie spielt gleich vielen anderen informativen Prager Geschichten auf dem Graben, beim sonntäglichen Mittagskorso, zwischen einem alteingesessenen Prager und seinem von auswärts zu Besuch gekommenen Freund, den er über die ihnen begegnenden Persönlichkeiten (wie über alles sonst noch

Wissenswerte) ins Bild setzt. Plötzlich bleibt er stehen und deutet auf die gegenüberliegende Straßenseite:

»Schau – dort drüben gehen die beiden Plessnik-Töchter!«

Alteingesessen wie er ist, weiß er natürlich über die konkurrenzlose Häßlichkeit der beiden Erbinnen Bescheid. Der Fremdling weiß es nicht, will sich die unverhoffte Chance, zwei derart millionenschwere Mädchen aus der Nähe zu sehen, nicht entgehen lassen, eilt hinüber, umkreist die gemächlich Dahinpromenierenden in diskreter Distanz, kehrt zu seinem Freund zurück und sagt nur drei Worte:

»Gott ist gerecht.«

Es gab auch einen Sohn und Stammhalter Plessnik, nennen wir ihn Tommi, aus dessen Kinderzeit die Prager Fama einige Geschichtchen festgehalten hat, die nicht verloren gehen dürfen. Ihre Wiedergabe stößt auf die von mir wiederholt beklagten lautmalerischen Schwierigkeiten, denn Tommi, ein verschlossenes, übellauniges Kind, tat seine kargen Äußerungen im Singsang des klassischen Prager Deutsch und mied schon frühzeitig jeglichen Umlaut wie die Pest. Ständig von Gouvernante, Miß, Hauslehrer und sonstigem Personal umhegt und umsorgt, wußte er sich mit einer bemerkenswert zweischneidigen Taktik gegen die permanente Betreuung zu behaupten: er nahm sie mit allen herkömmlichen Formeln der Fügsamkeit hin und tat hinter dieser Tarnung um so unnachgiebiger, was ihm gefiel.

Auf einer Kinderjause hemmungslos seiner Freßlust frönend und Torte um Torte verschlingend, besann er sich mittendrin auf die Rechenschaft, die er seiner Gouvernante – sie saß mit den anderen erwachsenen Begleitpersonen im Nebenzimmer – schuldig war und rief ihr durch die offene Türe zu:

»Freilein! Bis in einer kleinen Weile werde ich brechen!«

Nach diesem Aviso (das die pragerisch verkürzte Form von »erbrechen« anwandte) mampfte er weiter.

Ein Ferienaufenthalt an einem Salzkammergutsee muß bekanntlich zum Baden benützt werden, und diesmal war es die Miß, die ihn zu diesem Zweck ins Strandbad geleitete. Der widerstrebende Tommi, der so kälteempfindlich war, daß er sogar im Sommer Ohrenschützer trug, beugte sich nieder, pritschelte ein paarmal lustlos mit den Fingern in der klaren Flut, richtete sich wieder auf und entschied unter folgsam-spekulativer Verwendung der englischen Sprache (ohne deshalb den Prager Akzent zu vernachlässigen):

»Much too cold for a child!«

Selbst die leisen Ansätze von Temperament, die ihm gelegentlich unterliefen, wurden sofort mit der jeweiligen Aufsichtsperson koordiniert. Eine Auseinandersetzung auf dem Kinderspielplatz im Prager Stadtpark endete nicht mit der Balgerei, die sich normalerweise entwickelt hätte, sondern mit der Erkundigung des gemessen herangetrabten Tommi:

»Bitte, Freilein, darf ich das Buberl dort anspucken – es will mir seinen Roller nicht borgen.«

Anläßlich eines Besuchs bei seiner Wiener Verwandtschaft öffnete sich ein rätselhafter Einblick in die Vorstellungswelt seiner Knabenseele. Man hatte ihn in den Wurstelprater geführt und ihm alles geboten, was der berühmte Rummelplatz an Attraktionen zu bieten hat. Tommi ließ sie gehorsam über sich ergehen, ließ weder Begeisterung noch Mißfallen erkennen und reagierte auch auf die aufmunternden Konversationsversuche seiner Begleitung äußerst wortkarg:

»Na, Tommi, wenn du einmal groß bist – möchtest du dann ein Ringelspielbesitzer werden?«

Tommi gab ein ausdrucksloses, jedoch langgezogenes Nein von sich.

»Möchtest du vielleicht Wagenführer auf der Hochschaubahn werden?«

»Naain.«

»Oder Steuermann auf der Wasserbahn?«

»Naain.«

»Also was möchtest du werden?«

»Hautarzt.«

Er war damals fünf Jahre alt, und das Rätsel hat sich niemals gelöst.

✳

Mit dem vorhin erwähnten Gebrauch der Kurzform »brechen« bekundete Klein-Tommi eine frühzeitige Beherrschung der prägerischen Terminologie, die sich auch sonst in allerlei Verknappungen und Verschlüsselungen gefiel und dem Uneingeweihten nicht ohneweiters verständlich war.

Wie sollte er sich zum Beispiel jene Frage deuten, die von einer Prager Hausfrau an eine andere gerichtet wurde und die da lautete: »Was schmieren Sie Ihrer um zehn?« Wie sollte er wissen, daß sich das auf den Brotaufstrich bezog, den die andere ihrem Stubenmädchen zum Gabelfrühstück bewilligte?

Auch wird erst auf Umwegen verständlich, daß »grün« (spr. grien) im Prägerischen fast das Gegenteil, nämlich ein blasses, ungesundes Aussehen bezeichnet. Und man sieht nicht einfach grün aus, man *ist* es. »Grien bist du heite«, lautete in solchen Fällen die teilnahmsvolle Feststellung.

Sie erfuhr eine bemerkenswerte Variante, als ein Jungverlobter seine ein wenig stubenhockerische Braut erstmals in die Wohnung eines Freundes mitbrachte: »Das ist meine Braut«, sagte er. »Schau dir an, wie sie grien is.« Die geringfügige Umstellung zweier Wörtchen ließ es beinahe als Tätigkeit erscheinen, grien zu sein, ja beinahe als Leistung. Im gleichen Tonfall hätte der Bräutigam auch sagen können: »Hör dir an, wie sie Klavier spielt.«

Die Verwendung von Schlüsselworten ohne Rücksicht auf ihren ursprünglichen Sinn konnte sogar zu einem kompletten Gegenteil führen, wie das in jener Familie geschah, deren Töchterchen an einer immer auffälliger werdenden Rückgratverkrümmung litt. Nach einigen erfolglosen Behandlungen zog man einen Spezialisten heran und führte ihm die Patientin vor.

»Steh schön grad, mein Kind«, mahnte die Mutter. »Damit der Herr Professor sieht, wie schief du bist.«

Vom ersten Besuch im Hause ihres jungverheirateten Sohns zurückgekehrt, berichtete die Mama einer Freundin über den perfekt geführten Haushalt, über die Harmonie, die zwischen den beiden jungen Leuten herrschte, über die Bemühungen der Schwiegertochter, ihr den Aufenthalt so schön wie möglich zu gestalten, jeden Wunsch hätte sie ihr von den Augen abgelesen und überhaupt hätte alles bestens geklappt … »Aber beleidigt hab ich mich *doch*!«, schloß sie triumphierend ab.

Das wollte nicht heißen, daß sie sich etwa selbst eine Beleidigung zugefügt hatte. Es war ihr vielmehr gelungen, in der rastlosen Obsorge ihrer Schwiegertochter einen Makel zu entdecken, sich trotz allem schlecht behandelt zu fühlen und darob beleidigt zu sein. So besehen, war die Beleidigung also doch ihr Werk.

(Es könnte sich um die gleiche Schwiegermutter gehandelt haben, die ihrem Schwiegersohn am Weihnachtsabend zwei ausgesucht schöne Krawatten unter den Baum gelegt hatte, und als das junge Ehepaar am folgenden Abend zu ihr kam, verstand es sich für den Schwiegersohn von selbst, die eine der beiden Krawatten anzulegen. Schon in der Türe faßte ihn die Schenkerin mißbilligend ins Auge: »Ach?« machte sie. »Die andre hat dir nicht gefallen?«)

Eine Dame der Prager Gesellschaft, nach ihrer Beziehung zu einer andern befragt, antwortete – um so recht zu verdeutlichen, daß die andre als Verkehr für sie nicht in Betracht käme –:

»Mit der grüß ich mich nicht.« (Sie sagte natürlich »grieß«, aber ich muß jetzt allmählich darauf vertrauen dürfen, daß der Leser die korrekte Aussprache von selbst mitliest.)

Die grammatikalische Verstümmelung dieses Satzes ist nicht unbedingt zu verurteilen. Sie entsteht erst durch die Singularisierung der einwandfreien Pluralform: »Wir grüßen einander nicht«, die jedoch am Tatbestand weit vorbeigegangen wäre und ihm die Basis einer nicht gegebenen Gleichwertigkeit unterschoben hätte. Die Befragte wollte ja klarstellen, daß *sie* es sei, die der andern nicht nur den Gruß verweigert, sondern obendrein keinen Wert darauf legt, daß jene sie grüßt. Wie hätte sie das ausdrücken sollen? Etwa durch ein farbloses: »Ich stehe mit ihr nicht auf Grußfuß«? Auch das wäre unzureichend gewesen. Die zitierte Wendung ist zwar grammatikalisch falsch, aber gesellschaftlich richtig.

Gegrüßt bzw. nicht gegrüßt wurde in erster Linie am Graben, einer der Hauptverkehrsadern der Stadt, rechtwinklig zum repräsentativ tschechischen Wenzelsplatz gelegen und Mittelpunkt des deutschen Gesellschaftslebens (abermals möchte ich dem Leser vertrauen und ihm den immer wieder fälligen Hinweis ersparen, daß mit der »deutschen Gesellschaft« eine fast ausschließlich deutsch-jüdische gemeint ist – die nichtjüdische, im Bezirk Kleinseite jenseits der Moldau konzentriert und größtenteils sudetendeutscher Abkunft, hatte mit alledem schon dank ihrer antisemitischen Neigungen kaum etwas zu schaffen). Am Graben befanden sich die von der deutsch-jüdischen Gesellschaft bevorzugten Geschäftsläden, Kaffeehäuser und Restaurants, die führende deutsche Buchhandlung, das altrenommierte Hotel »Blauer Stern«, das »Deutsche Haus« und die übrigen Wahrzeichen einer heute bis in die Wurzeln ausgerotteten Existenzform. Und am Graben fand allsonntäglich in den späten Vormittagsstunden der Korso statt, auf dem Grüßen und Nichtgrüßen kultiviert wurde, wobei die im ersten Fall geübten Nuancen größte Bedeutung hatten. Wie tief der Grüßende den Hut zog und in welcher Entfernung er zum Gruß ansetzte, war für das Verhältnis zwischen ihm und dem Gegrüßten ebenso aufschlußreich wie für dessen gesellschaftliche Position; er seinerseits, der Gegrüßte, bekundete durch die Promptheit und Freundlichkeit der Erwiderung, in welchem Ausmaß ihm der Gruß willkommen war. Nicht selten bahnte sich auf solche Weise ein Rapprochement oder eine Abkühlung an, nicht selten geschah es, daß auf dem Grabenkorso geschäftliche, persönliche und sogar zwischengeschlechtliche Beziehungen entstanden oder zu Bruch gingen – wie denn überhaupt das Ende dieser segensreichen Institution, deren ungezwungene

Ergiebigkeit in mancher Hinsicht sogar die des Kaffeehauses übertraf, innig betrauert werden muß. Der Korso hatte bis in die Dreißigerjahre bestanden, nicht nur am Graben zu Prag, auch auf der Wiener Ringstraße und am Budapester Donaukai und auf dem Hauptplatz noch der kleinsten Provinzstadt, die sich damit eines funktionierenden Gesellschaftslebens vergewisserte. Selbst als flüchtiger Besucher fand man sich zur persönlichen Teilnahme gehalten, wurde während des Auf- und Abschlenderns vom jeweiligen Gastgeber über die Interna der jeweiligen Siedlung unterrichtet und konstatierte zu seiner wie zur eigenen Freude, daß Aussig oder Budweis oder Pardubitz über eine erstaunliche Anzahl hübscher Mädchen verfügte (erst bei längerem Aufenthalt kam man dahinter, daß es immer die selben waren und ihrer höchstens drei).

Nirgends allerdings kamen dem Korso so fundamentale Funktionen zu wie in Prag. Als der am Sonntagmorgen von einer Weltreise zurückgekehrte Textilfabrikant Robitschek erfuhr, daß in der Zwischenzeit Gerüchte über seinen im Ausland erfolgten Tod kolportiert worden waren, hielt er es für das sicherste Dementi, sofort auf dem Grabenkorso zu erscheinen. Gleich der erste Bekannte, der ihm entgegenkam, blieb erschrocken stehen und glotzte ihn mit aufgerissenen Augen an. »Aha!« sagte Robitschek. »Sie waren *auch* nicht auf meinem Begräbnis!«

Gleichfalls am Graben begegnete Herr Keller, der kurz zuvor noch Kohn geheißen hatte, dem als Jeiteles geborenen Herrn Jessen und beging die Unvorsichtigkeit, ihn mit spitzem Hohn zu fragen:

»Wo jessen Sie heute zu Mittag, Herr Jeiteles?«

»Im Grabenkohn«, lautete die Antwort, der eine gewisse Eleganz nicht abzusprechen ist.

Selbstverständlich hatte auch Kommerzialrat Hugo Orlik, Herrenschneider der Prager Crème de la Crème, am Graben seine exklusiven Geschäftsräume, in die man nur durch hochmögende Protektion und nach eingehender Prüfung Zutritt erlangte. Herr Orlik, immer um eine Kleinigkeit vornehmer als der vornehmste seiner Kunden, war der Bruder des namhaften, in Berlin ansässigen Malers Emil Orlik, der einem Bewunderer auf die Bitte, ihn in seinem Atelier besuchen zu dürfen, geantwortet haben soll: »Ein Atelier hat mein Bruder Hugo in Prag. *Ich* habe eine Werkstatt.«

Ob Hugos Anzüge oder Emils Bilder besser waren, wage ich nicht zu entscheiden. Aber Hugo war ohne Frage der größere Snob, einer der größten, die das »Prager Schmockkästchen« – so nannte es sich in koketter Selbstkritik – jemals aufzuweisen hatte. (Wie und warum »Schmock«, ursprünglich eine Figur aus Gustav Freytags Lustspiel »Die Journalisten«, zum Synonym für »Snob« geworden ist, dem sich die adäquaten Wortbildungen »verschmockt« und »Schmockerei« angegliedert haben: das wäre wieder einmal einer eigenen, hier leider nicht durchführbaren Untersuchung wert.)

Von kompetenter weiblicher Seite wurde mir versichert, daß Prag auch auf dem Gebiet der Damenmode Erstklassiges leistete und daß die Prager Haute Couture internationale Geltung besaß. Die kompetente Seite gehörte zur sogenannten »Haute Juiverie« – eine einleuchtende, keineswegs auf Prag beschränkte Bezeichnung für die finanz- und kulturträchtige, in manchen Fällen schon seit zwei oder drei

Generationen geadelte Oberschicht des jüdischen Groß-
bürgertums.

Eine andre zu dieser Schicht gehörige Dame, die ihren
Sommeraufenthalt zwischen Nizza und Karlsbad zu teilen
pflegte, hatte vom teuersten Prager Pelzsalon einen prächtigen
Weißfuchsmantel geliefert bekommen, den sie – wie eine ihrer Freundinnen neidvoll vermutete – sicherlich nach Nizza
mitnehmen würde.

»Nach Nizza?« entgegnete die Schmöckin. »Den heb ich
mir für Karlsbad auf. In Nizza kennt mich doch niemand!«

Es war die selbe, die einer Übersiedlung nach Dresden, von
ihrem Gatten aus Geschäftsgründen erwogen, das Argument
entgegensetzte:

»Was mach ich in Dresden? Wo mir doch schon Prag zu
klein ist!«

Damit stand sie allerdings im Widerspruch zu einem Lo-
kalpatriotismus, wie er in noch viel kleineren Städten als Prag
gehegt wurde und beispielsweise in dem Stoßseufzer: »Gö-
ding ist *auch* nicht mehr, was es war!« zum Audruck kam.

Dies wiederum erinnert an die Äußerung eines Versiche-
rungsagenten, der seine Tätigkeit aus Mährisch-Ostrau in die
slowakische Kleinstadt Neutra verlegen wollte und von seinen
Freunden gewarnt wurde, daß es dort »öd« sei (der Umlaut
läßt sich in diesem Fall nicht gänzlich ausschalten, wechselt
jedoch ersatzweise vom o zum a und nähert sich dem Klang-
bild »äd«).

»Neutra öd?« entgegnete der Gewarnte. »Wieso? Man nennt
es auch Klein-Preßburg!«

Es sei vermerkt, daß die Kohlenmetropole Mährisch-Ostrau tatsächlich über ein beachtliches Kultur- und besonders
Nachtleben verfügte, daß manch ein späterer Bühnenstar am

dortigen Deutschen Theater seine Karriere begonnen hat, daß die mit dem »Prager Tagblatt«-Konzern verflochtene »Morgenzeitung« hohes journalistisches Niveau hielt und daß der ihr angeschlossene Buchverlag Kittl einem Teil der 1933 aus Deutschland verjagten Literatur eine Unterkunft bot, die den in Holland entstandenen Exilverlagen Allert de Lange und Querido nur wenig nachstand. Jedenfalls war Mährisch-Ostrau mit den zahlreichen anderen Städten proklamiert mährischer Landeszugehörigkeit nicht in einem Atem zu nennen. Wer etwa nach Mährisch-Weißkirchen, Mährisch-Trübau oder Mährisch-Gmünd verschlagen wurde, befand sich in der tiefsten Provinz und merkte alsbald, warum man diese Ortschaften unter der Einheitsbezeichnung »Mährisch-Selbstmord« zusammenfaßte.

*

Jetzt haben wir uns aber allzu weit von Prag entfernt und kehren eilends zurück, ins hunderttürmige, ins goldene, an den Ufern der von Smetana vertonten Moldau gelegene Prag, in die schönste Stadt nördlich der Alpen und wahrscheinlich eine der schönsten Städte überhaupt … ach ja.

»Prag wird durchflossen von der Nebbich, die sich schließlich doch in die Elbe ergießt«, heißt es bei Gustav Meyrink, der bekanntlich nur ein Wahl-Prager war und sich infolgedessen oder trotzdem eine gewisse kritische Einstellung zum goldenen Moldau-Mütterchen bewahrt hatte, als einziger auf weiter Prager Literatenflur. Kein Prager, ob Literat oder nicht – aber im Grunde war jeder ein Literat oder hielt sich dafür, auch wenn er nie eine Zeile veröffentlicht hatte, hielt sich sogar für einen besseren als die öffentlich anerkannten – bitt' Sie, wer ist schon der Werfel, sein Vater hat ein Handschuhgeschäft in der Mariengasse –, kein Prager, sage ich, hat jemals an Prag das geringste auszusetzen gefunden (indessen im vorgeblich gemütlichen Wien die böseste Selbstkritik zu Hause war, von Nestroy über Karl Kraus bis zum Qualtinger), kein Prager hat jemals gezögert, Prag für den Nabel der Welt und sich selbst für den Nabel Prags zu halten. Noch in jenem scheinbar abwertenden Urteil der Prager Gesellschaftslöwin, daß Prag ihr »zu klein« sei, lag die resignierte Überzeugung beschlossen, daß es leider nichts Größeres gäbe. Und siehe da – oder auf pragerisch »Und was tut Gott« –: in mancher Hinsicht traf das tatsächlich zu.

Am Graben, wo wir uns zuletzt aufhielten, lag auch das Café Continental, Prags Literaten- und Journalisten-Café. Ähnlich wie in Wien das »Herrenhof« die Nachfolge des »Central« angetreten hatte, war das »Conti« dem geschleiften, einstmals von den Jungprager Dichtern bevölkerten Café Arco nach-gefolgt, ohne es jedoch an literarischem Ruhm zu erreichen. Näheres über das Café Arco findet sich bei Karl Kraus, Kurt Wolff, Max Brod, Willy Haas und Johannes Urzidil, dem letz-ten, 1972 verstorbenen Mitglied des »Prager Dichterkreises« (dem ich – eine für mich höchst schmeichelhafte Stelle in der Autobiographie Max Brods erlaubt mir diese Aussage – »als Hospitant« angehört habe).

Das »Conti« dürfte das einzige Kaffeehaus seiner Art ge-wesen sein, dessen Garderobier berühmter war als sämtliche Stammgäste. Ich habe ihn noch gekannt, den alten Hahn, und hatte noch die Ehre, meine durch den »Schüler Gerber« er-worbene Lokalgeltung von ihm bestätigt zu bekommen, als er eines Abends meinen Mantel entgegennahm, ohne mir ei-nen Garderobenzettel einzuhändigen. Daß dies als Geste der

Anerkennung, als Aufnahme in die Reihe der Bevorzugten gemeint war, konnte keinem Zweifel unterliegen, denn Herr Hahn verteilte seine Garderobenzettel tatsächlich nur als Klassifikationsmerkmal. Zur Identifizierung der von ihm aufbewahrten Mäntel hätte er sie nicht benötigt. Er besaß ein exorbitantes Gedächtnis, wußte die Telephonnummern aller Stammgäste und der von ihnen am häufigsten gewünschten Verbindungen auswendig, merkte sich die Gesichter und, wenn sie prominent genug waren, die Namen noch so seltener Besucher und erkannte nach jahrelanger Pause auch Siegfried Wagner, der zu einer Aufführung seines »Bärenhäuter« nach Prag gekommen war und anschließend im Café Continental erschien.

Hahn half ihm dienstEifrig aus dem Mantel.

»Schöne Sachen hab ich gehört von Ihrem Herrn Papa«, flüsterte er ihm dabei vertraulich zu.

Da es in der Umgangssprache das ziemlich genaue Gegenteil bedeutet, wenn man von jemandem »schöne Sachen« gehört haben will, reagierte Siegfried Wagner dementsprechend empört:

»Was erlauben Sie sich?« fauchte er. »Was soll das heißen?«

»Lohengrin … Tannhäuser … Parsifal«, ergänzte mit Unschuldsmiene der Garderobier Hahn.

Augenzeugen berichteten, daß der berühmte Sohn des noch berühmteren Vaters nicht etwa gelächelt oder gar gelacht, sondern sich lediglich mit einem nüchternen »Ach so« abgewendet habe. Ein Thema wie »Der Humor im Hause Wagner« wird schwerlich zum Gegenstand der Sekundärliteratur werden.

Daß im »Conti« auch des Schach- und des Kartenspiels gepflogen wurde und daß an den dazugehörigen Käuzen,

Schnorrern und Mäzenen kein Mangel herrschte, versteht sich ebenso von selbst wie die nach strengen Regeln geordnete Besetzung der Stammtische und die endlosen Diskussionen – durchwegs Charakteristika, die eigentlich zu jedem Kaffeehaus gehören. Und ich frage mich, ob sie nicht besser in einem eigenen Abschnitt untergebracht wären, der das Phänomen »Kaffeehaus« als solches behandeln und mit Beispielen belegen wird. Anderseits überschneidet sich ein Posten der obigen Aufzählung mit dem Kapitel über das Kartenspiel, und die Prager Käuze könnten mit gleichem Recht einen Platz unter den schon geschilderten Sonderlingen beanspruchen. Auch das sind organisatorische Schwierigkeiten, die mir bei der Niederschrift dieses Buchs immer wieder begegnen und für die ich keine Lösung weiß, als in Gottes Namen weiterzuschreiben.

Dafür bietet sich das Stichwort »Diskussion« an, das zugleich über die Enge des Kaffeehauses hinausweist. In der Tat wurde Prags Geistesleben von einer schier unerschöpflichen Diskussionsfreudigkeit beherrscht, der jeder erdenkliche Anlaß willkommen war. Anton Kuh hat sie in einem parodistischen »Veranstaltungs-Kalender«, wie er jeweils am Wochenbeginn auf der Kulturseite des »Prager Tagblatts« erschien, durch die folgende fingierte Ankündigung gekennzeichnet:

»Donnerstag, 8 Uhr abend. Lese- und Redehalle liberaler Studenten.« (Die gab es wirklich.) »Lichtbildervortrag: Wer schläft mit Fräulein Bunzl? Anschließend Diskussion.«

Von Kuh stammt noch eine weitere einschlägige Äußerung, zu deren genauem Verständnis man lediglich wissen muß, daß ein im jüdischen Haushalt sehr beliebtes Weißgebäck (geflochten, mohnbestreut und von respektabler Größe) »Barches« heißt.

»Wenn man in Prag zum Nachtmahl eingeladen ist«, konstatierte Kuh, »wird schon bei der Suppe der Problem-Barches angeschnitten.«

Jener anschließend diskutierte Lichtbildervortrag beschäftigte sich nicht zufällig mit einer Frage des Geschlechtsverkehrs, der in Prag mit dem gleichen Eifer und der gleichen Breitenwirkung betrieben wurde wie die Diskussion. Die beiden Tätigkeitsgebiete wiesen gewissermaßen verfließende Grenzen auf. Über die je nachdem stabilen oder wechselnden Konstellationen im Prager Sexualbetrieb, über ruchbar gewordene Großtaten und über alles sonst noch Wissenswerte wurde nicht gerade Buch, aber doch Diskussion geführt, und zwar eine durchaus sachliche, weit entfernt von scheelem Neid oder schmierigem Tratsch. Es gab eine Art Rangliste weiblicher Attraktivität und männlicher Leistungsfähigkeit, jene war Kursschwankungen unterworfen, diese wurde in dem Zeitraum, auf den meine Erinnerungen sich beziehen, eindeutig von Fritz Krasa angeführt, und das ist nun fast ein eigenes Kapitel.

Fritz Krasa, seiner leuchtend roten Haare wegen »der rote Krasa« genannt, galt, um es kurz zu sagen, als Prags potentester Mann. Er heiratete rechtzeitig eine reiche Amerikanerin und folgte ihr in die Vereinigten Staaten, wo er vielleicht heute noch lebt – sollte das der Fall sein und sollten ihm diese Zeilen zu Gesicht kommen, dann möge er sie als spätes Zeugnis meiner Verehrung entgegennehmen, als Denkmal, das ich seiner sagenhaften Potenz schon immer errichten wollte. Er selbst hat nie ein Aufhebens von ihr gemacht, hat nie mit ihr geprahlt und geprunkt (was die Fama veranlaßte, sie ins Maßlose zu steigern), sprach nie von seinen Erfolgen oder gar davon, wie er sie erzielte – was nämlich keineswegs auf der Hand lag, denn der rote Krasa war weder besonders schön noch besonders gescheit, und ich habe an ihm auch keine Anzeichen eines besonderen Charmes, ja überhaupt nichts Verführerisches entdecken können. Wahrscheinlich lag es an dem tiefen, um nicht zu sagen: sittlichen Ernst, mit dem er auf die Sache konzentriert war, wahrscheinlich ging eine unwiderstehliche Strahlkraft davon aus, daß er nichts andres tat und an nichts andres dachte.

Diese Eingeleisigkeit zeigte sich mit schlechthin umwerfender Vehemenz auf einer Abendgesellschaft, zu der wir beide eingeladen waren. Irgendjemand schlug zur Überbrückung der entstandenen Langeweile das Ratespiel »Abstrakt oder konkret« vor, und der rote Krasa wurde als erster hinausgeschickt, um hernach den Begriff oder Gegenstand, auf den man sich geeinigt hatte, zu erraten.

Er begann, wie es den Regeln entsprach, mit der Frage:

»Abstrakt oder konkret?«

»Konkret«, lautete die Antwort, und prompt verkündete der rote Krasa, was ihm als einzig Konkretes einfiel:

»Das Glied!« jauchzte er. (Er gebrauchte einen derberen Ausdruck, aber der läßt sich hier noch vermeiden.)

Man bedeutete ihm, daß er auf falscher Fährte sei und sich etwas mehr Mühe geben müßte, um auf die richtige Lösung zu kommen.

Mißmutig stellte er die übliche zweite Frage:

»Männlich oder weiblich?«

»Männlich.«

»Also doch!« rief der rote Krasa, dessen Vorstellungskraft bereits an ihre Grenzen gestoßen war. Und als man seine Antwort abermals zurückwies, gab er auf.

Nicht daß ich es gewagt hätte, ihn darum zu bitten – freiwillig und spontan gewährte er mir einen wenn auch kärglichen Einblick in das Geheimnis seiner von mir so sehr bewunderten Verführungskunst. Es geschah stilvollerweise auf dem Grabenkorso. Der rote Krasa hatte eine herankommende Dame beziehungsvoll gegrüßt und war von ihr mit einem ungemein freundlichen Lächeln bedankt worden. Ein paar Schritte später wandte er sich an mich:

»Grießen mußt du«, sagte er. »So lange grießen, bis du sie im Bett hast.«

Ich konnte meine Zweifel, ob es wirklich keines weiteren Raffinements bedürfe, nicht überwinden und habe Krasas Ratschlag nie befolgt. Es blieb bei der Bewunderung.

Sie erreichte ihren Höhepunkt an einem Sonntagnachmittag, als wir uns in der Wohnung des »Prager Tagblatt«-Vizechefs Thomas (von dem schon die Rede war und noch die Rede sein wird) zum allwöchentlichen »jour fixe« versammelt hatten. Dem bunten, reizvollen, häufig durch Gäste aus dem Ausland angereicherten Kreis um Rudi Thomas gehörte auch der rote Krasa an, nicht in erster Linie seiner Potenz wegen (obwohl sie ihm selbst dort größten Respekt sicherte), sondern eher im Schlepptau seines Bruders, des Komponisten Hans Krasa, eines hochtalentierten Schönberg-Schülers, mit dem mich persönliche und künstlerische Beziehungen verbanden: von ihm stammte die Musik zu einer zeitkritischen Komödie des tschechischen Dichters und Zeichners Adolf Hoffmeister, die im Original »Mládí ve hře« (Jugend im Spiel) und in meiner deutschen Bearbeitung »Anna sagt Nein« hieß; beide Fassungen wurden gleichzeitig aufgeführt, die tschechische im Avantgardetheater E. F. Burians, die deutsche in der »Kleinen

Bühne« des Prager Deutschen Theaters, und beide sind – man schrieb das Jahr 1936 – über Prag nicht mehr hinausgekommen, ebensowenig wie Krasas Oper »Onkelchens Traum«, der eine Erzählung von Dostojewski zugrundelag. (Es sei noch eingefügt, daß Hoffmeister – nebstbei nach 1945 der erste tschechoslowakische Botschafter in Paris – vor wenigen Jahren verfemt und isoliert in Prag gestorben ist und daß Hans Krasa die Nazi-Haft in Theresienstadt nicht überlebt hat; und es sei noch hinzugesetzt, daß es mich zu Einfügungen dieser Art öfter und schmerzlicher drängt, als ich's den Leser merken lasse.)

Hoffmeister war nicht der einzige Tscheche unter den vielen originellen und begabten Erscheinungen, die Rudi Thomas um sich versammelte. Sie alle aufzuzählen, würde freilich zu weit führen, jedenfalls zu weit weg von Fritz Krasa, der ja im Mittelpunkt dieser Betrachtung stehen soll. Auch an jenem Nachmittag wurde er ganz gegen seine Art und Absicht zum Mittelpunkt, als er plötzlich aus seinem Fauteuil zu Boden glitt und lautlos in Ohnmacht sank. Der Hausherr und ein anwesender Arzt trugen ihn ins Badezimmer, wo er alsbald erwachte und wo sich die Ursache seines Schwächeanfalls klärte: er hatte in den frühen Nachmittagsstunden, bis kurz vor seinem Eintreffen bei Rudi Thomas, den Geschlechtsverkehr ausgeübt, offenbar pausenlos oder doch mit gewaltiger Intensität, denn sein Bericht, der brockenweise aus dem Badezimmer hörbar wurde, enthielt den in bescheidenem, fast entschuldigendem Tonfall vorgebrachten Satz: »... und dann hab ich ohne große Lust die sechste Nummer gemacht ...« Einem andern hätte man schon die Sechszahl nicht annähernd geglaubt. Dem roten Krasa glaubte man sogar, daß er sie ohne große Lust erreicht hatte.

Ich schließe dieses für den Durchschnittsbürger nieder-schmetternde Potenz-Kapitel mit einer Begebenheit, durch deren Aufzeichnung ich vom Statisten zum Chronisten werde. Die Statistenrolle war mir während des Geschehens zugewiesen.

Es geschah, daß gegen den roten Krasa eine Paternitäts-klage eingebracht wurde, was in seinem gesamten Freun-deskreis größte Aufregung und Anteilnahme hervorrief. Aus den Ratschlägen, die von allen Seiten auf den hart Getrof-fenen einströmten, kristallisierte sich als einzig brauchbarer die Expertise eines Rechtsanwalts heraus: um der Klage mit einiger Erfolgsaussicht zu begegnen, müßte Krasa, da er sich unmöglich auf mangelnde Potenz ausreden könne, mangeln-de Zeugungsfähigkeit nachweisen, wozu es wiederum einer ärztlichen Bestätigung bedürfe, und zwar einer amtsärztlichen, nicht vom Hausarzt Dr. Jellinek oder von einem andern, der sich infolge persönlicher Bekanntschaft oder weichen jüdi-schen Herzens vielleicht willfährig zeigen würde. Das Krei-schen der Hebel, die Krasa daraufhin in Bewegung setzte, mischte sich mit seinem immer lauteren Wehklagen zu einer unschönen Symphonie, die bald niemand mehr anhören woll-te. Man fand, daß die ganze Sache nicht gar so tragisch wäre, daß es sich sozusagen um einen Betriebsunfall handle, wie er einem Mann von Krasas Regsamkeit nun eben zustoßen könne. Die Anteilnahme seiner Freunde ließ allmählich nach, und manche begannen sich schnöde von ihm abzuwenden.

Endlich, in wochenlanger, diskreter und darum doppelt mühsamer Forschungsarbeit wurde ein Amtsarzt ausfindig gemacht, der angeblich mit sich reden ließ. Er hörte auf den vertrauenerweckenden Namen Kalmus, hatte seinen Amtsbe-reich an der weniger vertrauenerweckenden Peripherie, im Arbeiterbezirk Žižkov, und da ich um diese Zeit bereits der letzte war, der dem roten Krasa noch treu zur Seite stand, begleitete ich ihn hinaus.

Wir landeten in einer deprimierend häßlichen Gegend, fanden in einer düsteren Mietskaserne die Türe mit dem gesuchten Namensschild, mußten mehrmals klopfen, weil die elektrische Klingel nicht funktionierte, und wurden von Dr. Kalmus selbst empfangen, einem spitzbärtigen, zwickerbewehrten Männchen, verschmuddelt wie der graue Ärztekittel, den er trug und der vor undenklich langen Zeiten einmal weiß gewesen sein mochte. Das Ganze, einschließlich der Ordinationsräume, war von einer nicht zu überbietenden Trostlosigkeit. Aber es standen ja keine ästhetischen Belange auf dem Spiel, sondern eine Vaterschaftsklage.

Dr. Kalmus gab wortkarg zu erkennen, daß er im Bilde sei, vollzog allerlei medizinische Prozeduren, brummte ab und zu etwas Unverständliches und wurde erst am Schluß der Untersuchung deutlicher:

»Und jetzt, Herr Krasa, brauche ich von Ihnen eine Samenprobe. Hier, bitte.«

Damit überreichte er ihm ein Präservativ und deutete auf den einzigen im Raum befindlichen Lehnsessel, ein abgeschabtes Möbelstück mit nur einer Armlehne, jedoch zwei herausragenden Sprungfedern.

Es war, gelinde ausgedrückt, ein schockierendes Ansinnen, aber im Interesse der Wahrheitsfindung – oder zumindest einer amtsärztlichen Bestätigung – mußte ihm Folge geleistet werden. Der um den Nachweis seiner Zeugungsunfähigkeit bangende Krasa nahm also seufzend Platz und begann sich um die Hervorbringung des Gewünschten zu bemühen. Dr. Kalmus ging mit auf dem Rücken verschränkten Händen im Zimmer auf und ab.

Als die Bemühungen Krasas, der nun wahrlich Besseres gewohnt war, nach einer geraumen Weile noch immer kein Resultat gezeitigt hatten, wurde Dr. Kalmus ein wenig ungeduldig: »Also was ist, Herr Krasa? Sind Sie bald fertig?« Mit waidwundem Blick sah der rote Krasa zu ihm empor:

»Herr Doktor«, flüsterte er gequält, »könnten Sie nicht wenigstens Du zu mir sagen?«

*

Der einzige, von dem die Mär ging, daß er es mit dem roten Krasa aufnehmen könne – was einer zuverlässigen Kontrolle schon deshalb entzogen blieb, weil er sich in gänzlich anderen Kreisen bewegte –, war ein Handlungsreisender namens Konrad Klein, genannt Kiezek. Er stammte von böhmischen Landjuden ab, sah dementsprechend aus, nämlich wie ein ungeschlachter Bauernlümmel, legte auch die dazugehörigen Manieren an den Tag und sprach, anders als sein verfeinertes Vorbild, mit derber Offenherzigkeit (und hartem tschechischen Akzent) von seinen sexuellen Heldentaten. Zum Beispiel antwortete er auf die Frage eines detailliert Wißbegierigen, wie lange er denn brauche, um seiner jeweiligen Partnerin zum höchsten Liebesgenuß zu verhelfen: »Also das erstemal passiert es ihr, wenn ich im Kaffeehaus rufe: Ober, zahlen!« Und auch ich habe einmal, allerdings indirekt, eine vielsagende Auskunft von ihm bekommen.

Ich plante eine Reise nach Frankreich und erkundigte mich bei Kiezek, der das ja von Berufs wegen wissen mußte, nach der besten Zugsverbindung. Er hatte sie sofort parat:

»Also am besten fährst du um 11 Uhr 15 ab Wilsonbahnhof. Da hast du in Köln zwei Stunden Aufenthalt, steigst aus, bist in ein paar Minuten drei Straßen rechts vom Bahnhof, wo die Huren stehen, gehst mit einer ins Hotel Schwarzer Adler —«

Der Ordnung halber sah ich mich zu dem Einwurf genötigt, daß ich nichts dergleichen beabsichtigte.

»Entschuldige«, sagte Kiezek ein wenig verstimmt. »Das ist eben *meine* Art zu reisen.«

Die Clientèle des am Wenzelsplatz gelegenen Café Urban, wo ich Kiezek Klein kennengelernt hatte, zeichnete sich durch eine deutsch-tschechische Mischung aus, wie sie sonst nur in privatem Rahmen zustande kam. Im Café Urban traf Kiezek Klein seine nicht jüdischen Geschäftsfreunde von auswärts, im Café Urban zwinkerte der Abgeordnete Stříbrný der in einem von ihm herausgegebenen Boulevardblatt gelegentlich auch antisemitische Töne anschlug, seinen jüdischen Tarockpartnern zu, und an dem größtenteils von Juden besetzten Stammtisch, der mir bei meinen späteren Besuchen in Prag Gastrecht gewährte, wurde gleichermaßen deutsch und tschechisch gesprochen. Es war eine lebhafte, fast immer wohlgelaunte, nicht unbedingt als »intellektuell« zu qualifizierende Runde. Die intellektuelle Komponente wahrten vor allem zwei damals junge Rechtsanwälte, von denen der eine, Dr. Franz Hajek, noch heute zu meinen Freunden zählt (er lebt in London, hat zu diesem Kapitel mancherlei Wertvolles beigetragen und sei hiermit bedankt). Über den andern, Dr. Arthur Wolf, kann ich nur im Rückblick berichten. Die beiden waren miteinander befreundet und zugleich in einen demonstrativ zur Schau getragenen Konkurrenzkampf verstrickt — jeder wollte erfolgreicher sein als der andre, jeder versuchte (in mitunter recht witziger Weise) den andern auszustechen, zu ärgern, zu provozieren:

»Ich mußte mir heute ein neues Postsparkassenkonto einrichten«, ließ Wolf sich vernehmen, als Hajek an den Tisch trat. »Auf das alte ist nichts mehr draufgegangen.«

Hajek sah seinen absichtsvoll übertreibenden Widersacher lange und nachdenklich an. Dann sagte er, als wäre es das Ergebnis der soeben vollzogenen Prüfung:

»Hitler hat evident unrecht. Es sind ja gar nicht alle Juden minderwertig. Minderwertig bist *du*, Wolf.«

Mit Hitler, der in Deutschland erst seit kurzem an der Macht war und den man außerhalb Deutschlands noch nicht recht ernstnehmen wollte, hat auch die folgende Episode zu tun. Die beiden Freunde verbrachten einen gemeinsamen Ski-Urlaub im Riesengebirge und unternahmen von der »Spindlerbaude« aus eine Abfahrt, die längs der im Zickzack verlaufenden Staatsgrenze angelegt war, so daß man niemals wußte, ob man sich gerade auf tschechoslowakischem oder reichsdeutschem Boden befand. Was Wunder, daß dem friedlich dahingleitenden Wolf plötzlich der Atem stockte, als er hinter sich den scharfen Zuruf »Jüdische Marxistensau!« vernahm. Schreckensbleich wandte er sich um – und mußte feststellen, daß der Rufer niemand andrer als Hajek war.

»Bist du verrückt?!« brüllte er ihm entgegen. »Was fällt dir ein?!«

Der inzwischen Herangekommene beruhigte ihn:

»Schau – wenn wir in der Tschechoslowakei sind, macht's nix. Und wenn wir in Deutschland sind – *ich* bin gedeckt.«

Die Erwähnung des Riesengebirges gebietet einen kurzen Seitenblick auf ein andres Mitglied der Urban-Runde, Richard Fleißig mit dem Beinamen »der Sprachreiniger«. Sein

Reinigungskampf galt den vielen sinnentleerten Klischees, die sich in die Umgangssprache eingenistet hatten und von denen das achtlos verwendete Präfix »Riesen-« seinen ganz besonderen Widerwillen hervorrief. »Riesen haben keine Portionen«, berichtigte er, wenn jemand die »Riesenportionen« in einem neu eröffneten Gasthaus pries. Wer seine »Riesenfreude« über ein empfangenes Geschenk äußerte, mußte sich sofort belehren lassen, daß Riesen keine Freude haben. Sie hatten auch keine Hetz, keinen Wirbel, keinen Erfolg, sie hatten, Fleißig beharrte darauf, nur ein Gebirge, sonst nichts. Die Unerbittlichkeit, mit der er an seiner Manie festhielt, wurde ihm zum Verhängnis, als der Chef der Wäschefabrik, für die er arbeitete, ihn eines Tags zu sich rief:

»Herr Fleißig, Sie müssen mit unserer neuen Kollektion sofort in die böhmischen Bäder fahren – wie ich höre, herrscht dort ein Riesenbedarf.«

»Riesen haben keinen Bedarf, Herr Chef«, berichtigte tadelnd der Sprachreiniger Fleißig.

Und verlor seinen gut bezahlten Posten.

Dem Zahnarzt Dr. Schreier war das Interesse der am Stammtisch Sitzenden – und die Einladung an diesen – zuteil geworden, als er damit beschäftigt war, sich seinen Lieblingscocktail zu mixen: halb Cognac, halb Maggi-Suppenwürze. Auch seine kulinarischen Vorlieben wiesen ungewöhnliche Züge auf, und wer jemals eine Prager Selchwarenhandlung betreten hat, wird ihn verstehen. Diese stets überfüllten Verkaufsläden – Chmel, Kašpar, Koula und wie sie alle hießen – waren zugleich für einen raschen Imbiß eingerichtet: die dem Verkaufspult gegenüberliegende Längswand wies kleine Marmorvorsprünge auf (etwa den Klapptischchen eines besseren

Eisenbahncoupés vergleichbar), an denen man im Stehen die unmittelbar frischen Erzeugnisse verzehren konnte. Sie wurden in verwirrender Zahl und Vielfalt angeboten – allein die »Párky« genannten Würstel gab es in drei verschiedenen Größen – und wurden von den einheimischen Kennern noch höher geschätzt als der weltbekannte Prager Schinken.

Wenn nun Dr. Schreier einen solchen Laden betrat und die Verkäuferin ihm die bestellten »Párky« übers Pult reichte, fragte sie automatisch: »Was dazu?« Damit meinte sie Brot, Semmeln oder Salzwecken. Die Antwort Dr. Schreiers lautete jedoch:

»Zehn Deka Speck.«

Und wenn seine Begleitung sich darob verwundert zeigte, folgte die Erklärung:

»Ich nähre mich von reinem Selchgift.«

Wie unter den Eßgewohnheiten des Pragers das Geselchte (in jeder Form), nahm unter seinen Trinkgewohnheiten das Bier einen hervorragenden Platz ein. Das damit verbundene Ritual entsprach ungefähr dem des »Heurigen« in Wien: ein Prager Biertrinker, sofern er diesen Titel verdiente, war nicht bloß auf eine bestimmte Sorte eingeschworen, sondern auf ein bestimmtes der zahlreichen Bierlokale (deren manche ihr eigenes Bier brauten). Wer an den »Flek« oder an den »Šnell« glaubte, hätte sich – Schwejk hin, Hašek her – niemals beim »Kelch« sehen lassen, ein Stammgast des »Heiligen Thomas« (gegr. 1492) oder des am Altstädter Ring gelegenen »Procházka« wäre niemals zum »Sojka« aufs Belvedere gegangen. Wodurch die Eigenprodukte der betreffenden Lokale sich von den großen Marken, vom Pilsner, Budweiser, Königgrätzer, Smichower und all den anderen unterschieden, entzieht sich mangels Pedigrés und Schulung meinem Urteilsvermögen. Ich darf mich weder einen Prager noch gar einen Prager Biertrinker nennen; ich fungiere hier lediglich als Berichterstatter.

Als solcher habe ich von einem pensionierten Sektionsrat zu berichten, der für seinen Biergenuß ausgeklügelte Vorbereitungen traf. Ich kannte ihn von einer unterhalb des Belvedereplateaus gelegenen Badeanstalt her, der »Militärschwimmschule« (dem Trainingsquartier meines Prager Schwimmklubs »Hagibor«). Dort erschien der Herr Sektionsrat i. P. während der Sommermonate täglich um 11 Uhr vormittag, legte sich in die Sonne, wohin sie am heißesten brannte, und blieb zwei Stunden lang liegen, eine Stunde auf dem Bauch, eine auf dem Rücken. Ohne seinen vor Hitze geradezu dampfenden Körper mit dem Wasser in Berührung gebracht zu haben, erhob er sich pünktlich um eins, warf sich in die Kleider und keuchte zum Belvedereplateau hinauf, wo er beim »Sojka« der ausführlichen Löschung seines Bierdurstes oblag.

»Das erste Glas muß *zischen«,* erklärte er genießerisch.

Ein andrer echter Biertrinker war Karl Tschuppik (siehe diesen). Er frequentierte in den Jahren seiner Tätigkeit beim »Prager Tagblatt« eine Vorstadtkneipe, von der er behauptete, daß man dort das beste Bier der Welt bekäme, und die folgende Geschichte hat eigentlich nur insofern mit Bier zu tun, als sie dort spielt. Indessen rechtfertigt sich ihre Wiedergabe auch aus sprachethnographischen Gründen: sowohl im bairisch-österreichischen wie im tschechischen Sprachraum verwendet man »haben, sein, werden, scheißen« als Hilfszeitwörter.

In jenem von Tschuppik frequentierten Vorstadtlokal, zu dessen Stammgästen auch der Pfarrer des Sprengels gehörte, entstand also eines Abends, an einem schon etwas bierseligen

Tisch, ein Disput über das Alter der nahegelegenen Kirche, wobei die Schätzungen von 100 bis zu 500 Jahren reichten. Als nicht einmal Tschuppik, obwohl ein gebildeter Herr Doktor, Auskunft geben konnte, raffte sich einer der Disputanten auf, trank sich noch etwas Mut an und näherte sich in devoter Haltung dem Pfarrer:

»Hochwürden«, fragte er, »wissen Sie vielleicht, wie lange die Tauben schon auf Ihr Gotteshaus scheißen?«

Man darf ohne Übertreibung behaupten, daß die Bildhaftigkeit, die der Umgangssprache des Tschechen eignet, sich hier zur blumigen Höhe antiker Tropen aufgeschwungen hat.

Die Urban-Runde bevorzugte Sojkas Bierhaus, auch seiner exzellenten Küche wegen, und weil man sicher sein durfte, in den ausgedehnten Gastzimmern jederzeit Platz zu finden. Am Ende des langgestreckten Vorraums, der die Kleiderablage beherbergte, saß während der starken Besuchsstunden in einem respektgebietend isolierten Großvaterstuhl der Besitzer des Lokals, Herr Bohumil Sojka. Böse Zungen wisperten, daß dieses Möbelstück nach Maß für ihn gezimmert worden war, um seine enorme Leibesfülle aufzunehmen. Herr Sojka konnte sich vor lauter Bauch kaum rühren, geschweige denn nach anderer Wirte Art seinen Gästen zur Begrüßung entgegeneilen. Den meisten winkte er im Sitzen zu, akkreditierte Stammgäste ließ er an sich herantreten, um ihnen die Hand zu schütteln, und in extremen Ausnahmsfällen geschah es sogar, daß er sich zu diesem Zweck ächzend erhob. Es war die höchste Auszeichnung, die er zu vergeben hatte, und in einigen Ehrgeizlingen unter den Urban-Insassen keimte der Wunsch, ihm diese Auszeichnung zu entlocken, oder wie die eigens geprägte Wendung es ausdrückte: »den Sojka zu heben«.

Es wurde ein Preis ausgeschrieben, bestehend aus drei Mahlzeiten zu je drei Gängen mit je drei Bierbestellungen, die Konkurrenten kämpften erbittert um Sojkas Gunst, zweien von ihnen wurde sogar nachgewiesen, daß sie heimlich trainierten, d. h. allein auf ein Bier zum Sojka gingen, um sich ihm aufzudrängen – es half nichts. Über einen Händedruck aus dem Sitz kamen auch sie nicht hinaus.

Da, eines Abends, während die anderen noch ihre Garderobe ablegten, mußten sie plötzlich sehen, daß Herr Sojka vor dem Sprachreiniger Fleißig stand, zwar ohne ihm die Hand zu schütteln, aber unleugbar von ihm »gehoben«. Bei der sofort vorgenommenen Überprüfung, die neben verschiedenen Zeugenaussagen auch eine Rückfrage bei Herrn Sojka umschloß, stellte sich jedoch heraus, daß Fleißig mit gesenktem Kopf auf Herrn Sojka losgerannt war – den also der pure Schrecken aus seinem Sitz hochgetrieben hatte. Fleißig wurde disqualifiziert, die Konkurrenz wurde abgeblasen, und keinem aus dem Café Urban ist es jemals gelungen, den Sojka einwandfrei zu heben.

Am Urban-Tisch hingegen hielt die Konkurrenz zwischen den Doktoren Hajek und Wolf unvermindert an. Um Hajeks Vorherrschaft zu erschüttern, faßte Wolf den Entschluß zu einem wagemutigen Unternehmen, das ihm Aufmerksamkeit und Respekt einbringen sollte: er ließ sich im soeben eröffneten sowjetischen Reisebüro »Intourist« als Teilnehmer an der ersten für Ausländer veranstalteten Gesellschaftsreise in die Sowjetunion buchen. Unter den damals gegebenen Umständen (die man sich heute schwer vorstellen kann) hatte eine solche Reise tatsächlich etwas Abenteuerliches an sich; fuhr man doch – mangels jeglicher Präzedenz – in eine völlige Ungewißheit hinein.

Als es soweit war, erschien eine Delegation des Café Urban auf dem Wilsonbahnhof, um Wolf gebührlich zu verabschieden.

Wolf stand gerührt am Fenster, die Zugtüren fielen zu, letzte Signale erklangen, und aus der Schar der Abschiednehmer trat zum Zweck einer Ansprache Hajek hervor:

»Lieber Wolf«, sagte er, »du bist der erste von uns, der in die Sowjetunion reist, und wir alle sind tief beeindruckt von deinem Pioniergeist. Wie du sicherlich weißt, wurden in der Sowjetunion schon viele Menschen hingerichtet, aber noch nie ein Mitglied der Prager Advokatenkammer. In deinem Moskauer Intourist-Hotel erwartet dich ein Telegramm folgenden Wortlauts: ABHOLET BOMBEN KONTAKTSTELLE SIEBEN. Gute Reise, Wolf.«

Die Reise nach Moskau dauerte immerhin zwei Tage.

Hajeks führende Position im Café Urban äußerte sich auch darin, daß die ausländischen Zeitungen, die dort in großer Zahl auflagen, erst dann »eingespannt« und zur allgemeinen Lektüre freigegeben wurden, wenn Hajek sie gelesen und in der rechten oberen Ecke paraphiert hatte. Er war ein geradezu fanatischer Zeitungsleser und konnte auf die tägliche Zufuhr einer bestimmten Menge von Druckerschwärze so wenig verzichten wie der Organismus eines Normalmenschen auf eine bestimmte Vitaminmenge. Als er sich einmal auf Betreiben seiner Freunde und seines Arztes eine längere Erholungsreise gönnte – sie führte ihn mit geruhsamen Zwischenaufenthalten durch Italien, bis nach Neapel, wo er eine Mittelmeer-Kreuzfahrt antrat –, ließ er sich hauptpostlagernd Neapel das »Prager Tagblatt« nachschicken, begab sich mit dem mächtigen Zeitungsstoß unterm Arm an Bord und – nachdem er

sich in seiner Kabine installiert hatte – zum vorsorglich reservierten Deckstuhl, warf einen flüchtigen Blick auf die vor-
übergleitende Küste und drehte mit den Worten: »Ah was, ich
komm schon noch einmal her« den Deckstuhl um. Dann, von
keinen landschaftlichen Schönheiten abgelenkt, begann er das
»Prager Tagblatt« zu lesen.

*

Eine wesentlich gelassenere Haltung zur Zeitungslektüre –
und damit zum Tagesgeschehen schlechthin – nahm der alte
Herr Spielmann ein, der kein Kaffeehausbesucher war, aber
darum nicht gänzlich uninformiert durchs Leben gehen
wollte. Er bezog das »Prager Tagblatt« in einer besonderen
Art von Sub-Abonnement, nämlich durch den Kellner eines
kleinen Cafés, der die abgelegten Exemplare sammelte und
sie allmonatlich gegen ein sehr geringes Entgelt Herrn Spielmann übergab. Das durfte immer erst am Ende des Monats
geschehen, und Herr Spielmann ließ das Bündel dann noch
einen weiteren Monat lang liegen, so daß er sich frühestens
am 1. Oktober das »Prager Tagblatt« vom 1. August vornahm.
Da von Zeit zu Zeit – etwa wenn er auf eine Geschäftsrei-
se gehen mußte – noch weitere Verzögerungen entstanden,
verfolgte Herr Spielmann die Ereignisse mit einem durchschnittlichen Rückstand von 2½–3 Monaten. Das ersparte
ihm manche Aufregung, ermöglichte ihm eine weise Distanz
zu den Entwicklungen, denen seine nervöse Umwelt Tag für
Tag entgegenfieberte, und setzte ihn anderseits, wenn ihn
ausnahmsweise einmal die Neugier überkam, in die Lage,
sich nach dem Ausgang des betreffenden Falls zu erkundigen. Nur ein einzigesmal wurde ihm die Antwort verweigert;
das geschah, als er im Mai 1933 einen Flüchtling aus Nazi-

Deutschland fragte: »Was glauben Sie – wird Hitler an die Regierung kommen?«

Zwischen Herrn Spielmann und den letzten der noch zu schildernden Prager Käuze, den alten Rosenfeld, drängt sich mit Macht Herr Mendel, dessen Weisheit, anders als die rückwärtsgewandte des Herrn Spielmann, weit vorausblickte, sehr weit, prophetisch weit. Die Geschichte, die das belegt, spielt einige Jahre vor dem Ersten Weltkrieg; ihre Quelle ist ein Verwandter von mir, der mit Herrn Mendel befreundet war und sich etwas später in einer ganz ähnlichen Situation befand, nur daß er die Ähnlichkeit nicht wahrnahm.

Herr Mendel hatte als väterliches Erbe die Pacht einer fürstlich Liechtensteinschen Domäne in der Gegend von Böhmisch-Brod inne, war auf dem Gutshof geboren und aufgewachsen, kannte nichts andres und wollte nichts andres als dort leben, war tschechisch erzogen und tschechisch verheiratet und stand zu seiner tschechischen Umgebung, einschließlich des umfangreichen Dienstpersonals, im denkbar freundlichsten Verhältnis. Es lag ihm völlig ferne, sich etwa als Feudalherr zu gebärden und seine Angelegenheiten von Verwaltern oder sonstwelchen Beauftragten regeln zu lassen, im Gegenteil, er sah selbst nach dem Rechten und legte, wo es nottat, selbst Hand an, erhob sich im Sommer mit dem ersten Hahnenschrei, ritt auf seine Felder hinaus, besprach sich mit dem Vorarbeiter, »šafář« geheißen (eine slawisierte Form des deutschen »Schaffer«), sorgte für den klaglosen Ablauf des Tagwerks und erfreute sich allseitigen Respekts (der in althergebrachten Formeln zum Ausdruck kam).* Vor dem Ausreiten

---

* An manche der damals gebräuchlichen Formeln, die von beiden Seiten streng eingehalten wurden, erinnere ich mich noch aus meiner Kindheit, von sommerlichen

steckte Herr Mendel einen kleinen Imbiß zu sich – das eigentliche Frühstück, das seine Frau inzwischen vorbereitete, nahm er erst ein, wenn er nach Hause zurückkam.

Eines Morgens nun, als Frau Mendel ins Wohnzimmer trat, sah sie ihren Gatten, den sie noch auf dem üblichen Ausritt glaubte, am Schreibtisch sitzen und einen Brief schreiben. Ihre überraschte Frage beantwortete er mit einem »Ksch« nebst der dazugehörigen Handbewegung, wie sie im allgemeinen beim Verscheuchen von Haustieren Anwendung findet. Erst als er den Brief beendet und verschlossen hatte, setzte er sich zum Frühstück nieder.

»Was ist los?« fragte Frau Mendel, nun schon etwas dringlicher. »Was hast du da für einen Brief geschrieben?«

Herrn Mendels Antwort kam ruhig, bedächtig und unwidersprechlich:

»Ich habe der Liechtensteinschen Domänenverwaltung die Pacht gekündigt. Wir übersiedeln in die Stadt.«

»Warum, um Himmels willen?«

»Wie ich heute aufs Feld gekommen bin, hat mir der šafář nicht ›Küß die Hand, gnädiger Herr‹ gesagt, sondern ›Guten Morgen, Herr Mendel‹. Es ist vorbei.«

Ich habe Herrn Mendel nicht gekannt und weiß nichts weiter von ihm. Die Geschichte spielt 1910 oder 1911, als ich zwei oder drei Jahre alt war. Sie wird hier verbucht, weil sie einen einmaligen Fall von politischem Instinkt darstellt.

Aufenthalten in Melnik her, wo zwei Brüder meines Vaters einen kleinen Besitz hatten. Man brachte meinen Schwestern und mir die nötigsten tschechischen Verständigungsbrocken bei und schärfte uns ganz besonders ein, männliche oder weibliche Feldarbeiter, an denen wir vielleicht vorüberkämen – gleichgültig, ob es die »unseren« wären oder fremde – mit »Pomáhej Pánbůh!« zu grüßen, worauf sie »Dejž to Panbůh!« erwidern würden; in ein ebenso archaisierendes Deutsch übertragen, hieße das: »Helf euch der Herrgott!« – »Der Herrgott geb's!«

Übrigens habe ich auch den alten Spielmann nicht gekannt, obwohl das in zeitlicher Hinsicht ohneweiters möglich gewesen wäre. Leider war er ein unzugänglicher Griesgram, und lediglich Dr. Hajek, der sich irgendwie in sein Vertrauen geschlichen hatte, wußte bisweilen etwas von ihm zu berichten, Skurriles wie die Sache mit dem Sub-Abonnement, oder originelle Aussprüche, deren Originalität zum Teil in einer eigenen Abart des pragerischen Idioms bestand. Sie zeugten durchwegs von Herrn Spielmanns unversöhnlichem Abscheu vor einer Gegenwart, die seiner immer wieder geäußerten Überzeugung nach keinen Vergleich mit den Achtzigerjahren des vorigen Jahrhunderts aushielt. Damals war Herr Spielmann jung, lebfrisch, stets zu Späßen aufgelegt und kurzum »ein großer Ulk«, damals ging er gerne »schleifen« (wie man in Prag das Schlittschuhlaufen nannte), die Achter, die er lief, waren »gestickt und gestrickt«, alles war besser, schöner und größer, sogar die Krankheiten: »*Was* haben Sie? Angina haben Sie? In die Achtzigerjahr' hab ich gehabt eine Angina – da hab ich gespuckt Blut und Eiter – *solche* Töpfe voll!« Auch über den Niedergang des Theaters bestand für Herrn Spielmann kein Zweifel: »In die Achtzigerjahr' hat man noch Theater gespielt. Heute? Nix wie Tingel und Tangel!«

Derlei sprachliche Eigenwilligkeiten beging Herr Spielmann keineswegs irrtümlich, sondern absichtlich, ja er erhob sie mitunter zur Regel: »Es heißt *der* Glied, aber *das* Abort. Um es verächtlich zu machen.« Und Hajeks Bericht zufolge reagierte Herr Spielmann auf den in Deutschland gerade ablaufenden Prozeß gegen einen Massenmörder nicht, wie zu erwarten war, mit dem höhnischen Hinweis, daß es in die Achtzigerjahr' ganz andere Massenmorde gegeben hätte; vielmehr veranlaßte ihn das mitleidheischende Plädoyer des Verteidigers zu der nur scheinbar abwegigen Feststellung:

»Wissen Sie – wenn einer sieben bis acht Leute umbringt, ist er bei mir *schon* kein anständiger Mensch.«

Der Begriff des »anständigen Menschen«, zu jener Zeit noch fest im allgemeinen Sprachgebrauch verankert, wird hier durch einen merkwürdigen Kurzschluß mit der Bezeichnung »Mensch« gleichgesetzt, auf die ein Massenmörder nun eben keinen Anspruch hat. Das war es, was Herr Spielmann eigentlich ausdrücken wollte. Die Angehörigen seiner Generation nahmen die Begriffe noch beim Wort und zeigten sich wenig beeindruckt, wenn man jemandem nichts Konkreteres nachzurühmen wußte, als daß er »ein anständiger Mensch« sei. Das sollte sich, wie sie meinten, von selbst verstehen. »Wenn er nicht wär' anständig, möcht' man ihn einsperren«, pflegten sie zu sagen.

Noch kritischer, noch skeptischer, noch pessimistischer als beim alten Spielmann stand es um die Weltschau des alten Rosenfeld, den ich als letzten in der Reihe der griesgrämigen Prager Sonderlinge schon angekündigt habe. Er besaß ein Kaffeegeschäft in einem der verwinkelten Durchhäuser, auch »Passagen« genannt, die in Prag viel häufiger als in anderen altösterreichischen Städten anzutreffen sind und das Innere des einstigen Stadtkerns geradezu durchwuchern. Manche der in ihrem Halbdunkel untergebrachten Geschäftsläden waren noch richtige »Gewölbe« (im Judendeutsch die Bezeichnung für eine Verkaufsstätte schlechthin), hatten etwas leise Unheimliches an sich und entsprachen den hygienischen Anforderungen der Neuzeit nur in sehr geringem Maß. Zum Beispiel mußten sich alle in einem solchen Durchhaus Beschäftigten mit einem einzigen Abort begnügen, zu dem in jedem Laden, an einem großen, dünnen Eisenring befestigt, ein Schlüssel an der Wand hing. Er hing auch an der Wand der Kaffeehandlung Rosenfeld und wird vor allem deshalb als erstes Beispiel herangezogen, weil er in der Tat – noch selten hat ein Klischee so gut gepaßt – der Schlüssel zum abgrundtiefen Pessimismus des Ladeninhabers ist. Mehr als einmal wurde der alte Rosenfeld dabei beobachtet, wie er, vom diesbezüglichen Drang getrieben, sich an den Schlüssel heranpirschte, innehielt, ihn mißtrauisch beäugte, ein paar Schritte zurückwich, abermals auf ihn zuschlurfte, die Hand nach ihm ausstreckte, die Hand wieder sinken ließ und schließlich, nach mehreren Wiederholungen seiner halbschlächtigen Versuche, mit einer resignierten Handbewegung und einem ärgerlich hervorgestoßenen »Besetzt!« endgültig aufgab.

Auch sonst stieß er immer nur das Allernötigste hervor, mürrisch, abrupt und einer etwaigen Replik sichtlich abgeneigt. Die Glückwünsche zu seinem 80. Geburtstag nahm er so widerwillig entgegen, als wären es vorsorgliche Beileidskundgebungen zu seinem demnächst erfolgenden Ableben. Einer aus der Gratulationscour schien zu ahnen, was in dem alten Mann vorging, und versuchte ihn aufzuheitern:

»Herr Rosenfeld, achtzig ist doch gar kein Alter. Schauen Sie den Hindenburg an – der ist sechsundachtzig und noch immer Reichspräsident!«

Der alte Rosenfeld zuckte die Achseln:

»Hindenburg. Kunststück. Sein Lebtag keine Sorgen gehabt.«

Von seinem Neffen Otto befragt, warum er nie geheiratet habe, schwang er sich – wenn auch nur ruckweise – zu einer Formulierung auf, die den ganzen Pessimismus seiner Lebensweisheit enthielt (und durch den Gebrauch des altjüdischen Ausdrucks für »Hure« noch wuchtiger wirkte):

»Ich? Heiraten? Ist mir nie eingefallen. Merk dir: alle Weiber, was man sieht, sind Chonten. Und was man *nicht* sieht«,
fügte er nach einer kurzen Pause gnadenlos hinzu, »sind *auch*
Chonten.«

Ich habe ihn noch gekannt, den alten Rosenfeld. Ich konnte
gar nicht umhin, ihn zu kennen. Denn das Durchhaus, in dem
sein Kaffeegeschäft lag, verband den Graben mit der Herrengasse, führte also unmittelbar zum Gebäude des »Prager
Tagblatts«, zu dessen mit mir befreundeten Redakteuren auch
Neffe Otto gehörte.

Und so – auf dem Weg durch die halbdunkle Passage – vorbei am Kaffeegeschäft des alten Rosenfeld, das ich in Begleitung seines Neffen oft genug von der nahen Redaktion aus
aufgesucht habe – so bin ich endlich beim »Prager Tagblatt«
angelangt.

MIT GENUSS UND BELEHRUNG GELESEN

Nie wieder ist mir auf so kleinem Raum eine so große Zahl
von Käuzen und Originalen begegnet wie im alten »Prager
Tagblatt«, nie wieder eine so einzigartig aus Witz und Wach-
heit, aus Begabung und Können gemischte Atmosphäre. Max
Brod hat sie in seinem Roman »Rebellische Herzen« festzuhalten versucht. Es ist ihm, fürchte ich, nicht ganz geglückt.
Und es wird wohl auch mir nicht glücken. Denn ein funda-
mentaler Wesenszug dieser Atmosphäre lag ja eben in der unnachahmlichen, unverwechselbaren persönlichen Note derer,
die sie schufen, im Gehaben eines jeden einzelnen, in seinem
Tonfall, seiner Terminologie… es ist immer das gleiche Di-
lemma: all das eignet sich weit besser zur mündlichen als zur
schriftlichen Wiedergabe, für deren Unzulänglichkeit ich wieder einmal um Nachsicht bitten muß.

Außer dem »Prager Tagblatt« erschien in Prag noch eine
Reihe anderer deutschsprachiger Tageszeitungen: die an Jahren beträchtlich ältere »Bohemia«, deren absurd gemischter,
nämlich großdeutsch-jüdischer Leserkreis nach 1918 emp-
findlich zu schrumpfen begann; die regierungstreue »Prager
Presse«, die zum Ausgleich für ihren langweiligen offiziösen
Teil ein paar literarisch erstrangige Mitarbeiter beschäftigte
(vorübergehend auch Robert Musil als Wiener Theaterkorre-
spondenten); die unverhohlen deutschnationale, zur Henlein-
Bewegung tendierende »Deutsche Presse«; und in späteren
Jahren der als Boulevardblatt aufgezogene »Prager Mittag«.
Von dieser erstaunlich reichhaltigen Garnitur besaß jedoch

einzig das »Prager Tagblatt« überregionale Bedeutung. Es galt jahrzehntelang, vom Beginn des Jahrhunderts bis zum blutigen Ausbruch der Hitler-Ära, als eine der besten Zeitungen deutscher Sprache.

Und dieses gewichtige, gediegene, hochangesehene und, kurzum, seriöse Presseerzeugnis kam Tag für Tag auf eine Weise zustande, die mit dem Begriff »seriös« so gut wie nichts zu tun hatte. Seriosität figurierte im internen Sprachgebrauch der Redaktion als »tierischer Ernst« und war streng verpönt. Jeder wußte, worauf es ankam, und hatte seinen Spaß daran, das Seinige zum täglichen Gelingen beizutragen. Was an Arbeit und Einsatz dahintersteckte, sollte möglichst unbemerkt bleiben, ja man wollte sich's nicht einmal vor sich selbst eingestehen. Ehrgeiz wurde bereits als eine Unterabteilung des verpönten tierischen Ernstes betrachtet und tarnte sich, wofern er überhaupt vorhanden war, als spielerische Freude am Handwerk. Daß da gelegentlich auch etwas Zynismus mit einfloß, ließ sich nicht vermeiden. Aber weil er immer noch rechtzeitig in Selbstironie überging, wurde er niemals peinlich. Redaktionskonferenzen, langfristige Planungen, Ressortstreitigkeiten und ähnliche Wichtigtuereien gab es nicht. Sie wurden durch Improvisationstalent und ein nicht näher definierbares »Blattgefühl« ersetzt.

»Kinder«, wandte sich eines Nachts, mitten im Ersten Weltkrieg, der legendäre Chefredakteur Karl Tschuppik an die heftig Trinkenden und laut Debattierenden, die sein Zimmer besetzt hielten, »Kinder, es ist schon nach Mitternacht – in zwei Stunden erscheint das Blatt – laßt mich endlich arbeiten!«

Höhnische Zurufe wiesen ihn zurecht, die Diskussion ging weiter, Tschuppik kaute an seinem Schnauzbart und wurde allmählich nervös. Nach einer Weile nahm er aufs neue das Wort:

»Jetzt wird's aber höchste Zeit, Kinder. In einer halben Stunde umbrechen wir, und ich muß noch etwas schreiben!«

Es klang so dringlich, daß aus dem Kreis der ihn Umlagernden immerhin die Erkundigung kam, was er denn zu schreiben hätte.

»Einen Leitartikel«, sagte Tschuppik. »Der Kaiser ist gestorben.«

Ich habe Karl Tschuppik erst viele Jahre später in Wien kennengelernt und habe die obige Geschichte natürlich nicht an Ort und Stelle miterlebt. Sie ist eine von vielen, die gewissermaßen zum inneren Anekdotenschatz der Redaktion gehörten und die einem neu Hinzugekommenen, wenn man ihn für würdig befand, von den Altvorderen erzählt wurden. Das kam einer Art Geschichtsunterricht gleich oder der Einführung in eine geheime Ordensbrüderschaft. Man mußte nicht nur über Rang und Leistung, über Eigenheiten und Marotten der jetzigen Redakteure Bescheid wissen, sondern auch über die ihrer Vorgänger. Sonst gehörte man nicht dazu, sonst war man ein Externist im zweifachen Sinn des Wortes.

Eine andre dieser Geschichten handelte von Dr. Raabe-Jenkins, dem riesenhaften, in jeder Hinsicht ungefügen Chef der Sportredaktion, der nicht zuletzt für die chaotische Unordnung in seinem Zimmer berühmt war. Sie soll während der wirren Umsturztage des Jahres 1918 bewirkt haben, daß das Gebäude des »Prager Tagblatts« von der Plünderung durch eine Horde tschechischer Radau-Nationalisten verschont blieb. Die Eindringlinge rissen als erstes die Tür zu Raabes Zimmer auf und machten angesichts des wüsten Bildes, das sich ihnen bot, mit den Worten »Hier waren wir schon« wieder kehrt.

Von den zahlreichen Anekdoten, die sich um Raabe-Jenkins ranken, ist mir noch eine zweite in lieber Erinnerung. Sie handelt von seinem siegreichen Zusammenstoß mit einem Repräsentanten der Literatur, dem Dramatiker Paul Kornfeld, der von der Erfolgswelle des expressionistischen Theaters hochgetragen wurde und mit seinem Schauspiel »Die Verführung« (ähnlich wie Bronnens »Vatermord«, Hasenclevers »Sohn« und Werfels »Spiegelmensch« dem allseits beliebten Generationskonflikt gewidmet) zu einigem Ruhm gelangt war.

Die Bestätigung dieses Ruhms einzuheimsen, begab er sich ins »Prager Tagblatt«, wohin denn sonst, und pflanzte sich im »Oktogon« genannten Vorraum auf, von dem die Korridore zu den einzelnen Redaktionszimmern auszweigten. Das Oktogon – griechisch »Achteck«, was damals jedem Gymnasiasten geläufig war – diente den Redakteuren als eine Art Agora, griechisch Marktplatz. Dort standen diejenigen, die gerade nichts zu tun hatten, und die meisten hatten gerade nichts zu tun, plaudernd umher, dort tauschten sie die letzten Neuigkeiten aus, die sich manchmal sogar auf ihre Arbeit bezogen, dort trafen sie ihre Besucher, um sie weiterzuführen oder auch nicht, und dort also gedachte der Dramatiker Paul Kornfeld die fälligen Glückwünsche zu seinem Erfolg entgegenzunehmen. Sie wurden ihm wunschgemäß zuteil, manche herzlich, manche weniger herzlich, aber in irgendeiner Form gratulierte ihm jeder, der in seine Reichweite kam oder von ihm dazu genötigt wurde.

Auch als aus einem der Korridore Dr. Raabe-Jenkins auftauchte, machte sich Kornfeld für die erprobte Zeremonie bereit – und mußte erleben, daß jener achtlos an ihm vorbeistapfte. Rasch gefaßt, lief er dem brummig in sich gekehrten Hünen nach, vertrat ihm den Weg und gab ihm eine Chance, die Unterlassung gutzumachen:

»Mein Name ist Kornfeld«, informierte er ihn mit erwartungsvoller Betonung.

Raabe-Jenkins sah auf, sah einen kleingewachsenen Brillenträger von exzessiv jüdischem Aussehen vor sich und sagte:

»No na, Khevenhüller.«

Dann stapfte er weiter.

Als Herausgeber des »Prager Tagblatts« zeichnete Dr. Rudolf Keller, der dieses Amt jedoch als lästige Nebenbeschäftigung zu empfinden schien. Sein Hauptinteresse galt einem schwer zugänglichen Gebiet der Biochemie, auf dem er sich durch eine grundlegende Arbeit größeres Ansehen verschafft hatte, als er es unter seinen Redakteuren genoß. Daß er hinter den Kulissen sehr wohl zu walten und besonders zu schalten wußte, ahnte man, bekam es aber kaum zu merken. Er mischte sich nur ganz selten in redaktionelle Angelegenheiten ein, noch seltener schrieb er einen Leitartikel, und wenn er in einem Redaktionszimmer erschien, geschah es fast immer zum Zweck einer liebenswürdigen Privatplauderei – die er so unvermittelt abbrechen konnte, als wäre ihm plötzlich inne geworden, daß er in diesem Zimmer eigentlich nichts zu suchen hatte. Man nahm ihm den abrupten Abgang nicht übel. Man wußte, daß er mit seinen Gedanken anderswo war.

In der Tat: Zerstreutheit gehörte zu Dr. Kellers hervorragenden Eigenschaften. Fast hätte er – auch äußerlich, mit seiner hohen, immer ein wenig vorgebeugten Gestalt und dem von einem wirren Haarkranz umrahmten Gelehrtenkopf – eine Vorlage für die Witzfigur des »zerstreuten

Professors« abgeben können. Nur daß die Gedankensprünge, zu denen seine Zerstreutheit ihn trieb, sich bei näherem Zusehen als völlig logisch und folgerichtig erwiesen.

Ein leuchtendes Beispiel dafür ergab sich im Februar 1934, als er den mißglückten Aufstand der österreichischen Arbeiterschaft gegen das Dollfußregime zum Anlaß eines seiner seltenen Leitartikel nahm und den sozialdemokratischen Führern unverblümt vorwarf, sich in die Tschechoslowakei abgesetzt zu haben, während die von ihnen verlassenen Schutzbündler in aussichtslosem Kampf auf den Barrikaden standen und starben. Das waren schärfere Töne, als man sie vom »Prager Tagblatt« gewohnt war und als sie der politischen Linie des Blattes entsprachen. Am nächsten Tag erschien denn auch eine Abordnung der im Parlament vertretenen Deutschen Sozialdemokratischen Partei bei Dr. Keller, um Beschwerde zu führen. Keller, längst wieder mit anderen Dingen beschäftigt, lauschte den maßvollen, jedoch entschiedenen Vorwürfen des Delegationsführers ohne Widerspruch, lauschte (nun schon ein wenig abwesend) noch einem zweiten und dritten Delegierten, dann holte er Atem und brachte seine Entschuldigung vor:

»Meine Herren, Sie wissen doch, wie es in einer Redaktion zugeht – besonders an einem so aufregenden Tag – da herrscht ein entsetzliches Durcheinander – die Meldungen überstürzen sich – man weiß gar nicht, wo man zuerst hinhören soll – meine Herren: da kann es schon passieren, daß man einmal die Wahrheit schreibt.«

Ein ähnlich folgerichtiger Gedankensprung, der ihn in ein ähnlich unkontrolliertes Fazit ausgleiten ließ, erfolgte – freilich aus keinem prekären Anlaß – in meinem Arbeitszimmer.

Dr. Keller war, wie er das häufig tat, grußlos eingetreten, die linke Hand am Rücken, in der rechten das neueste Heft der »Fackel«, in dem er noch minutenlang auf- und abgehend las.

»Schreibt ausgezeichnet, der Kraus«, murmelte er vor sich hin. »Wirklich ausgezeichnet.« Mit einemmal blieb er stehen und wandte sich zu mir: »Von dem müßte man etwas fürs Blatt bekommen. Ich höre, Sie kennen ihn. Versuchen Sie's doch!«

Und er entfernte sich, schon wieder in die Lektüre der »Fackel« vertieft – der er nichts andres entnahm, als daß der Kraus ausgezeichnet schrieb. Daß er niemals »fürs Blatt« schreiben würde, sondern höchstens gegen, hatte der Dr. Keller nicht bemerkt.

Als im Hause ruchbar wurde, daß Harry Klepetář, einer der jüngeren politischen Redakteure, vor der Verehelichung stand, öffnete sich plötzlich die Türe zu seinem Zimmer, Dr. Keller steckte den Kopf herein und sagte:

»Sie heiraten, Klepe? Sie werden sich wundern!«

Damit schloß er sowohl die Türe als auch die Gratulation.

Was nämlich seine eigene Ehe betraf, so schien sie nicht gerade eine Liebesehe zu sein. In einem jener Selbstgespräche, zu denen er sich gelegentlich in ein Redaktionszimmer verirrte, hatte Dr. Keller errechnet, daß angesichts des finanziellen Aufwands, den seine Gattin ihm abverlangte, und angesichts der Seltenheit, mit der er seine Ehe konsumierte, jede Konsumation ihn ungefähr 20 000 Kronen kostete; das aber, so befand er, sei zu viel und lasse ihn zweifeln, ob die Ehe als eine sinnvolle Institution zu betrachten sei.

Außerehelichen Vergnügungen war er hingegen bis ins hohe Alter zugeneigt; sie durften allerdings mit keinem übergroßen Zeitverlust verbunden sein. Als eine Dame seiner Bekanntschaft, um die er sich eines Abends vehement bemühte, ihm zu verstehen gab, daß sie eine rein freundschaftliche Beziehung vorzöge, wandte er sich bedauernd ab:

»Gnädige Frau«, sagte er, »für platonische Liebe bin ich impotent.«

Mit diesem Verhalten glich er sich aufs kollegialste der vom Redaktionsstab geübten Einstellung zum Geschlechtsverkehr an. Sie entsprach der schon geschilderten Einstellung der Prager Männerwelt im allgemeinen, wurde von den Redakteuren nicht nur ideologisch geübt, sondern auch praktisch, und die Verheirateten unter ihnen hatten den Vollzug dieser Übung vorsorglich gegen unliebsame Zwischenfälle abgesichert: in der am Hofeingang gelegenen Portiersloge befanden sich die Photographien sämtlicher Redakteursgattinnen, und wenn eine von ihnen vorbeikam, war der Portier gehalten, den betreffenden Gatten durch ein eigens verabredetes Telephonsignal vor der nahenden Gefahr zu warnen.

Dem Handelsredakteur Ginsberg widerfuhr es einmal, daß seine Frau, nachdem sie in der Mitte des Hofs angelangt und das Warnsignal bereits gegeben war, sich's anders überlegte, wahrscheinlich zum Zweck irgendwelcher Einkäufe kehrtmachte und eine Viertelstunde später abermals erschien, womit sie ein neuerliches Warnsignal auslöste. Ginsberg, der das erste – nach Überwindung einiger Schreckminuten – für einen Irrtum gehalten und sich inzwischen wieder ans Werk gemacht hatte, ließ ab davon, riß verzweifelt die Türe auf, und seiner Brust entrang sich einer der absonderlichsten Klagerufe, die jemals in den Korridoren des »Prager Tagblatts« widerhallten:

»Ich vögel auf einem Vulkan!«

Überflüssig zu sagen, daß auch die Gespräche im Oktogon wie in den einzelnen Zimmern sich hauptsächlich um diesen Gegenstand drehten. Bei Rudi Thomas, dem führenden Lebemann der Redaktion, war dieses Brauchtum so notorisch, daß Frau Milada Kratochvil – eine behäbige Tschechin mittleren Alters, die seltsamerweise der Inseratenabteilung vorstand – das Zimmer des Vizechefs nie anders als mit den stereotypen Worten betrat: »Von was wird gerääadet? Vom Väägeln!« Sie sagte es ohne aufzublicken, sie sagte es auch, als einmal im Fauteuil gegenüber dem Schreibtisch eine distinguierte Dame saß, in der sie zu spät die Gräfin Nostitz erkannte, Tochter des Verlagsgründers Heinrich Mercy, Mitbesitzerin des Betriebs und somit auch ihre, Milada Kratochvils, Brotgeberin. Thomas erbleichte, die dicke Milada entfloh kreischend, die Gräfin gab sich den Anschein, nichts gehört zu haben, und der Zwischenfall blieb ohne Folgen.

∗

Ich selbst kam mit dem »Prager Tagblatt« Ende der Zwanzigerjahre in Berührung, beinahe von der Schulbank weg, einige Jahre nachdem ich mit meiner Familie aus Wien nach Prag übersiedelt war und knapp nach meinem Durchfall bei der Matura. Die Leitung der Kulturredaktion lag damals in den Händen Max Brods. Er hatte ein paar Gedichte und Kurzgeschichten von mir angenommen, lud mich zu einer Besprechung ein und stellte mich dem Chefredakteur Dr. Blau vor, der an meinen Beiträgen Gefallen fand und mich zur ständigen Mitarbeit aufforderte (sie gedieh nach und nach zu einer regelrechten Redaktionstätigkeit und später zum Posten eines Wiener Kulturkorrespondenten).

Rudi Thomas, der geschäftsführende Stellvertreter Dr. Blaus, dem ich zur weiteren Verwendung übergeben wurde, wollte mir offenbar die Lyrik und die ganze Literatur abgewöhnen und einen Reporter aus mir machen. »Auf Rotationspapier gehört sich keine Kunst«, pflegte er zwischen halbgeöffneten Lippen hervorzusäuseln. Er sprach immer sehr leise, aber mit unüberhörbarem Nachdruck und in ebenso unüberhörbarem Pragerisch, also unter sorgfältiger Umgehung jeglichen Umlauts. Die Wendung »gehört sich« war übrigens kein transitiv verstümmeltes »gehört«. Thomas wollte nicht etwa sagen, daß Kunst nicht auf Rotationspapier gehört. Er meinte tatsächlich, daß dergleichen eine Ungehörigkeit im Sinne schlechter Manieren sei, und er meinte das im Interesse des Rotationspapiers, nicht der Kunst. Für die hatte er nicht viel übrig. Der Journalismus ging ihm über alles, und vollends vor den Jüngern der Literatur empfand er keinerlei Hochachtung.

Sie waren – was dem Niveau und dem Ansehen des »Prager Tagblatts« nicht geschadet hat – unter den Angehörigen der Redaktion zahlreich vertreten, jeder zweite konnte sich mit einer Buchpublikation ausweisen, auch ich durfte mich mit meinem Erstlingsroman vom »Schüler Gerber« alsbald zu ihnen zählen, und schließlich war es auch bei Otto Rosenfeld soweit, dem schon erwähnten Neffen des gleichnamigen Kaffeehändlers. Nachdem er den Senf aus seinem Namen eliminiert hatte, veröffentlichte er unter dem Pseudonym Otto Roeld einen Roman und stellte sich mit einem Widmungsexemplar bei Thomas ein.

»Du darfst aber mit mir auch in Zukunft wie mit deinesgleichen verkehren«, ließ er sich nach der Überreichung leutselig vernehmen.

Thomas maß ihn mit einem geringschätzigen Blick:

»Das könnt dir so passen«, sagte er.

In Wahrheit sagte er, wie es das Prager Deutsch erheischte, nicht »könnt«, sondern »möcht«, ja er sagte, genau genommen, »mecht« und fügte noch ein halblautes »du Bleedian« hinzu.

Mit geradezu pedantischer Korrektheit wurde die Vermeidung der Umlaute von Professor Ludwig (»Lutz«) Steiner betrieben, dem hauptamtlichen Leitartikler des Blattes, einem Mann von immensem Wissen und integrer Geistigkeit. Er erfreute sich der persönlichen Zuneigung des großen Zeitungshassers Karl Kraus, der wohl um seinetwillen dem »Prager Tagblatt« eine gewisse Schonung angedeihen ließ und in vertrautem Kreis die Sprechweise Professor Steiners hinreißend kopieren konnte.

Was diese Sprechweise betraf, so hatte es mit ihr eine eigene und keineswegs oberflächliche Bewandtnis. Ihre komischen Effekte standen in unverkennbar selbstparodistischem Gegensatz zu der preziösen, barock verschnörkelten Terminologie des Sprechers, der einerseits durch übertriebenen Phrasengebrauch, anderseits durch denkbar ausgefallene Redewendungen gegen die Verödung und Sinnentleerung der Umgangssprache Front machte. Alltäglichem begegnete er mit langen, genüßlich skandierten Zitaten aus den Werken lateinischer und griechischer Autoren, wußte auch die deutsche Literatur von den Merseburger Zaubersprüchen bis hin zum »heheren Verwaltungsbeamten Geethe« jederzeit einzusetzen und alliterierte aus eigenem drauflos, daß es eine Lust war. Seine Lieblingsfloskeln lauteten: »Wie man zu sagen pflegt«, »... betone ich« und »... mechte ich einflechten«, und er gebrauchte sie grundsätzlich nur dort, wo sie nicht hinpaßten. Wenn er etwas »betonte«, war es eine Grußformel oder die Mitteilung, daß heute schönes Wetter sei; wenn er etwas »einflocht«, stand das vorgeblich Eingeflochtene allein auf weiter Flur; und wenn er einer Aussage sein »Wie man zu sagen pflegt ...« nachschickte, handelte es sich mit größter Wahrscheinlichkeit um etwas nie zuvor Gesagtes.

Auf seine Grußformeln verwendete er nuancierten Bedacht. Angehörige des Setzerei-Personals begrüßte er mit einschlägigen Fachausdrücken: »Fette Garmond, betone ich!« oder »Einzug links!«, den für die Titelei zuständigen Redakteur mit »Vier Cicero dreispaltig!«, und für die Verfasser der im jeweils heutigen Blatt erschienenen Beiträge hatte er ein anerkennendes: »Mit Genuß und Belehrung gelesen!« Auf Kriegsfuß stand er mit dem in Österreich und den Nachfolgestaaten populären Gruß »Habe die Ehre«, nachlässig »Habbedjehre« ausgesprochen und meistens zu einem bloßen »Djehre« verkürzt. Das kränkte ihn. Im Bestreben, den zu kurz gekommenen Anfang des Grußes wieder in Geltung zu setzen, grüßte er seinerseits nur mit einem barsch hervorgestoßenen »Habbe«, das vom Begrüßten durch ein automatisches »Djehre« ergänzt wurde.

Zu einer versöhnlicheren Haltung den Umlauten gegenüber ließ er sich auch in fremden Sprachen nicht verleiten. Eines frostigen Wintertages kam er aus seinem Zimmer herausgestürzt, schüttelte die Fäuste gen Himmel und rief:

»J'accuse! Bei mir ist nicht geheizt!«

Selbstverständlich rief er »J'akkies«, und daß er zur Bekanntmachung eines so banalen Tatbestands das pathetische Anklagewort Emile Zolas heranzog, gehörte schon wieder zu seinen selbstironischen Tendenzen.

Die Geschichte, wie er zum »Prager Tagblatt« kam, ist für beide Teile gleichermaßen typisch. Professor Steiner hatte am

Heinrichsgymnasium, einer der wenigen nach dem Ersten Weltkrieg noch übriggebliebenen deutschsprachigen Mittelschulen, Latein und Griechisch unterrichtet. Die Seitenfront des Gymnasiums lag parallel zur Seitenfront des »Tagblatt«-Gebäudes, mit einem schmalen Quergäßchen dazwischen, und wenn die wärmere Jahreszeit begann, öffnete man in beiden Häusern die Fenster. So kam es, daß die Insassen der günstig gelegenen Redaktionsräume auf den seltsamen Pädagogen aufmerksam wurden, der da in einem nah gegenüberliegenden Klassenzimmer seiner Lehrtätigkeit oblag, und sie taten, was sonst nur Sache der Schüler war: sie folgten dem Unterricht. Bald hatten sie heraus, daß jeder Schüler mit einem Spitznamen versehen war, daß immer wieder wilde Heiterkeitsausbrüche erfolgten und daß es der würdigen Lehrperson auf dem Katheder weniger um Würde ging als vielmehr (eigener Aussage zufolge) darum, »nicht nur zu belehren, sondern auch zu unterhalten«.

Dieses Prinzip erstreckte sich sogar auf die sonst so gefürchteten »Klassenbuch-Eintragungen«, schriftlich festgehaltene Rügen, die dem mangelnden Wohlverhalten des Schülers galten; sie konnten zu einer schlechten, das Jahreszeugnis verunstaltenden Betragensnote, zu Karzerstrafen und im Häufungsfall zum Ausschluß aus der Anstalt führen. Bei Professor Steiner taten sie nichts dergleichen, da er sie lediglich vortäuschte und den Text der fiktiven Eintragung unter lautem Jubel vorlas:

»Die Schielerin Natscheradetz beschäftigt sich mit der Lektiere fragwirdiger Gazetten« (sie hatte unter der Bank ein Modejournal gelesen), »wird von mir ertappt und versucht durch teerichtes Winseln meiner gerechten Empeerung zu entrinnen.«

Oder es vollzog sich die Einführung Ovids in den Lateinunterricht etwa folgendermaßen:

»In unserem Lehrplan erscheint nunmehr Publius Ovidius Naso, wahrlich ein bedeitender Publizist und mit Genuß zu lesen. Es beginne ... in gemächlichem Plaudertone ... aus beiden Backen Bleedheit blasender Bloch!«

Als die an den Fenstern versammelten Redakteure das hörten, stand es fest, daß man Professor Steiner »ins Blatt« bekommen müsse, und kurz darauf vertauschte er das Katheder mit einem Redaktionsstuhl.

Weder er selbst noch das »Prager Tagblatt« hatten es je zu bereuen. Seine weithin beachteten, auch im Ausland vielfach zitierten Leitartikel waren Musterbeispiele einer – wie man zu sagen pflegt – »sorgfältig ausgewogenen Gesinnung: halb revolutionär, halb reaktionär« (und in Wahrheit von echtem Liberalismus geprägt). Er schrieb sie auf eigens zugeschnittenem Papier, in gestochener Kurrentschrift und immer genau auf die Zeile lang genug, um die linke Spalte der ersten Seite zu füllen.

Eines Tages jedoch wurde die jahrelang erprobte Berechnung an einer neuen Setzmaschine zuschanden, deren Bleileiste für den Schriftgrad »Petit auf Borgis« um eine Kleinigkeit breiter geraten war als üblich – was sich im Satz zu einem Überschuß von sechs Zeilen summierte.

Verstört und verschreckt vom Noch-nicht-Dagewesenen, kam aus der Setzerei der Oberfaktor angekeucht:

»Herr Professor ... etwas Furchtbares ... der Leitartikel ist um sechs Zeilen zu lang ... was machen wir da?«

Professor Steiner wußte augenblicklich Rat:

»Die sechs Zeilen im Iebersatz stehnlassen und fir den morgigen Leitartikel aufheben!«

Zu seinem umfassenden Bildungsgut gehörten nicht nur die ständig zitierten Klassiker (bis tief ins Altertum hinein) – er war auch ein Liebhaber und wohlbeschlagener Kenner der deutschen Volksmärchen, aus denen zu zitieren er allerdings nur selten Gelegenheit fand. Eine solche bot ihm der als Redaktionsvolontär beschäftigte Leo Baum, Sohn des zu Unrecht in Vergessenheit geratenen Dichters Oskar Baum und seiner geringen Körpergröße wegen »der kleine Baum« geheißen (einen andern kleingewachsenen Externisten, der auf den ähnlich klingenden Namen Flaum hörte, nannte Professor Steiner, schon um Verwechslungen vorzubeugen, den »niedrigen Flaum«). Leo Baums Tätigkeit bestand vor allem darin, die vielen einlaufenden Zeitungen auf etwa zu recherchierendes oder anderweitig interessantes Material zu lesen, die betreffende Nachricht auszuschneiden und die kontrollierten Exemplare in den für sie vorgesehenen Regalen abzulegen. Eines Nachmittags fehlte plötzlich ein großer Teil des Einlaufs und war trotz Baums lärmender Suche auch am nächsten Tag nirgends aufzufinden – bis Professor Steiner den irrtümlich in sein Zimmer geratenen Stoß entdeckte. Er eilte spornstreichs ins Oktogon und trompetete:

»Wo ist das Beimchen, das die gestrigen Blätter hat gewollt?«

Ich habe den Ausdruck »trompeten« nicht allein deshalb verwendet, weil er im vorliegenden Fall die Stimmlage Professor Steiners am besten charakterisiert, sondern weil er auch in seiner konkreten Bedeutung zum Betrieb des »Prager Tagblatts« gehört hat. Einer der Redaktionsdiener, Bečvár d. Ä., hatte einstmals beim k.u.k. Infanterieregiment Nr. 28, dem Prager Hausregiment, als Kompanietrompeter gewirkt und liebte es, sich während der schwachen Redaktionsstunden dieses

Wirkens – vielleicht auch der alten Zeiten überhaupt – in melodischen Träumereien zu erinnern. Wer am Vormittag die Redaktion betrat, durfte nicht überrascht sein, wenn ihm statt eines stilvollen Geklappers von Schreibmaschinen Fučíks berühmter Achtundzwanzigermarsch entgegenklang, von Vater Bečvár auf der Trompete geblasen.

Als späterhin Sohn Bečvár für den Redaktionsdienst abgerichtet wurde, lautete der erste väterliche Ratschlag (den er mir aus gegebenem Anlaß verriet):

»Laß dich nicht hetzen, Josef. Wenn einer wirklich was braucht, wird er's auch zweimal und dreimal sagen. Nur beim Würstelholen – da muß es gehen ruck-zuck!«

Ebensowenig wie Bečvár darf sein dienstälterer, noch aus der Ära Tschuppik stammender Kollege Reisner übergegangen werden, ein Veteran von stiller, nachdenklicher Wesensart, den man mehrmals beim Lesen von Büchern und sogar bei Theaterbesuchen beobachtet hatte. Das mochte dazu geführt haben, daß Tschuppik, als er sich einmal vom damaligen Direktor des Deutschen Theaters despektierlich behandelt fühlte, auf einen ungewöhnlichen Racheakt verfiel: zur nächsten Premiere, Lessings »Minna von Barnhelm«, entsandte er den Redaktionsdiener Reisner als Kritiker. Reisner zog sich mit Anstand aus der Affäre und schloß seine Besprechung (die unverändert im Druck erschien) mit dem denkwürdigen, alsbald zum Zitat avancierten Satz:

»Solche Stücke sollten öfters geschrieben werden.«

Wie man sieht, standen die Redaktionsdiener des »Prager Tagblatts« an schrulliger Eigenart kaum hinter den Redakteuren zurück – unter denen Professor Steiner zwar ganz gewiß das größte, aber bei weitem nicht das einzige Original war.

Da gab es den Nachtredakteur Karl Eisner, einen Fanatiker der Titel-Perfektion, der zumal für den »Aufmacher« mindestens dreißig Überschriften entwarf, ehe er, nach penibler Auszählung der Lettern und Zwischenräume, die richtige gefunden hatte. Während dieser Zeit war er nicht ansprechbar. Im dunklen Hintergrund seines Zimmers hockte ein Taubstummer, den er irgendwo aufgelesen hatte, und versorgte ihn mit Kaffee.

Da gab es den schon ein wenig betagten und nicht eben rührigen Lokalreporter Max Heller, ein besonders häufiges Opfer der »Schrapnelle«, die Chefredakteur Blau aus der Abgeschiedenheit seines Throngemachs auf die Redakteure losließ – kleine Zettel mit Anfragen, warum dies oder jenes unterblieben wäre, mit Mahnungen, dies oder jenes zu recherchieren, mit Lob und Tadel je nachdem, und alles in einer unleserlichen Stenographie, so daß auf Kosten der Redaktion ein eigener Entzifferer engagiert wurde. Über dem Schreibtisch des geplagten Max Heller aber prangte, eingerahmt und in der Zierschrift eines Kalligraphen, ein beruhigendes Goethe-Zitat:

> *Zwischen oben, zwischen unten*
> *Schwebe ich zu muntrer Schau.*
> *Ich ergötze mich am Bunten,*
> *Ich erquicke mich am Blau.*

Da gab es den trinkfreudigen Bohemien Michal Mareš, Jugendfreund Jaroslav Hašeks, deutsch und tschechisch dichtend und hauptberuflich Selchermeister, was ihm den Gebrauch einer Visitenkarte mit dem folgenden, an Hans Sachs gemahnenden Text ermöglichte:

Michal Mareš, welcher
Dichter ist und Selcher.

Eines Nachts, auf einem unserer Streifzüge durch seine Stammkneipen, leerte er ein bis zum Rand mit Arrak gefülltes Porzellangefäß, blickte mir tief in die Augen und sagte, ohne daß ich ihn irgendwie provoziert hätte:

»Ich bin kein Antisemit, weißt du. Aber das einzige, was die Juden wirklich erfunden haben, ist das kleine Bier.«

Und da gab es noch viele, viele andere, die es längst nicht mehr gibt und nicht mehr geben könnte, selbst wenn es das »Prager Tagblatt« noch gäbe. Ich habe es eingangs mit der Bezeichnung »alt« versehen. Sie will auf keinen Gegensatz zu einem nichtexistenten »neuen« hindeuten, sie hat sich mir unwillkürlich aufgedrängt, vielleicht weil meine Erinnerungen so lange zurückliegen, vielleicht weil ich meinerseits sehr jung an Jahren war, als ich zum »Prager Tagblatt« kam. Es könnte allerdings auch sein, daß dem »Prager Tagblatt« schon damals (und vermutlich seit jeher) etwas Altehrwürdiges anhaftete. Oder etwas Altmodisches. Aber das liefe, zumal aus heutigem Rückblick, auf eins hinaus. Und so mögen am Ende dieses Rückblicks nochmals die Worte stehen, die an seinem Anfang standen: Nie wieder …

Redaktionelle Nachbemerkungen

Es läßt sich nicht leugnen, daß da und dort, möglicherweise sogar in Deutschland, mit Sicherheit in Budapest, und – wie ich aus eigener Kenntnis weiß – auch in Wien zeitweilig Redaktionen vorhanden waren, die auf Grund einer gewissen Eigenart vielleicht den Anspruch erheben durften, mit der Redaktion des »Prager Tagblatts« zwar nicht in einem Atem, aber doch, nun ja, in einer Reihe genannt zu werden, wenngleich in einer weit auseinandergezogenen. Diese sehr entfernte Ähnlichkeit festzustellen, nehme ich schon deshalb keinen Anstand, weil sie in zwei konkreten Fällen – im Fall der »Stunde« und der »Wiener Sonn- und Montagszeitung« – an die Person Karl Tschuppiks gebunden ist, was mir die hochwillkommene Möglichkeit bietet, noch einiges über ihn auszusagen.

Im dritten Fall wird die Bindung durch meinen alten, in New York lebenden Freund Arthur Steiner bewirkt, den Amerika-Korrespondenten der heutigen »Kronen-Zeitung« und Redaktionsmitglied der einstigen, die sich von der journalistischen Geltung und vor allem von der Massenauflage ihrer Nachfolgerin nichts träumen ließ. Die ursprüngliche, um die Jahrhundertwende gegründete und während des Zweiten Weltkriegs eingestellte »Kronen-Zeitung« galt allgemein und mit Recht als »Hausmeisterblattl«, wollte auch gar nichts andres sein, wußte sich in restlosem Einklang mit den Bedürfnissen und dem Niveau einer kleinstbürgerlichen Leserschaft und war in ihrer Art ein unerreichbares Unikum. Als andere Zeitungen schon längst mit Photoreportagen arbeiteten, blieb die »Kronen-Zeitung« noch immer dabei, das jeweils aufregendste Tagesereignis durch ihren Zeichner illustrieren zu lassen, dessen Produkt in sogenannter »Strichätzung« auf der Titelseite erschien. Dort prangte, in gleicher Ausführung, von Zeit zu Zeit auch das Portrait des glücklichen Gewinners, der in einem der regelmäßig veranstalteten Preisausschreiben durch das Los ermittelt worden war – ein Kleinrentner, ein pensionierter Schrebergärtner, eine Trafikantenswitwe oder ein Angehöriger eben jenes Hausbesorgerstandes, dem die »Kronen-Zeitung« ihren abwertenden Spitznamen verdankte.

An sich wäre es noch nichts Außergewöhnliches gewesen, daß aus einer solchen Verlosung einmal ein Feuerwehrmann als Sieger hervorging. Besondere Umstände brachten jedoch aus diesem Anlaß eine Stilblüte zustande, die selbst in der stilistisch keineswegs zimperlichen »Kronen-Zeitung« höchsten Rang erklomm.

Als nämlich der Redaktionszeichner und der mit dem üblichen Interview betraute Reporter sich auf die Spur des siegreichen Feuerwehrmanns machten, erwies sich, daß er kurz vorher in gefährlichem Einsatz gestanden war, noch mehr: er hatte bei der Löscharbeit so schwere Brandwunden erlitten, daß ihm die frohe Botschaft im Krankenhaus übermittelt werden mußte. Das durfte freilich weder den Zeichner noch den Reporter an der Erfüllung ihrer Aufgaben hindern. Und so kam es, daß der Bericht, der tags darauf neben dem Bildnis des Preisgekrönten in der »Kronen-Zeitung« erschien, mit dem wahrhaft monumentalen Satz begann:

»Ich fand den Glückspilz im Wasserbett.«

Aufs anschaulichste erzählte Freund Steiner von der konservativen Gestaltung des Blattes, etwa von den Versuchen, die lokale Berichterstattung zu modernisieren. Sie scheiterten an der Existenz eines uralten Lokalredakteurs mit dem seltsamen Namen Mehlwurm, der seit Jahrzehnten die Sparte »Unglücksfälle und Verbrechen« betreute, und zwar dergestalt, daß er die einlaufenden Meldungen – sie wurden von einer eigenen Agentur, der »Polizeikorrespondenz Herzog«, an die gesamte Tagespresse geliefert – abwechselnd mit dem Satzvermerk »nonpareil« oder »petit« versah und sie im übrigen so, wie sie kamen, in die Setzerei schickte. Als ein neu engagierter Lokalchef in einer ersten, radikalen Aufwallung Mehlwurm entlassen wollte, wurde er höherenorts sofort gebremst: daran sei nicht zu denken, der Alte säße nun schon so lange auf seinem Platz, daß er als unkündbar gelte; aber vielleicht wäre er einem sanften Zuspruch, ein paar sachlichen Ratschlägen zugänglich, und das möge der Neuerungssüchtige immerhin versuchen.

Er tat es.

»Herr Mehlwurm«, sagte er, »ich weiß, daß Sie zu den ältesten Mitgliedern der Redaktion gehören und auf ein reiches Leben zurückblicken. Eben darum sollten Sie sich nicht damit begnügen, die Polizeimeldungen, die in Ihr Ressort fallen, einfach in Satz zu geben. Das kann jeder. Sie aber, Herr Mehlwurm, müßten aus eigenem etwas hinzufügen, eine menschliche Färbung, ein persönliches Urteil – manchmal genügen ja schon wenige Worte, um eine trockene Nachricht lebendiger zu machen. Sie verstehen mich, Herr Mehlwurm.«

Mehlwurm verstand und nahm sichs zu Herzen. Das wurde schon am nächsten Tag aus der Bearbeitung zweier Lokalmeldungen ersichtlich.

Die erste berichtete, daß die 48jährige Köchin Marie Stejskal mit ihrem Lebensgefährten, dem 42jährigen stellungslosen

Maurerpolier Franz Kemmeter, in eine Auseinandersetzung geraten war und von ihm »durch mehrere Messerstiche schwer verletzt wurde«. Soweit die Korrespondenz Herzog. Mehlwurms menschlich bearbeitete Fassung lautete: »... durch mehrere Messerstiche leider schwer verletzt wurde.«

Die zweite Meldung, handelnd von einem Gastwirt, der in volltrunkenem Zustand seine körperbehinderte Ehegattin verprügelt und in die kalte Winternacht hinausgetrieben hatte, bereicherte Mehlwurm durch das persönliche Urteil: »Fürwahr, ein roher Geselle.«

Über zwei stilistische Eigenheiten der damaligen Korrespondenztexte konnte mir Steiner trotz langjähriger Erfahrung keine Auskunft geben:

1. Wann sagt der Polizeibericht »auch« und wann sagt er »jedoch«? Nehmen wir beispielsweise an, die Köchin Stejskal wäre durch die Messerstiche ihres Lebensgefährten nicht bloß schwer, sondern tödlich verletzt worden; dann hätte man im Polizeibericht gelesen: »Sie wurde auf die Unfallstation des Allgemeinen Krankenhauses gebracht, wo sie auch starb.« Verwirrenderweise las man bei solchen Anlässen ebensooft: »... wo sie *jedoch* starb.« Warum starb sie im einen Fall auch, im andern jedoch?

2. Wenn sie an Ort und Stelle gestorben wäre, hätte man sie nicht erst auf die Unfallstation gebracht, sondern den Arzt der Rettungsgesellschaft herbeigerufen; und dann hätte es entweder geheißen: »Der herbeigerufene Arzt der Rettungsgesellschaft mußte den bereits erfolgten Eintritt des Todes feststellen«, oder: »... konnte nur noch den Eintritt des Todes feststellen.« Wovon hängt es ab, ob er mußte oder ob er nur noch konnte?

Steiner wußte es nicht. Auch ich weiß es nicht. Niemand weiß es. Der Polizeibericht, wiewohl zu äußerster Klarheit verpflichtet, birgt Rätsel. (Besser gesagt: er barg sie. Denn auch ihn gibt es nicht mehr.)

*

Daß mir jede Möglichkeit, von Karl Tschuppik zu sprechen, hochwillkommen ist, habe ich schon angedeutet; daß ich sie hier nur in begrenztem Maß ausnützen kann, versteht sich beinahe von selbst. Es wird ungesagt bleiben, daß und wie der Bierkenner, als den wir Tschuppik in Prag kennengelernt haben, sich in Wien als Weinkenner legitimiert hat. Es wird nichts von den Heurigenbesuchen gesagt werden, die er mit seinem Intimfreund Anton Kuh unternahm, nichts von seiner höchst merkwürdigen Ehe mit der auch ihrerseits bemerkenswerten Tochter einer gutbürgerlichen Prager Familie, nichts von dem Hohn, dem er darob im Freundeskreis ausgesetzt war, nichts … oder doch? Schulde ich ihm nicht wenigstens die Verbuchung des Arguments, mit dem er nach langer Pein und Duldung wider die Höhnenden aufbegehrte? »Kinder, ihr tut der Frau unrecht!« hielt er ihnen vor. »So bürgerlich ist sie gar nicht – ich hab sie gestern mit einem Schauspieler in ein Stundenhotel hineingehen sehen!« Gehört nicht auch jene Episode hierher, die unser gemeinsamer Freund Milan Dubrovic vor vielen Jahren aus Venedig mitgebracht hat? Dort saß er mit dem Ehepaar Tschuppik im Café Florian auf dem Markusplatz, und ein am Nebentisch sitzender Italiener begann alsbald mit glutäugigen Annäherungsversuchen an Frau Tschuppik, die von ihr ebenso glutäugig erwidert wurden, ohne daß Tschuppik eingegriffen hätte. Im Gegenteil, er schickte sich wenig später zum Abgang an und winkte seinem

Freund, ihm zu folgen. »Was soll das?« fragte Dubrovic nach ein paar Schritten. »Warum hast du nichts unternommen?« Tschuppik schüttelte den Kopf: »Die Italiener sind so eifersüchtig«, lautete seine schwer zu entkräftende Erklärung.

Vielleicht bietet sich mir später einmal die Chance, mehr über Karl Tschuppiks menschliche Aspekte zu berichten (wie über manches andere auch). Im hier vorliegenden Rahmen muß jedenfalls noch eines gesagt sein: Tschuppik war nicht nur ein brillanter Journalist, er hat mit seinen Monographien über Kaiser Franz Joseph und Kaiserin Elisabeth auch als Historiker Anerkennung gefunden, vor allem aber mit einem schon durch den Untertitel reizvollen Werk: »Ludendorff oder Die Tragödie des Fachmanns«, in dem er die These verfocht, Ludendorff sei ein so perfekter Stratege gewesen, daß er bei seinen Planungen irgendwelche strategischen Fehler, die dem Gegner unterlaufen könnten, nicht berücksichtigte, sondern die eigene Perfektion auch bei jenem voraussetzte – so daß die von ihm erlittenen Niederlagen im Grunde auf gegnerische Unzulänglichkeiten zurückgingen, nicht auf die seinen.

Die Gespräche, die Tschuppik während der Vorbereitung zu diesem Buch mit Ludendorff führte, trugen – wie aus seinen Erzählungen hervorging – ambivalenten Charakter: einerseits nötigten ihm Ludendorffs militärische Qualitäten einen an Bewunderung grenzenden Respekt ab, anderseits sträubte sich alles in ihm gegen die Person, die Überheblichkeit, die stur teutonische Haltung des Generals (von der Weltanschauung gar nicht zu reden). Hingerissen lauschte er dem Schlachtplan, den Ludendorff für den Fall eines nächsten Krieges entworfen hatte, verfolgte kennerisch die Heeresbewegungen, die ihm der Zeigestab des manischen Strategen

auf einer Wandkarte demonstrierte: »Großartig, Exzellenz!«
rief er aus. »Dieses Umfassungsmanöver ... und der Keil gegen die Flanke ... einfach genial!« Dann, noch keuchend vor
Begeisterung, ließ er sich in seinen Sessel zurücksinken: »Und
den nächsten Krieg werden Sie *wieder* verlieren«, resümierte
er.

Ein andresmal erging sich Ludendorff in abfälligen Äußerungen über die k.u.k. Armee, deren Vielsprachigkeit ihm,
dem deutschen Bundesgenossen, offenbar als schwerer Defekt,
ja fast als Verrat erschien:

»Da inspiziere ich in Russisch-Polen die österreichische
Front – will in einer der Stellungen eine Ansprache an die
Soldaten halten – verstehen die doch kein Wort. Lauter Ungarn. Ich setze meine Inspektion fort – lasse mir in die nächste Stellung einen ungarischen Dolmetsch kommen – wieder
nichts. Lauter Kroaten. Kroatischer Dolmetsch in die nächste
Stellung – lauter Tschechen. Tschechischer Dolmetsch –«

Jetzt konnte Tschuppik, der auf seinem Sessel immer nervöser hin- und hergerutscht war, seinen Unmut nicht länger
zurückhalten:

»Aber Exzellenz!« unterbrach er. »Daß in der alten Monarchie verschiedene Sprachen gesprochen wurden – das hätte
doch der deutsche Generalstab durch Spione feststellen können!«

Bald nach Beginn seiner Tätigkeit bei dem Wiener Boulevardblatt »Die Stunde« geriet Tschuppik in einen persönlichen Konflikt mit dem damaligen Polizeipräsidenten
Johann Schober. Aus Gründen, die hier nichts zur Sache tun,
konnte er seinem Groll in der »Stunde« keinen Ausdruck geben, und daran trug er schwer. Die Art, wie er sich schließlich

doch Luft machte, gehört gleichermaßen zu seinem wie zum Bild der Stadt Wien.

Es geschah nach einem nächtlichen Heurigenbesuch. Tschuppik steuerte seinem Domizil im alten Hotel Bristol zu und überquerte unsicheren Schritts die Opernkreuzung, als ihm der dort postierte Verkehrspolizist, den er offenbar für einen feindlichen Sendboten Schobers hielt, mißfällig ins Auge stach. Ein wenig schwankend pflanzte er sich vor ihm auf und apostrophierte ihn wie folgt:

»Gehen Sie zu Ihrem Präsidenten ...und richten Sie ihm aus ... der Tschuppik läßt ihm sagen ... er soll ihn im Arsch lecken ... Der Schober soll den Tschuppik im Arsch lecken ... Haben Sie verstanden?«

Das Sicherheitsorgan bekundete sein Verständnis durch sofortige Verhaftung Tschuppiks, gab sich jedoch nach Intervention einiger Begleitpersonen mit der Aufnahme der Personaldaten und Erstattung der Anzeige zufrieden. Wenige Tage später erhielt Tschuppik eine geharnischte Vorladung auf das zuständige Polizeikommissariat.

»Ja, aber – Herr Chefredakteur!« empfing ihn vorwurfsvoll der amtierende Oberinspektor. »Was haben S' denn da ang'stellt? Beleidigung des Polizeipräsidenten – noch dazu einem untergeordneten Organ gegenüber!«

Tschuppik trat im Sitzen von einem Fuß auf den andern, führte seine weinselige Stimmung ins Treffen, entschuldigte sich gesenkten Hauptes und wurde nach einigem Hin und Her mit der dringlichen Ermahnung, daß so etwas nie wieder vorkommen möge, entlassen.

Von diesem Tag an pflegten die Polizisten im Rayon Opernkreuzung – unter denen sich der Vorfall natürlich herumgesprochen hatte – stramm zu salutieren, wenn sie Tschuppik herankommen sahen. Ein Mann, der dem Polizeipräsidenten das Arschlecken schaffen durfte, ohne daß ihm etwas geschah, hatte Anspruch auf höchsten Respekt.

Tschuppik träumte davon, eine Tageszeitung mit dem schlichten Titel »Der Arsch« zu gründen (wöchentliche Beilagen: »Der Kinderarsch« und »Der Frauenarsch«). Immer wieder berauschte er sich an der Vision, wie der Nachtkolporteur, einen Stoß der ersten Ausgabe griffbereit überm Arm, nach Schluß der Vorstellung vor der Oper stünde und den vornehm gewandeten Damen und Herren, die jetzt herausströmten, sein tonlos geschäftsmäßiges »Der Oasch ... der Oasch ... der Oasch« entgegenriefe. Es blieb ein Traum.

Aber in einer Sternstunde seines Journalistendaseins kam Tschuppik an die Verwirklichung dieses Traums so nahe heran, als es die Umstände zuließen. Er war nach seinem Ausscheiden aus der »Stunde« zur »Sonn- und Montagszeitung« übersiedelt, der er ein schärferes politisches Profil zu geben versuchte – kein leichtes Vorhaben im Wien der mittleren Dreißigerjahre, da man weder den eigenen autoritären Ständestaat noch die großen Nazi-Nachbarn reizen durfte. Tschuppik sah Böses kommen, sah eigentlich als erster (und leider mit Recht) die große Gefahr, die der demokratischen Tschechoslowakei von Seiten der Henlein-Bewegung drohte, und tat sein bestes, um die Umtriebe der sudetendeutschen Hitlerkumpane aufzudecken. Ihre Zentrale befand sich in der nordböhmischen Grenzstadt Asch, wo außer dem offiziellen Parteiorgan auch ein vorgeblich satirisches Wochenblatt erschien, das symbolträchtigerweise »Die Brennessel« hieß und sich in beinahe jeder Nummer unterfing, Tschuppik mit den

Mitteln sudentendeutschen Humors zu attackieren. Als ihm das endlich zu dumm wurde, entschloß er sich zu einer Replik. Sie trug in balkendicken Lettern die Überschrift:

MAN NECKT MICH IN ASCH

und war eine seiner letzten Großtaten. Er starb 1937, wurde auf dem Friedhof des Weinbezirks Grinzing bestattet und hatte testamentarisch verfügt, daß der Harmonikaspieler seines Lieblings-Heurigen den zur Grube fahrenden Sarg mit dem Wienerlied »Es wird ein Wein sein und wir werd'n nimmer sein« begleiten sollte. Zu Lebzeiten, wenn düstere Zukunftsgedanken ihn überkamen, hatte er diesen Text depressiv abgewandelt: »Es wird kein Wein sein und wir werd'n noch immer sein.« Das ist ihm erspart geblieben.

*

Abermals stehe ich vor einem strukturellen Problem, verursacht von der Tatsache, daß »Redaktion« und »Kaffeehaus« verwandte, ja einander überschneidende Phänomene sind, indem einerseits jede bessere Redaktion etwas von einem Kaffeehaus an sich hat und anderseits jeder bessere Journalist weit öfter im Kaffeehaus anzutreffen ist als in seiner Redaktion. Gehört nun der vorhin erwähnte Milan Dubrovic noch in dieses vom Journalismus handelnde Kapitel – oder gehört er ins nächste, das sich mit dem Kaffeehaus befassen wird? Ich habe ihn kaum jemals in einer der Redaktionen besucht, in denen er tätig war. Hingegen saß ich regelmäßig und in manchen Zeitphasen sogar täglich mit ihm im Café Herrenhof beisammen, wo gegen Ende der Zwanzigerjahre unsre bis heute intakte Freundschaft begonnen hat.

Damals, pendelnd zwischen Wien und Prag, begann ich auch mit der Arbeit an meinem »Schüler Gerber«, mußte mich jedoch ebenso wie Dubrovic durch Beiträge für Zeitungen und Zeitschriften um laufende Einkünfte bemühen. Es waren die typischen »unverlangten Manuskripte«, die wir da auf gut Glück und mit wechselndem Erfolg verschickten. Die meinigen bekundeten in Form von Kurzgeschichten oder Glossen durchaus literarische Ambition, Dubrovic neigte mehr zur aktuellen Reportage oder zur Schilderung merkwürdiger Begebnisse aus der Geschichte Wiens, denen er manchmal auf Grund eigener Findigkeit, manchmal auf Grund sachkundiger Hinweise nachging.

Einen solchen Tip bekam er einmal von Richard Wiener, der zu den besseren Repräsentanten des damals noch in Blüte stehenden Wiener Feuilletonismus gehörte, mitunter als »Polgar des kleinen Mannes« bezeichnet wurde und seiner Arriviertheit durch stelzbeiniges Gehaben (nebst ebensolcher Ausdrucksweise) Rechnung trug.

»Hören Sie, Dubrovic«, begann er bedeutsamen Tons ein Tischgespräch im Café Herrenhof, »wenn Sie einmal Muße haben – aber wirklich nur dann, ich kann für nichts garantieren und möchte ihre Arbeitszeit nicht durch eine möglicherweise ergebnislose Extratour belasten – also wenn Sie einmal, wie gesagt, Muße haben, dann suchen Sie in Baden bei Wien den Nachtportier des Hotels ›Zum goldenen Anker‹ auf. Er ist der Schwager des Fiakerkutschers Bratfisch, der den Kronprinzen Rudolf nach Mayerling gefahren hat. Vielleicht kann er Ihnen etwas Interessantes erzählen.«

Dubrovic, als lernbegieriger Anfänger stets darauf bedacht, sich von den Ratschlägen Altvorderer kein Wort entgehen zu lassen und außerdem nicht just von wieselflinkem Denk- und Schaltvermögen, war hingebungsvoll an Wieners Lippen gehangen und hielt jetzt noch sekundenlang einen angestrengten Blick auf ihn geheftet; dann fragte er, ein wenig ungläubig:

»Wenn ich *was* hab?«

Niemand hätte damals in Milan Dubrovic den späteren Kulturattaché der Österreichischen Botschaft in Bonn vermutet, oder den heutigen Herausgeber eines angesehenen Wiener Wochenblattes.

Die Zeitungswünsche ihrer Stammgäste waren den Kellnern des Café Herrenhof selbstverständlich bekannt und wurden automatisch befriedigt, so daß es sich erübrigte, eine bestimmte Zeitung eigens anzufordern; wenn sie nach zwei Minuten noch nicht dalag, war sie gerade »in der Hand« und würde binnen kurzem nachkommen. Es löste daher Überraschung aus, daß Dubrovic eines Tags nach dem »Hamburger Fremdenblatt« rief, das zwar als eine der damals führenden Auslandszeitungen auch im Café Herrenhof auflag, aber von niemandem, den wir kannten, gelesen wurde. Wir wußten nicht einmal, wie es aussah.

Was der Kellner Albert herbeibrachte und dem wartenden Dubrovic übergab, war eine Zeitung von ungewöhnlich großem Format, größer noch als die Londoner und die New Yorker »Times«. Dubrovic begann jedoch nicht etwa zu lesen, sondern hielt das Riesending zur allgemeinen Besichtigung hoch:

»Also bitte«, sagte er. »Und *die* schicken mir etwas wegen Raummangel zurück!«

Das Strukturproblem, ob Milan Dubrovic in dieses oder ins folgende Kapitel gehört, hat sich via facti gelöst. Es folgt das folgende Kapitel.

KAFFEEHAUS IST ÜBERALL

Vom Kaffeehaus war schon so oft und ausgiebig die Rede, daß es sich fast erübrigt, ihm ein eigenes Kapitel zu widmen. Im Grunde ist ja dieses ganze Buch ein Buch vom Kaffeehaus. Kaum eine der auftretenden Personen wäre ohne das Kaffeehaus denkbar. Kaum eine der von ihnen handelnden Geschichten, auch wenn sie anderswo spielen, wäre ohne das Kaffeehaus entstanden. Kaum einer der hier verzeichneten Aussprüche wäre getan worden, wenn es das Kaffeehaus nicht gegeben hätte. Für die auftretenden Personen war es der Nährboden, aus dem sie ihre geheimen Lebenssäfte sogen. Den von ihnen handelnden Geschichten lieferte es die Atmosphäre wohin auch immer, lieferte es Rückendeckung und Resonanz und, kurzum, den geistigen Raum.[*] Und ihre Aussprüche waren von einer im Kaffeehaus entwickelten Diktion und Denkungsart geprägt. Selbst die erhabene Gestalt der Tante Jolesch, die niemals in einem Kaffeehaus gesichtet wurde, hat etwas von ihm abbekommen. Man könnte freilich auch sagen, daß das Kaffeehaus etwas von der Tante Jolesch abbekommen hat, daß sie das missing link zwischen talmudischer Ghettotradition und emanzipierter Kaffeehauskultur war, sozusagen die Stammutter all derer, die im Kaffeehaus den Katalysator und Brennpunkt ihres Daseins gefunden hatten, ob sie's wußten oder nicht, ob sie's wollten oder nicht.

---

[*] Vgl. Hofmannsthal, Hugo von: »Das Schrifttum als geistiger Raum der Nation.« Hier abzuwandeln in: »Das Kaffeehaus als geistiger Raum eines untergegangenen Lebensstils.«

Manche – und nicht die schlechtesten – wollten es nicht. Zu den beinahe untrüglichen Merkmalen eines Stammgastes gehörte die Behauptung, keiner zu sein (was mit gleicher Beharrlichkeit sonst nur Betrunkene von sich behaupten). Ernst Polak, eine der Säulen des Café Herrenhof, aus Prag gebürtig, in erster Ehe mit Kafkas Milena verheiratet, Literaturkenner von hohen Graden und weithin als kritische Instanz anerkannt, versäumte es nie, sein allnachmittägliches Erscheinen am Stammtisch mit der Mitteilung einzuleiten, daß er nur ausnahmsweise gekommen sei und gleich wieder gehen müsse, weil er seine Zeit nicht mit unnützem Herumsitzen und Herumreden vergeuden wolle. Er blieb dann meistens bis zur Sperrstunde, deren Ankündigung durch den Oberkellner Albert ihm ein entsetztes »Was – schon?!« entlockte. Berichten seiner Haushälterin zufolge erwachte er für gewöhnlich mit dem Seufzer: »Großer Gott – schon wieder ein Tag vorbei ...« (Das verweist auf einen verwandten Ausspruch Friedrich Karinthys, des einzigen ungarischen Schriftstellers, der als würdiger Zeit- und Artgenosse Franz Molnárs anzusehen ist: »Was kann schon aus einem Tag werden, der damit beginnt, daß man aufstehen muß!«)

Polak blieb seinen Freunden Hermann Broch, Franz Werfel, Willy Haas und anderen auch in der Emigration ein wertvoller Berater. Er starb während des Kriegs in London. Es war ihm nicht mehr vergönnt, noch ein Mal ausnahmsweise im Café Herrenhof zu erscheinen.

Daß auch Dr. Justinian Frisch – im Kapitel »Sommerfrische« bereits vorgestellt – nicht als Stammgast zu gelten wünschte, wurde mir aus eigener Erfahrung und zum eigenen Leidwesen inne, als der Verlag Fischer, damals noch in Stockholm,

1947 das Erscheinen meines in New York entstandenen Romans »Hier bin ich, mein Vater« vorbereitete. Der erste Brief, den ich nach Ablieferung des Manuskripts aus Stockholm bekam, trug die Unterschrift »für die Herstellung: Dr. Frisch«. Und da ich keinerlei Anhaltspunkte dafür besaß, daß es sich um den mir bekannten Justinian handelte – ich hatte seit der Annektion Österreichs nichts mehr von seinem Schicksal gehört –, setzte ich an den Schluß meines Antwortschreibens, das sich mit der Kapitelgliederung, dem Umbruch und anderen vorrangigen Herstellungsfragen beschäftigte, die behutsame Anfrage, ob der Adressat mit dem einstigen Stammgast des Café Herrenhof identisch sei.

Das hätte ich nicht tun sollen. In seinem nächsten Brief verwahrte sich Dr. Justinian Frisch vier Seiten lang gegen die Zumutung, als Stammgast bezeichnet oder gar definiert zu werden, und begründete seinen Protest so eingehend, daß ich nicht umhin konnte, meine Position auf ebensovielen Seiten zu verteidigen. Einige seiner Einwände akzeptierte ich, insgesamt jedoch gab ich ihm die mittlerweile eingetretenen politischen und zeitgeschichtlichen Entwicklungen zu bedenken, die den Begriff »Stammgast« in einem andern, minder fragwürdigen Licht erscheinen ließen. Frisch replizierte, daß diese Fragwürdigkeit durch keine historische Patina überlagert werden dürfe und daß ich mich damit eines üblen dialektischen Tricks schuldig gemacht hätte. Solches konnte nun wieder ich nicht auf mir sitzen lassen, die Diskussion weitete sich ins Weltanschauliche aus, und der Roman »Hier bin ich, mein Vater« erschien mit einjähriger Verspätung.

Dr. Justinian Frisch verbrachte seine letzten Lebensjahre bei seinem Sohn in Cambridge und hat mir im Verlauf unsrer weiteren Korrespondenz, in der es hauptsächlich um die Kodifizierung der Aussprüche Dr. Hugo Sperbers ging, wertvolle Hilfe geleistet. Er war mir also nicht böse. Er wollte nur kein Stammgast sein.

Ganz anders verhielt es sich mit Gustav Grüner, der in mindestens drei Kaffeehäusern die Position eines Stammgastes beanspruchte: im »Herrenhof«, im »Central« und im noch näher zu erläuternden »Parsifal« (samt Dependancen). Von ihm stammt der fundamentale Satz: »Ein anständiger Gast stellt beim Verlassen des Kaffeehauses seinen Sessel selbst auf den Tisch« – hat also, anders formuliert, das Kaffeehaus als einer der letzten zu verlassen. In dieser Form wurde Grüners Postulat Nacht für Nacht im Café Herrenhof von ihm erfüllt.

Ein zweiter, höchst aufschlußreicher Ausspruch geht auf seine Stammgast-Tätigkeit im Café Central zurück, dessen Eingang sich an der Ecke Herrengasse-Strauchgasse befand. Außerdem wies die in der Herrengasse verlaufende Seitenfront eine kleine Glastüre auf, die aber nicht als Eingang, sondern – in der wärmeren Jahreszeit – zwecks Durchlüftung des unmittelbar dahinter gelegenen Schachzimmers benützt wurde. Darauf stützte sich Gustl Grüners Wahrnehmung: »Frühling ist, wenn die Tür in die Herrengasse aufgemacht wird.« Eine andre Möglichkeit, den Eintritt des Frühlings festzustellen, hatte er nicht.

Was schließlich das »Parsifal« betraf, so kannte man es zwar allgemein als Stammlokal der Philharmoniker, mit denen Grüner nichts zu tun hatte, aber es saß dort auch – in einer für ihn reservierten Nische, an einem meist von Zeitungen übersäten Tisch – Karl Kraus, und mit dem hatte Grüner sehr wohl zu tun. Er durfte sogar ohne vorherige Verabredung am Tisch erscheinen und machte dann die ganze nächtliche

Kaffeehaustour mit, die um 4 Uhr früh entweder im »Schellinghof« oder im »Fichtehof« endete (und zu der einige Jahre lang auch ich zugelassen war).

Grüner stand bei Karl Kraus aus mehreren Gründen in Gunst, nicht zuletzt als Bruder des im Ersten Weltkrieg gefallenen Lyrikers Franz Grüner, den Kraus sehr geschätzt hatte. An Gustl Grüner schätzte er vor allem dessen unbestechliches Sprach- und Qualitätsgefühl, eine messerscharfe, oft bis zur Bösartigkeit zugeschliffene Intelligenz und jene geistige Unabhängigkeit, die man in der Regel nur bei den sehr Reichen oder den sehr Armen antrifft, bei den sehr Armen allerdings nur dann, wenn sie allen irdischen Erfolgsambitionen entsagt haben – und Gustl Grüner, nach einem mißglückten Selbstmordversuch halb erblindet, hatte entsagt. All dies trug dazu bei, daß Kraus ihm eine Art Narrenfreiheit gewährte, von der Grüner zumal in Streitgesprächen weidlich Gebrauch machte. Kraus nahm das schmunzelnd hin, wie er ja überhaupt – ich habe meine Reminiszenzen an ihn schon anderwärts verbucht und möchte mich nicht wiederholen – großen menschlichen Charme und eine fast väterliche Toleranz entfalten konnte. Manchmal ließ er die Argumente Grüners auch dann unwidersprochen, wenn er selbst ganz offenkundig die besseren zur Hand hatte. Der einzige Fall, in dem er tatsächlich keine Antwort wußte, ist mir um so nachhaltiger in Erinnerung geblieben.

Die Diskussion entsprang einer vorangegangenen Zeitungslektüre, bei der Karl Kraus wieder einmal auf die österreichische Unsitte gestoßen war, »vergessen« mit »auf« oder »an« zu konstruieren.

»Daß die Leute nicht spüren, wie sprachwidrig das ist!« ereiferte er sich. »Die Tätigkeit des Vergessens führt doch von etwas weg – ›auf‹ bedeutet eine Annäherung zu etwas hin. Wie kann man *auf* etwas vergessen!« Grüner wackelte mißbilligend mit dem Kopf, und seine Stimme hatte – wie immer in Fällen der Siegesgewißheit – etwas leise Zischendes:

»So. Und was ist mit ›auf etwas verzichten‹?«

Das Achselzucken, mit dem sich Karl Kraus begnügen mußte, ist ihm, dem Sprachgewaltigen und Sprachempfindlichen, gewiß nicht leicht gefallen. Soll er doch die Wichtigkeit der Sprache so hoch eingeschätzt haben, daß er – in freilich jüngeren Jahren – die mit ihm befreundete Gattin eines mit ihm durchaus nicht befreundeten Vielschreibers ebenso beharrlich wie erfolglos dazu bewegen wollte, aus dem schlechten Deutsch ihres Gatten einen Scheidungsgrund abzuleiten. Und als er eines Tags in einem Feuilleton des Sprachschluderers einen besonders argen Schnitzer entdeckte, sei er mit der Zeitung in der Hand sogleich zu der standhaften Gattin geeilt, habe ihr die betreffende Stelle unter die Nase gehalten und ausgerufen: »Aber *jetzt* werden Sie sich doch scheiden lassen!«

Zumindest der zweite Teil der Geschichte ist eine Erfindung Gustl Grüners. Jedenfalls wurde sie von ihm in Umlauf gesetzt.

Übrigens hatte auch ich einmal die Ehre, zur Zielscheibe seines boshaften Witzes zu werden. Offenbar brauchte er von Zeit zu Zeit einen Auspuff gegen die Sympathie, die er für mich hegte – ich weiß nicht recht warum, aber wohl kaum um meiner literarischen Bemühungen willen, die er ja nur vom Hörensagen kannte. Mit diesen Bemühungen hatte ich schon während meiner Gymnasiastenzeit begonnen, notgedrungen unter einem Pseudonym, da sie sich gegen das Mittelschulsystem richteten und mir Bedrohliches eingebrockt hätten, wenn meine Autorschaft entdeckt worden wäre.

Anderseits wollte ich ein paar vertrauenswürdigen Freunden und einem von mir umbuhlten Mädchen beweisen können, daß ich es war, der da im Druck erschien, und stellte mir also aus der Endsilbe meines Vaternamens – Kan*tor* – und dem Geburtsnamen meiner Mutter – *Berg* – das Pseudonym Torberg zusammen, das sich je nachdem zur Verschleierung oder zum Nachweis meiner Identität eignete. Der unvermutete Erfolg meines 1930 erschienenen »Schüler Gerber« legte mir den Entschluß nahe, den Namen Torberg, mit dem ich nun vielfach angesprochen wurde, fortan auch als bürgerlichen Namen zu führen. Gustl Grüner nahm mir das nicht nur übel, sondern unterstellte mir Motive, mit denen er mir unrecht tat, und dagegen mußte ich mich wehren. Ich erklärte ihm, daß ich die Namensänderung aus Gründen der Einfachheit und nicht der Eitelkeit vorgenommen hatte, erklärte ihm, warum und wie der neue Name zustande gekommen war:

»Hätte mein Vater zum Beispiel Rosenblatt geheißen und meine Mutter Gold, dann hätte ich mich –«

»Dann hätten Sie sich *auch* Torberg genannt«, zischte Grüner.

Wenn Dr. Hugo Sperber beim »Dardeln« den Grün-Zehner ausspielte, murmelte er (wie das bei jedem Ausspielen üblich war) eine begleitende Ansage:

»Grün Zehner – besser als zehn Grüner.«

∗

Das Café Herrenhof teilte sich in zwei annähernd gleich große Räume, für die eine strikte Zeit- und Sitzordnung bestand. Aus unerfindlichen Gründen galt der hintere Saal, an den sich das Spielzimmer anschloß, als der »richtige«, ähnlich wie auf den Boulevards und Geschäftsstraßen europäischer Großstädte eine der beiden Straßenseiten Vorrang genießt. An den Fenstertischen im vorderen Saal saßen die prominenten Stammgäste schon während der frühen Nachmittagsstunden, aber erst zwischen 5 und 6 Uhr entfaltete sich in den Logen des hinteren Saals das eigentliche literarische Leben, so daß manche seiner Repräsentanten zwei Stammtische im selben Lokal beanspruchten. Es war zulässig, nur am Nachmittag oder nur am Abend zu erscheinen. Hingegen war es selbst für die Angehörigen der Spitzenklasse unzulässig, am Nachmittag hinten zu sitzen oder am Abend vorne. Wenn einer es dennoch einmal tat, dann aus bestimmten Gründen: entweder wartete er auf einen Außenseiter, mit dem er unter vier Augen reden wollte, oder er lag gerade in so heftiger Fehde mit einem andern Stammgast, daß er nicht einmal dessen Anblick ertrug – in jedem Fall mußte der auffällige Platzwechsel etwas zu bedeuten haben, worüber man rätseln konnte.

Ich erinnere mich an eine makabre Situation aus der letzten Existenzphase des Café Herrenhof, als nur noch der vordere Saal in Betrieb stand, 1960 wurde das ganze Lokal endgültig gesperrt, bis dahin war es von seinem früheren Oberkellner Albert Kainz, der es nach Kriegsende erworben hatte, aus purer Sentimentalität weitergeführt worden, um den emigrierten Stammgästen, wenn die Sehnsucht sie dann und wann in die alte Heimat trieb, einen zuverlässigen Treffpunkt mit jenen zu sichern, die jetzt wieder in Wien lebten. Es waren ihrer alle zusammen nicht mehr viele, es waren auch immer nur wenige Tische besetzt, und eines Nachmittags waren es im ganzen nur zwei: am ersten Fenstertisch, rechts vom Eingang, saß der aus Haifa zu Besuch gekommene Leo Perutz, und weit hinten in der linken Ecke, mit dem Rücken zu ihm, saß der in Wien lebende Otto Soyka. Die beiden hatten sich in den Zwanzigerjahren miteinander verkracht und konnten selbst unter den jetzt gegebenen Umständen, selbst als die einzigen Gäste des Café Herrenhof nicht zueinander finden. Zwei der letzten Überlebenden von ehedem, boten sie in der trostlosen Leere des schemenhaft hingedehnten Raums ein gespenstisches Bild. Von fernher gemahnte es an jene utopischen Filme, deren Handlung nach vollzogenem Weltuntergang einsetzt.

Die Wurzel ihrer unerschütterlichen Feindschaft lag in einer Zeit, da der begabte, aber nicht weiter bemerkenswerte Erzähler Otto Soyka sich auf Grund eines kurzlebigen Publikumserfolgs als Rivale des ungleich bedeutenderen Leo Perutz gebärdete (von dem sich noch herumsprechen wird, daß er zu den Meistern des phantastischen Romans gehört – er könnte einem Fehltritt Franz Kafkas mit Agatha Christie entsprossen sein). Nun pflegte Perutz auf Eitelkeitsposen und verstiegene Ambitionen besonders scharf zu reagieren und tat das auch Soyka gegenüber, der kurz zuvor schon von Alfred Polgar einen schmerzhaften Seitenhieb abbekommen hatte, als er eines Tags in komplettem Reitkostüm, mit Schaftstiefeln, Sporen und Gerte, das Café Herrenhof betrat: »Ich habe ja *auch* kein Pferd«, bemerkte Polgar. »Aber *so* kein Pferd wie der Soyka hab ich bestimmt nicht.« Perutz seinerseits machte sich ein einigermaßen kompliziertes Spiel zunutze, das an einem der Herrenhof-Tische im Schwang war und an dem auch Soyka teilnahm. Es ging davon aus, daß dem Charakterbild eines Menschen, gewissermaßen als Ergänzung, ein Tier entspräche, in dem sich seine schlechten Eigenschaften verkörperten und das ihm deshalb zuwider war. Jeder Teilnehmer mußte erraten, welches Tier die übrigen auf einem zusammengefalteten

Zettel für ihn namhaft gemacht hatten, und daraus ergab sich dann ein lehrreicher Vergleich zwischen der Selbsteinschätzung des Betreffenden und seiner Einschätzung durch die anderen.

Die Reihe kam an Perutz. Und Perutz besann sich keine Sekunde lang:

»Mein Tier ist der Soyka«, sagte er.

Die Gegner schieden nach kurzem Ohrfeigenwechsel unversöhnt und blieben es bis an ihr Lebensende.

Spiele solcher und ähnlicher Art erfreuten sich in den Diskussionspausen großer Beliebtheit. Ein von Alfred Polgar erfundenes hieß »Der Erzherzog wird geprüft« und wurde von zwei Partnern gespielt. Der eine übernahm die Rolle eines prüfenden Geschichtsprofessors und mußte sich für den hochgeborenen Prüfling eine so leichte Frage ausdenken, daß sie selbst von einem geistig zurückgebliebenen Kleinkind unmöglich falsch beantwortet werden konnte. Der Prüfling stand sodann vor der schwierigen Aufgabe, dennoch eine falsche Antwort zu geben, und der Professor vor der noch schwierigeren, diese Antwort nicht nur als richtig anzuerkennen, sondern auch zu begründen, warum sie es war. Gelang ihm das nicht, hatte er verloren.

Musterbeispiel einer vom prüfenden Professor gewonnenen Runde:

»Kaiserliche Hoheit, wie lange dauerte der dreißigjährige Krieg?«

»Sieben Jahre.«

»Richtig! Damals wurde ja bei Nacht nicht gekämpft, womit bereits mehr als die Hälfte der Kriegszeit wegfällt. Auch an Sonn- und Feiertagen herrschte bekanntlich Waffenruhe, was abermals eine ansehnliche Summe ergibt. Und wenn wir jetzt noch die historisch belegten Unterbrechungen und Verhandlungspausen einrechnen, gelangen wir zu einer faktischen Kriegsdauer von genau sieben Jahren. Ich gratuliere!«

Eine vom prüfenden Professor verlorene Runde begann mit der Frage: »Wie heißt unser Kaiser Franz Joseph?« Die ebenso prompte wie rätselhafte Antwort »Quarz!« begrüßte der Professor noch mit dem vorgeschriebenen »Richtig!«, konnte aber ihre Richtigkeit nicht mehr beweisen. Der Erzherzog hatte gewonnen.

Zurück zu Leo Perutz und seinem schlagfertigen Widerwillen gegen jede Art von snobistischen oder sonstwelchen Möchtegern-Attitüden. Er mußte von ihnen keineswegs persönlich betroffen sein, um sie zu brandmarken. Es genügte schon, wenn einer, der in größerer Gesellschaft etwas zum besten gab, mit Absicht so leise sprach, daß alle übrigen Gespräche verstummten und die allgemeine Aufmerksamkeit sich notgedrungen auf ihn konzentrierte. Ein vollendeter Beherrscher dieser gar nicht so leichten Technik war der Schriftsteller Paul Ellbogen, der sich gerne mit seiner (tatsächlich vorhandenen) Bildung und Kunstkennerschaft in Szene setzte und seine Weltläufigkeit um einige Grade penetranter zu erkennen gab, als es dem nicht minder gebildeten, nicht minder weltläufigen Perutz erträglich schien.

Die Geschichte, die Paul Ellbogen, soeben von einer Italienreise zurückgekehrt und von einer bekannt schöngeistigen Familie eingeladen, mit leiser Stimme zu erzählen begann, spielte – wie sich's für einen Kunstkenner gehört – in Florenz:

»Genau genommen in Fiesole«, verbesserte er sich. »Bei einem Besuch in Fiesole erfuhr ich durch einen absurden Zufall« (er sagte wirklich »erfuhr«, er sprach wie gedruckt) »von einem Museum, das ich nicht kannte. Ich kannte es nicht«, wiederholte er mit selbstkritischem Nachdruck und schüttelte den Kopf. »Es befand sich in einem nahegelegenen Städtchen. Vermutlich die private Stiftung eines dortigen Mäzens. Und dieses Museum enthielt – Sie werden ebenso überrascht sein, wie ich es war – einen unbekannten Tiepolo.«

Er legte eine Pause ein, die seinen Hörern die Möglichkeit gab, ihrer Überraschung Herr zu werden. Dann setzte er mit noch leiserer Stimme fort:

»Selbstverständlich ließ ich mich weder von der Sommerhitze noch von den miserablen Zugsverbindungen abhalten, gleich am nächsten Tag hinzufahren. Die guten Leutchen dort schienen gar nicht zu wissen, welch einen Schatz ihre Mauern bargen. Ich mußte mich mehrmals erkundigen, ehe ich das Museum endlich fand. Es war ein entzückender kleiner Renaissancebau, möglicherweise das Werk eines Palladio-Schülers und natürlich nicht als Museum erbaut, sondern aller Wahrscheinlichkeit nach das frühere Wohnhaus des inzwischen verstorbenen Stifters. Gleichviel – ich hatte es gefunden. Und was mußte ich entdecken?«

Jetzt war Ellbogens Stimme bereits so leise, daß die Umsitzenden, ohnehin schon atemlos an seinen Lippen hängend, auch noch die Hand ans Ohr legten, um nur ja kein Wort zu versäumen.

»Ich mußte entdecken, daß das Museum gesperrt war. Es war gesperrt. Und weit und breit war niemand zu sehen, der es mir hätte öffnen können oder mir eine Auskunft gegeben hätte. Bitte versuchen Sie sich das vorzustellen. Ich bin mit einem erbärmlichen Bummelzug eigens hierhergefahren – ich stehe in glühender Hitze vor einem Museum, in dem ein unbekannter Tiepolo hängt – und muß mich fragen: wie komme ich in das Museum hinein?«

Abermals machte Ellbogen eine Pause, sichtlich erschöpft vom eigenen Flüstern. Und mitten in das angespannte Schweigen erteilte ihm Leo Perutz den freilich verspäteten Ratschlag:

»Vielleicht wenn Sie sich hätten ausstopfen lassen!«

Wir haben nicht mehr erfahren, wie Paul Ellbogen in das Museum hineingekommen ist.

Noch gröblicher betrug sich Perutz zur Frau Professor Eugenie Schwarzwald, der verdienstvollen Pädagogin und Leiterin einer von ihr gegründeten Schule, in der sie Wiens höhere Töchter nach den modernsten Methoden in Halbbildung unterwies. Sie war allenthalben für ihre aufdringliche Betriebsamkeit gefürchtet, lud ein und wurde eingeladen, befand sich ständig auf Prominentenfang und stieß damit bei Leo Perutz auf so heftiges Mißbehagen, daß er sich immer wieder den Anschein gab, sie nicht zu kennen, und ihr immer aufs neue vorgestellt werden mußte.

Bei irgendeinem offiziellen Empfang stand Perutz kauend am Buffet, als die Frau Professor zielstrebig auf ihn zugewatschelt kam und ihn gekränkt zur Rede stellte:

»Sie haben mich ja schon wieder nicht gegrüßt, Herr Doktor Perutz!«

»Entschuldigen Sie«, erwiderte Perutz mit vollem Mund. »Ich hab geglaubt, Sie sind die Schwarzwald.«

Den Dolch der mörderischen Ablehnung verstand auch Alfred Polgar zu handhaben, dem es die klebrigen Anbiederungsversuche des Stammgastes Weiß angetan hatten. Als er eines Nachmittags das Kaffeehaus verließ, folgte ihm Weiß auf die Straße, gesellte sich devot an seine Seite und stellte ihm die scheinbar ausweglose Frage:

»In welche Richtung gehen Sie, Herr Polgar?«

Er erhielt den prompten Bescheid:

»In die entgegengesetzte.«

Auf einer Silvestergesellschaft machte sich Weiß mit anreißerischem Lächeln an Polgar heran:

»Das wird Sie amüsieren, Herr Polgar. Ich habe auf dem Weg hierher einen Bekannten getroffen – übrigens ein glühender Verehrer von Ihnen – und der hat sich von mir mit den Worten verabschiedet: ›Also Sie sehe ich erst nächstes Jahr wieder!‹ Witzig, nicht?«

»Das können Sie von mir schon Anfang Februar hören«, brummte Polgar.

Aus akribischen Gründen wäre noch der im Café Herrenhof entstandene Begriff des »Kellnerpunktes« zu verbuchen und zu erläutern. In einer gelehrten Diskussion, die sich in den schier undurchdringlichen Nebel abstraktester Philosopheme verstiegen hatte, äußerte einer der Teilnehmer, um keinen Zweifel daran zu lassen, daß er die kompliziert aufgebaute These eines andern für eine kindische Selbstverständlichkeit hielt:

»Mit anderen Worten – zweimal zwei ist vier.«

Der gerade servierende Kellner nickte dem Sprecher anerkennend zu:

»Da haben S' aber wirklich recht, Herr Doktor«, sagte er.

Damit war der »Kellnerpunkt« erreicht. Er ergab sich immer dann, wenn ein pompös überdrehtes Gespräch aus den Höhen seiner Selbstgefälligkeit zu einer entlarvend primitiven

Schlußfolgerung abglitt, die sogar dem Kellner einleuchten mußte.

*

Im übrigen enthält das vorliegende Kapitel eigentlich nur ergänzende Materialien zum Thema Kaffeehaus und zur Produktivität seiner Insassen. Fast alles, was ich hier noch aufzeichne, würde auch in andere sachliche oder persönliche Zusammenhänge passen – ein von mir schon wiederholt beklagter Strukturdefekt dieses Buchs, der mich indessen nicht hindern darf, die fälligen Ergänzungen vorzunehmen.

Zu ergänzen ist, daß der Mokka des Café Herrenhof nicht just von bester Qualität war und dem im Journalisten-Café Rebhuhn verabreichten nach Aussage von Pendelbesuchern beträchtlich nachstand. Das ließ die Besitzer des »Herrenhof« nicht ruhen und führte zu einem interessanten Fall von Werkspionage. Ein ins »Rebhuhn« entsandter Geheimagent bestellte dort einen Mokka, füllte ihn heimlich in eine mitgebrachte Thermosflasche ab und brachte sie ins »Herrenhof«, wo ihr Inhalt chemisch untersucht wurde. Es stellte sich heraus, daß er einige Tropfen Kakao enthielt. Von diesem Tag an gab es auch im Café Herrenhof sehr guten Mokka (der heute so beliebte »Espresso« existierte damals noch nicht).

Zu ergänzen ist ferner, daß im Café Central, nachdem es seiner Rolle als Literatenhochburg verlustig gegangen war, nur noch im Schachzimmer geistiges Leben herrschte. Die teils witzigen, teils gedankenlosen, teils schlechterdings schwachsinnigen Redewendungen, mit denen die Schachspieler ihre Züge begleiteten, sind mehrmals im Druck festgehalten worden, von Karl Kraus in »Literatur oder Man wird doch da sehen«, von Jenö Lazar in der Monatsschrift »Querschnitt« und noch von einigen anderen Experten. Soviel ich weiß, wurde jedoch nirgends auf den sogenannten »Kranichzug« hingewiesen, nämlich auf die Frage, mit der ein Spieler, unter Benützung der »Kraniche des Ibykus«, einen ihm unverständlichen Zug seines Partners quittierte: »Was ist's mit ihm, was kann er meinen?« (Bei Schiller folgt dann die Zeile: »Was ist's mit diesem Kranichzug?«) Auch fehlt in den mir zugänglichen Quellen eine Wendung, die sich von einem traurigen Kriminalfall herleitete: ein burgenländischer Gastwirt hatte seine zwei minderjährigen Kinder ermordet, die Leichen fachmännisch tranchiert und die einzelnen Teile in Postpakete verpackt, die er als »Muster ohne Wert« aufgab. Seither wurde im Schachzimmer des Café Central einem in Verlustposition geratenen Spieler die bevorstehende Niederlage mit den Worten angekündigt: »Sie werden diese Partie gleich aufgeben wie man aufgibt kleine Kinder auf der Post.« (Auslandsdeutschen, denen die postalische Bedeutung von »aufgeben« fremd ist, sei mit einem Aphorismus von Karl Kraus unter die ratlos erhobenen Arme gegriffen: »Einen Brief befördern, heißt in Österreich einen Brief aufgeben.«)

Was die Schachspieler betrifft, so hatten die Matadore unter ihnen, deren Partien infolgedessen von zahlreichen Kiebitzen umlagert waren, ein ingeniöses System entwickelt, um sich der lästigen Besserwisser zu entledigen. Auf ein verabredetes Zeichen trat ein Kellner an das Brett heran, das beispielsweise von den Meistern Grünfeld und Wolf okkupiert war, und meldete:

»Herr Wolf, Sie werden am Telephon verlangt.«

»Oweh«, sagte Wolf, »das wird bestimmt länger dauern.«
Dann wandte er sich an einen Kiebitz, der ihm durch kenne-
risches Dreinreden mißliebig aufgefallen war: »Dürfte ich Sie
bitten, inzwischen für mich weiterzuspielen?«

Die ehrenvolle Aufforderung wurde mit Wonne akzeptiert.
Grünfeld hatte nichts dagegen. Er wußte, daß wenig später
der Kellner abermals erscheinen würde, um ihm mitzuteilen,
daß nebenan ein Herr auf ihn warte, es sei dringend. Als das
geschah, übergab auch Grünfeld seinen Platz einem der taten-
durstigen Kiebitze, und während die Partie von den beiden
provisorischen Vertretern weitergeführt wurde, konnten sich
Wolf und Grünfeld in einem Nebenraum endlich ungestört
dem Schachspiel hingeben.

Auch zum Café de l'Europe sind noch ein paar kleine Er-
gänzungen anzubringen. Von seinen Besitzern, den Brüdern
Blum, war schon die Rede, vom »falschen Blum« zumal und
von der furchtbaren Rache, die ihm der Ringkämpfer Ernst
Stern in Aussicht stellte, weil jener es an der erforderlichen
Obsorge mangeln ließ, wenn er seinen Bruder Jozsi vertrat.
Jozsi, der sozusagen richtige Blum, hätte so etwas nie gewagt,
hätte seinen Gästen nie widersprochen, erfüllte ihnen jeden
Wunsch und wurde jeder ihrer Stimmungen gerecht – er
war der »Dienst am Kunden« in Person. Wie sehr er das war,
zeigte sich eines Nachts, als wir nach der Sperrstunde des
»Herrenhof« den gewohnten Wechsel ins »de l'Europe« vollzogen und unterwegs die ersten Ausgaben der Morgenblätter erstanden. Sie meldeten auf der Titelseite eine der damals
üblichen Regierungskrisen in Frankreich, diesmal den Sturz
des Kabinetts Daladier durch die von Léon Blum geführte
Opposition.

Die »Presse« schwenkend, betrat Ernst Stern das »de l'Europe« und rief dem zur Begrüßung herbeieilenden Jozsi drohend zu:

»Blum – du hast den Daladier gestürzt!!«

»Ich hab müssen«, entschuldigte sich kleinlaut Jozsi Blum, ohne nachzudenken, wahrscheinlich ohne zu wissen, worum es sich handelte. Das interessierte ihn auch nicht. Er hatte gemerkt, daß er einen Stammgast verärgert haben könnte, und dafür mußte er sich entschuldigen.

Die Stammkundschaft des Café de l'Europe war ziemlich genau das, was man »gemischt« nennt. Seine günstige Lage in der Stefansplatz-Nähe, zwischen dem Nobelstrich auf der Kärntnerstraße und dem weniger noblen auf der Rotenturmstraße, machte das Lokal zum natürlichen Sammelplatz der hüben und drüben amtierenden Damen, die sich hier von den Strapazen ihres Berufs erholen konnten, mit ihren Betreuern zusammentrafen, wohl auch einen kleinen Imbiß oder einen belebenden Kaffee zu sich nahmen (Alkoholkonsum während der Dienststunden war streng verboten), in illustrierten Zeitschriften blätterten und, wenn ihnen danach zumute war, mit den Angehörigen der gänzlich anders gearteten Besucherschicht, die aus uns und unsresgleichen bestand, ein wenig plauderten, ohne berufliche Hintergedanken, manchmal heiter und manchmal traurig, wie's eben kam, manchmal Rat und Hilfe erbittend (aber niemals Geld), manchmal Rat und Hilfe spendend, auch das kam vor, und wer da geringschätzig oder gar verächtlich von Huren spricht, lasse sich gesagt sein, daß ich in diesem Hurencafé zwischen Mitternacht und 4 Uhr früh auf mehr Beweise von Herzenstakt und menschlicher Sauberkeit gestoßen bin als in sämtlichen je von mir frequentierten Kaffeehäusern, und das will etwas heißen. Es war eine unvergleichliche Atmosphäre, die im Café de l'Europe zwei wahrlich diskrepante Lager miteinander verband, eine Atmosphäre gelassenen Einverständnisses und wechselseitigen Respekts, wie er den beiden Lagern nirgends sonst zuteil geworden wäre. Natürlich kam es innerhalb des andern manchmal zu Auseinandersetzungen, die nicht nur verbal ausgetragen wurden, zu persönlichen und professionellen Eifersüchteleien, zu Streitfällen über Einbrüche in fremdes Gebiet, die nicht geduldet werden konnten, zu Verstößen gegen den akzeptierten Sittenkodex, von dessen bürgerlicher Strenge der Außenstehende nur wenig ahnt. Und natürlich wurden diese Verstöße nach eigenen Gesetzen geahndet. Denn es war eine eigene, eine wenn schon nicht heile, so doch festgefügte Welt, und sie ist es geblieben.

Auch die Erschütterungen, denen sie ausgesetzt war, vollzogen sich in ihrem eigenen Rahmen. Ein überzeugendes Beispiel dafür lieferte die böhmische Liesel, so genannt nicht etwa ihrer Herkunft wegen (sie war ein resches Wiener Vorstadtkind), sondern zu Ehren ihrer aufwärtsgerichteten Stupsnase, die in Österreich als Rassemerkmal des benachbarten Tschechenvolkes gilt. Die böhmische Liesel also erschien einmal zu ungewohnter Stunde im »de l'Europe«, setzte sich allein an einen Tisch und ließ so deutliche Anzeichen von Verstörtheit erkennen, daß wir es mit Besorgnis sahen. Einer von uns, der sich besonders gut mit ihr verstand, ging zu ihr hin und fragte sie, was denn los sei.

»Hörst«, sagte die böhmische Liesel. »Zeiten san des. Zeiten!« Und schüttelte gedankenvoll den Kopf. »Jetzt hab i an Masochisten – der haut z'ruck.«

Daß sie solches als Symptom einer aus den Fugen gegangenen Zeit empfand, scheint mir fast noch bemerkenswerter als die Entartung selbst.

Der Zahlkellner Richard pflegte seine maßvolle Dienstbereitschaft durch die Anrede »o Herr« auszudrücken – »Jawohl, o Herr« auf eine ungeduldige Bestellung hin, oder »Zahlen gewünscht, o Herr?« nach mehrmals wiederholtem Zuruf. Eines Nachts flog ihm plötzlich eine Kaffeeschale an den Kopf. Er hatte die Witwe Pelikan, Inhaberin eines gutgehenden Geheimbordells und eines kräftigen Schnurrbartanflugs, versehentlich mit »o Herr« angesprochen.

Eine mit Vorbehalt als »groß« zu bezeichnende Zeit brach für das Café de l'Europe im Frühjahr 1933 an, als aus Deutschland die ersten politischen Emigranten ankamen und auf den Rat ihrer Wiener Freunde das »de l'Europe« zum nächtlichen Treffpunkt erkoren. Bert Brecht und Karl Tschuppik befanden sich unter ihnen, Walter Mehring und Oskar Maria Graf und viele andere. Teils bildeten sie eigene Gruppen, teils mischten sie sich mit den Gästen der schon vorhandenen und ihrerseits gemischten Stammtische. An einem solchen Tisch geschah es, daß Brecht eine soeben in der Nachtkolportage erschienene Zeitung las, die von neuen Verhaftungen in Deutschland berichtete und zahlreiche bekannte Namen nannte. Das veranlaßte ihn zu der zornigen Bemerkung:

»Heutzutage ist es beinahe eine Schande, nicht verhaftet zu sein!«

Ein Angehöriger des Nachtgeschäfts, zufällig neben ihm sitzend (und eher zwielichtigen Charakters), sah ihn verwundert an:

»Also *das* kann man sich richten«, sagte er.

Es war das einzigemal, daß im Café de l'Europe zwei Welten zusammenstießen, die einander nicht verstanden.

Zu den noch ausstehenden Ergänzungen gehört das Café Imperial (genauer: das Kaffeehaus des Hotel Imperial), hauptsächlich seines Stammgastes Eckstein wegen. Zwar hatte es auch andere berühmte Stammgäste aufzuweisen, aber der Polyhistor Eckstein war der berühmteste. Hochmusikalisch, in seiner Jugend aus reinem, reichem Hobby ein Schüler Anton Bruckners, Vater des Schriftstellers Percy Eckstein und Gatte einer Schriftstellerin, die unter dem Pseudonym Sir Galahad bekannt wurde, seinerseits Autor einer leider verschollenen Bruckner-Monographie mit dem schönen Titel »Der Weltgeist an der Orgel«, enorm belesen und enorm gebildet, stand der alte Eckstein im Ruf, einfach alles zu wissen. Es gab keine Frage, die er nicht unverzüglich beantworten konnte, ja manchmal nahm er die Antwort ahnungsvoll und kenntnisreich vorweg, ohne die Frage abzuwarten. Man raunte sich zu, daß der große Brockhaus, wenn er etwas nicht wußte, heimlich aufstand und im alten Eckstein nachsah. Als einmal die »Presse« eine Meldung brachte, in der von einem neuen Werk des Dichters Kun-Han-Su die Rede war, konnte der alte Eckstein seinen fragenden Jüngern sofort mit genauen Auskünften über das Schaffen dieses bedeutenden chinesischen Lyrikers aufwarten, der als einziger versuchte, eine unter den letzten Kaisern der Ming-Dynastie zur Hochblüte gelangte Versform wieder zu beleben. Zwar stellte sich am nächsten Tag heraus, daß es sich bei Kun-Han-Su lediglich um einen Übermittlungsfehler von Knut Hamsun handelte, aber der alte Eckstein hatte wieder einmal alles gewußt, und man respektierte ihn so sehr, daß man geneigt war, auch weiterhin an die Existenz eines chinesischen Lyrikers namens Kun-Han-Su zu glauben.

Von einer Episode ähnlicher Prägung erzählt Frau Christiane Zimmer, die liebenswürdige und lebenskluge Tochter Hugo von Hofmannsthals. Auf einem gemeinsamen Spaziergang mit ihrem Vater und dem alten Eckstein sei ihnen längere Zeit ein Vogel vorangehüpft, den der Polyhistor, auch auf diesem Gebiet bewandert, sogleich als »ägyptischen Königshüpfer« agnosziert hatte:

»Eine seltene Abart unsres Wiedehopfs«, fügte er erläuternd hinzu. »Kann nicht fliegen. Bewegt sich nur hüpfend vorwärts. Den Winter verbringt er in Ägypten. Daher der Name.«

Hofmannsthal gestattete sich ein leises Staunen:

»Sie haben doch gerade gesagt, daß er nicht fliegen kann?«

»*So* weit kann er fliegen«, replizierte unbeirrt der alte Eckstein. Es war ihm nicht beizukommen.

Er ließ sich auch durch nichts dazu bewegen, während der Sommermonate mit seinem Stammtisch aus dem Inneren des Kaffeehauses hinaus auf die »Schanigarten« genannte Terrasse zu übersiedeln, die vor dem »Imperial« – wie vor allen Wiener Kaffeehäusern mit ausreichend breitem Trottoir – am Beginn der warmen Jahreszeit eingerichtet wurde und sich an der Hauptfront des Hotels hinzog. Mochte die Luft draußen noch so erfrischend sein und drinnen noch so stickig – der alte Eckstein blieb hart und der Stammtisch blieb drinnen.

Eines Nachmittags ertönten aus dem Schanigarten schrille Entsetzensschreie: ein Hotelgast hatte sich in selbstmörderischer Absicht aus dem dritten Stockwerk gestürzt und war auf einem der Terrassentische gelandet – glücklicherweise auf einem leeren, und überdies kam er mit dem Leben davon.

Eine Stunde später erschien der alte Eckstein, nahm an seinem Stammtisch Platz und wurde vom Kellner Ferdinand über das aufregende Geschehnis unterrichtet. Er reagierte mit einer ebenso knappen wie gefühlsarmen Äußerung. Sie lautete:

»Ich hab ja immer gesagt, man kann nicht draußen sitzen.«

Zu den von Eckstein unabhängigen Stammgästen des »Imperial«, die folglich auch draußen saßen, gehörte der nicht nur als Stammgast bemerkenswerte Oberlandesgerichtsrat Adolf Pick (von dessen Vater Alfred Pick das unvergängliche »Fiakerlied« stammt, ein wahres Prunkstück aus dem Zeitalter wienerisch-jüdischer Symbiose). Wenn Adolf Pick, ungeachtet seiner sonstigen Qualitäten, hier lediglich als Stammgast aufscheint, so deshalb, weil er die Würde eines solchen beispielhaft zu wahren wußte. Er hielt es für unter dieser Würde, in seinem Stammcafé etwas zu bestellen wie ein hergelaufener Zufallsgast, oder das nicht Bestellte vielleicht gar zu urgieren. Das Personal hatte zu wissen, was der Herr Doktor zur jeweils gegebenen Tageszeit zu konsumieren gewohnt war, und hatte das Gewohnte unaufgefordert herbeizuschaffen, Punkt.

Aus welchen Gründen das an jenem lauen Frühlingsnachmittag unterblieb, ist gleichgültig. Dr. Pick hatte weder den Ehrgeiz, es zu erforschen, noch wäre ihm eingefallen, etwa durch den Zuruf: »Ferdinand, wo bleibt mein Kapuziner?« in die Niederungen der Urgenz hinabzusteigen. Er winkte vielmehr von der nahen Straßenecke einen der dort »auf Standplatz« befindlichen (und seither längst ausgestorbenen) Dienstmänner herbei, dem er den Auftrag gab, nach hinten in die Küche zu gehen und zu fragen, ob heute kein Kapuziner serviert wird, der Herr Doktor Pick wartet.

Womöglich noch überzeugender wurde die klassische Haltung eines Stammgastes von Herrn Amtsrat Reiter demonstriert, ja man könnte aus seinem Vorgehen geradezu die Definition des Begriffs »Stammgast« ableiten.

Herr Amtsrat Reiter erschien seit Jahrzehnten täglich um vier Uhr nachmittag im Café Colosseum, ließ sich täglich am selben Tisch nieder, bekam eine Melange mit Schlag und dazu zwei mürbe Kipfel, bekam zuerst die Abendblätter und dann, nach und nach, die übrigen in- und ausländischen Zeitungen, las und zahlte und brauchte für diese ganze Prozedur kein einziges Wörtlein aufzuwenden. Generationen von Kellnern hatten ihn betreut, Scheidende instruierten ihre Nachfolger, Sterbende legten den Kollegen, die ihr Lager umstanden, noch ein letztesmal den Amtsrat Reiter ans Herz – es war undenkbar, daß es ihm jemals an der gewohnten Obsorge fehlen würde.

Aber das Undenkbare geschah. Die beiden Kellner, in deren Rayon sich Reiters Stammtisch befand, waren eines Vormittags nach einem Krach mit dem Besitzer abgegangen, beide zugleich und beide so wütend, daß sie nicht daran dachten, die nötigen Instruktionen zu hinterlassen. Um vier Uhr betrat Reiter das »Colosseum«, setzte sich an seinen Tisch, bekam keine Melange mit Schlag und keine mürben Kipfel, bekam keine Abendblätter und überhaupt nichts zu lesen und wurde, da noch keine Ersatzkräfte zur Stelle waren, nicht einmal nach seinen Wünschen gefragt, nicht sofort, nicht nach zwei Minuten, und auch nach fünf Minuten noch nicht.

Nach sechs Minuten rief Herr Amtsrat Reiter, seit Jahrzehnten Stammgast des Café Colosseum, den Pikkolo zu sich und schickte ihn ins gegenüberliegende Café Hacker, um eine Melange mit Schlag und zwei mürbe Kipfel.

Damit sind die Ergänzungen zum Thema Kaffeehaus abgeschlossen. Daß auch die jetzt noch folgenden Kapitel mit dem Kaffeehaus zusammenhängen, muß nicht mehr unterstrichen werden, ist jedoch nicht ihr Wesentliches. Sie gelten einer Reihe von Persönlichkeiten, an die ich mich auch (keineswegs nur) vom Kaffeehaus her erinnere, die aber – wie schon einige der bisher genannten – weit darüber hinaus zu wirkungsvollem Ansehen gelangt sind, und deren Namen selbst dort guten Klang haben, wo es gar keine Kaffeehäuser gibt.

Jener von ihnen, auf den das am wenigsten zutrifft, und den ich dennoch für eines der originellsten Edelprodukte der großen Wiener Kaffeehauszeit halte, mag die Reihe eröffnen.

»RÄUBER, MÖRDER, KINDSVERDERBER
GEHEN NUR ZU DOKTOR SPERBER«

Ein Werbeplakat mit diesem ganz und gar standeswidrigen Text war der Traum des Rechtsanwalts Dr. Hugo Sperber, den man getrost das letzte Original des Wiener Barreaus nennen darf. Die Bezeichnung »Barreau« ist seither aus der Mode gekommen. Sachs-Villattes Enzyklopädisches Wörterbuch übersetzt sie einigermaßen dürftig mit »Advokatenplatz«, was eine gleichfalls aus der Mode gekommene Bezeichnung für »Rechtsanwalt« einschließt.

Dr. Sperber war also ein Original unter den Wiener Advokaten, und nicht das einzige. Es gab damals auch noch andere »Verteidiger in Strafsachen«, die zu einer weit über ihren Stand hinausreichenden Berühmtheit gelangt waren – durch die rhetorische Brillanz ihrer Plädoyers, durch den Scharfsinn ihrer Beweisführung, durch ihre Kenntnis der Gesetze und Gesetzeslücken (in der sie nicht selten den Richter oder den Staatsanwalt übertrafen). Dr. Sperber besaß all diese Qualitäten und noch eine mehr, nämlich Witz; nicht nur im Sinn von Gewitztheit, sondern im Sinn einer hinreißenden Pointierungskunst und eines sonst nur bei Bühnenprofessionals anzutreffenden »timing«, das ihn befähigte, genau im richtigen Augenblick das Richtige zu sagen.

Manche seiner Aussprüche erreichten den Rang von Zitaten, ja sogar den der Anonymität: man kannte nur noch den Ausspruch, nicht mehr den Urheber. Sperber trug's mit Fassung. »Wer hätte gedacht«, so tröstete er sich, »daß aus einem mährischen Juden jemals ein Volkslied werden könnte …«

Gleich vielen anderen, die schon zu Kaisers Zeiten das geistige Gepräge der Haupt- und Residenzstadt Wien mitbestimmt hatten, stammte Sperber aus Mähren, wo die deutschen, slawischen, magyarischen und jüdischen Elemente der alten Monarchie eine besonders fruchtbare Mischung eingegangen waren. Äußerlich glich er am ehesten einem jüdischen Verwandten Franz Schuberts, zumindest wenn er saß und wenn sein massiger, schwarzlockiger Schädel mit dem von Koteletten eingefaßten Gesicht ihm zu kurzem Nickerchen auf die Brust gesunken war. Er schlief oft und gerne, er schlief im Kaffeehaus, im Gerichtssaal, in der Straßenbahn, wo immer sich's traf. Übertriebene Körperpflege war seine Sache nicht, das keineswegs saubere Vorhemd sprang ihm bei jeder Gelegenheit aus der von Zigarettenasche bedeckten Weste, auch mit dem Rasieren nahm er's nicht genau – Eitelkeit, kurzum, lag ihm in jeder Hinsicht fern. Zu seiner ohnehin auffälligen Erscheinung kam noch eine zugleich dröhnende und gequetschte Stimme, die ein sonderbares Röhren erzeugte, und zwar in jeder Tonlage, auch wenn er noch so leise sprach (oder zu sprechen glaubte). Man mußte ihm zuhören. Und man tat es gerne.

Bleibt noch zu ergänzen, daß dieser Dr. Hugo Sperber ein seelensguter Mensch war, daß sich hinter seinem verschrobenen, fast schon verrückten Gehaben ein warmes, mitfühlendes Herz verbarg und daß seine Hilfs- und Opferbereitschaft in krassem Gegensatz zu seinen materiellen Möglichkeiten stand. Er hat manch lukrative Causa ausgeschlagen, um irgendeinen armen Schlucker ex offo zu verteidigen, und nach einiger Zeit wurde ihm keine lukrative Causa mehr angeboten. In seinen letzten Lebensjahren ging es ihm erbärmlich schlecht, aber seine gute Laune und seine Selbstlosigkeit wurden dadurch nicht beeinträchtigt, bis zum Schluß nicht, bis zum grauenhaften Ende, das ihm die braunen Barbaren bereiteten. Sie hielten seine absurde Ausdrucksweise – die ihm längst zur Natur geworden war und die er nicht mehr ändern konnte – für eine Herausforderung, sie fühlten sich von ihm verhöhnt, und sie haben ihn buchstäblich totgetrampelt.

Ob er das kommen gesehen hat? Sein eigenes Ende wohl kaum. Aber daß der Machtantritt Hitlers keine vorübergehende Episode bedeutete, sondern den Beginn einer neuen, verhängnisvollen Ära, war ihm – als einem der wenigen unter uns – schon 1933 klar.

»Hitler ist Reichskanzler geworden!« röhrte er, als er am Abend des 30. Januar 1933 zur Kaffeehaustüre hereingewatschelt kam. »Für die nächsten hundert Jahre sind wir verpflegt.«

Dann setzte er sich an den Kartentisch.

Er war ein leidenschaftlicher Kartenspieler, ein Meister zumal des in Österreich als klassisch geltenden Tarock, das ein wenig dem deutschen Skat ähnelt und über dessen geheimnisvolle Symbolik Fritz von Herzmanovsky-Orlando in seinem Roman »Maskenspiel der Genien« ebenso Tiefgründiges wie Verwunderliches kundgetan hat. (Der Roman spielt in einem »Tarockanien« geheißenen Traumreich, das von vier Königen regiert wird und ein phantastisches Gegenstück zu Robert Musils später entstandenem »Kakanien« darstellt.)

Ein zweites Lieblingsspiel Sperbers war das aus Ungarn importierte »Dardeln«, zu dem man doppeldeutsche Karten verwendet. Es weist nach Aussage von Kennern (denen ich nicht beizuzählen bin) Ähnlichkeiten mit dem schweizerischen »Jassen« auf und kann, anders als das zu zweit, zu dritt oder zu vier spielbare Tarock, nur zu zweit gespielt werden. Sperbers bevorzugter Partner war Dr. Franz Ellbogen, ein Bohemien reinsten Wassers und wohlhabender Herkunft, mit vielerlei kleinen Talenten ausgestattet und als Vortragender seiner eigenen Couplets ein beliebter Stammgast der »Reiss-Bar«, wo sich Wiens arrivierte Künstler mit ihren Bewunderern trafen.

Wenn Sperber und Ellbogen im Kaffeehaus »dardelten«, reichte die Schlange der Kiebitze oft bis auf die Straße hinaus, die Aussprüche der beiden Spieler wurden von den Zunächststehenden weitergegeben und durchliefen die Reihe so lange, bis auch der letzte sich vor Lachen krümmte. Die Ansagen erfolgten manchmal auch griechisch oder lateinisch. »Habeo dardulum!« konnte man da beispielsweise hören, und »Quousque?« (»Bis wohin?«) fragte der Partner. »Mechri tu basileos en to chloró«, lautete die von Rom nach Hellas umgeschaltete Antwort (»Bis zum König in Grün«). Bei den Schachspielern im Café Central ging es ganz ähnlich zu; gelegentlich erklangen dort sogar hebräische Brocken.

Überhaupt muß – schon weil es die damaligen Bohemiens hoch über ihre intellektuellen Nachfahren von heute hinaushebt – das Faktum vermerkt werden, daß all diesen Käuzen und Kaffeehauspflanzen (und noch den nutzlosesten Nichtstuern unter ihnen) ein gewaltiger Bestand von Bildungsgut und Kenntnisreichtum zu eigen war, den sie auch bei ihrer Umgebung als selbstverständlich voraussetzten. Wenn Sperber mich mit dem Zuruf: »Friedrich, mein Geschoß!« begrüßte, hatte ich ganz einfach zu wissen, daß er damit eine Stelle des Tell-Monologs variierte: »Ich lebte still und *friedlich, mein Geschoß/* War auf die Tiere nur des Walds gerichtet.« Erläuterungen wurden weder erteilt noch erwartet. Wer sich nach dem Sinn eines ihm unverständlichen Ausspruchs erkundigte, tat das auf eigene Gefahr.

Da er das Tarockspiel mit Recht als seine Domäne betrachtete, änderte Sperber die üblichen Ansagen und Bezeichnungen nach eigenem Geschmack und änderte sie so erfolgreich, daß man sich schließlich – auch wenn er selbst gar nicht mitspielte – nur noch der Sperberschen Terminologie befliß. Den »Talon«, die je drei verdeckt auf dem Tisch liegenden Karten, die erst umgedreht werden dürfen, nachdem ein Spieler die Partie »aufgenommen« hat, nannte man den »Mutterleib«, ein schon vorher angesagtes »Contra« hieß »Vergehen gegen das keimende Leben«, und die im Siegesfall gewonnenen Punkte waren die »Mutterleibsprämie«.

Wenn allerdings im Verlauf der Partie eine Karte – meist infolge nachlässigen Ausspielens – mit der Rückseite nach oben auf dem Tisch landete, geriet Sperber in Zorn: »Am Popo erkenne ich keine Gesichtszüge!« Und er erhob es zur Regel, daß der Schuldige, bei sonstiger Verhängung eines Strafpunkts, die Karte selbst umdrehen mußte.

Verrechnet wurde streng, aber gerecht, wobei man im voraus festlegte, ob nach der »Lex Perutz« verrechnet werden sollte oder nicht. Diese Lex, eingeführt von dem auch am Tarocktisch hervorragend begabten Schriftsteller Leo Perutz, sah eine Abrundung der Verlustsumme nach unten vor, so daß beispielsweise statt S 7.78 nur 7.50 zu bezahlen waren. Nach einer von Sperber geschaffenen Notverordnung konnte sich diese Summe »unter drakonischer Anwendung der Lex Perutz« sogar auf 7 Schilling reduzieren.

Ein Tarockpartner Sperbers, der angesehene Nationalökonom Dr. Alfred Schwoner, hatte einen noch größeren terminologischen Triumph zu verzeichnen:

In manchen Partien bot die Verteilung der Blätter den einzelnen Spielern keine Möglichkeit einer Sonderprämie, keine

»Trull«, keine »Hochköpfe«, keinen »Pagat ultimo«, nichts außer den zum Gewinn ausreichenden Punkten. Das aber fanden die Meister des Spiels zu langweilig, um sich damit aufzuhalten. Wenn also einer der drei Spieler sicher war, daß er die reiz- und prämienlose Partie gewinnen würde (was die beiden anderen auf Grund ihrer Blätter sehr wohl beurteilen konnten), dann schlug er vor, auf die zeitraubende Austragung zu verzichten und ihm die Punkte gutzuschreiben. Dieser Vorschlag wurde erstmals von Dr. Schwoner gemacht und erfolgte seither durch Ausrufung seines Namens, von dem spätere Teilnehmer einer Meisterpartie gar nicht mehr wußten, welche Bewandtnis es mit ihm hatte. Es konnte geschehen, daß Dr. Schwoner zeitunglesend im Kaffeehaus saß und aus dem Kartenzimmer seinen Namen rufen hörte, der nicht seiner Person galt, sondern der von ihm erfundenen Ansage. Erfindername und Erfindung waren identisch geworden. Und solches ist zu Lebzeiten wahrlich nur wenigen beschieden.

Manchmal, sehr selten, kam es vor, daß einer der anderen Spieler sein Blatt für stark genug hielt, den angesagten »Schwoner« abzulehnen und dem Ansager den Sieg streitig zu machen. Sperber kleidete seine Ablehnung in die volltönend alliterierenden Worte: »Schwoners Schweif schwingt schwächlich!« Diese Wendung blieb allerdings ihm allein vorbehalten.

Er wußte noch andere zu prägen, denn sein Spieltrieb erstreckte sich auch auf die Sprache und bemächtigte sich sogar der altehrwürdigen Tarock-Usance, das Ausspielen einer Karte mit der gemurmelten Ansage ihrer Farbe oder ihres Valeurs zu begleiten (überflüssigerweise, weil's ja ein jeder sieht). Sperber fand an diesem sterilen Brauchtum kein Genüge und belebte es etwa beim Ausspielen eines Zehners durch die Ansage: »Dahastazéna – das indische Volksmärchen«; beim Ausspielen eines Caro-Buben hieß es: »Caróbua – die brasilianische Heilpflanze«, und wenn er einen Achter hatte, verlautbarte er: »Chabanachta – der phönikische Unterfeldherr«. Seine Wortverdrehungen gingen so weit, daß ein uneingeweihter Kiebitz überhaupt nicht mehr begriff, wovon die Rede war.

Auf arglistige Weise machte sich der Tarockspieler Bloch die Gepflogenheit mechanischer Ansagen zunutze. Er murmelte beim Ausspielen eines Caro scheinbar irrtümlich »Herz« oder bei Treff scheinbar irrtümlich »Pique« – bis man ihm dahinterkam, daß er damit seinem Partner die Farbe anzeigte, die jener ausspielen sollte. Das wurde ihm mit sofortiger Wirksamkeit verboten. Bloch mußte von Stund an entweder korrekt murmeln oder stumm bleiben.

Sperber griff die Sache auf und versah (keineswegs murmelnd, sondern laut hörbar) beispielsweise ein von ihm ausgespieltes Treff mit der Bemerkung: »Caro, würde Bloch sagen!« Dagegen war man machtlos.

Häufig wurde das Ausspielen eines Treff von der rätselhaften Ansage »Trefe, der Gerichtsdiener« begleitet, oder so verstand es der Halbgebildete, dem »trefe« (hebr. »unrein«) als Gegenteil von »koscher« (hebr. »rein«) bekannt war und der vergebens sann, was die jüdischen Speisegesetze mit der Farbe Treff zu tun hätten. Der wirklich und umfassend Gebildete jedoch durchschaute den phonetischen Trick und wußte, daß die zitierte Floskel einem gerichtsamtlichen Verordnungsblatt entstammte, das die persönliche Zustellung von Anklageschriften regelte: »Träfe der Gerichtsdiener den Beklagten nicht zu Hause an, so ist ein diesbezügliches Benachrichtigungsformular zu hinterlassen, welches ...«

Kartenpartien, an denen Dr. Sperber teilnahm, erstreckten sich gewöhnlich bis in die frühen Morgenstunden, aber man fragte ihn sicherheitshalber vor Beginn der Partie nach deren mutmaßlicher Dauer. Die Antwort: »Leider habe ich morgen keine längere Verhandlung« deutete auf einen baldigen Abschluß hin; sie wollte besagen, daß Sperber am nächsten Tag keine Gelegenheit finden würde, im Gerichtssaal zu schlafen, und daher einer ausgiebigen Nachtruhe bedürfe. Wenn das nicht der Fall war, bekam man auf die Frage: »Wie lange spielen wir?« den Sperberschen Bescheid: »Bis zum Eintreten der Schüler.« Das bezog sich auf eine Stelle der »Haggada«, aus der in frommen jüdischen Häusern am Vorabend des Pessachfestes vorgelesen wird und die unter anderm erzählt, wie eines Nachts im biblischen B'ne-B'rak drei gelehrte Rabbiner so lange disputierten, bis sie durch das »Eintreten der Schüler« daran gemahnt wurden, daß die Zeit zur Verrichtung des Morgengebetes gekommen sei.

Der berühmte, aus dem Osten der ehemaligen Monarchie stammende Tragöde Rudolf Schildkraut (dessen Sohn Joseph später zum Hollywood-Star wurde) gastierte in Wien als König Lear, als Nathan der Weise und in einigen anderen Paraderollen. Seine Vorliebe für das Tarockspiel paarte sich mit einem genießerischen Sinn für Humor, und als man ihm von Dr. Sperber erzählte, brannte er darauf, den kauzigen Gesellen kennenzulernen. Nun war aber Sperber, wie das bei Käuzen häufig geht, im Verkehr mit Unbekannten schüchtern und verschlossen, und vollends in Gegenwart von Berühmtheiten brachte er kaum ein Wort hervor, schon gar nicht ein witziges. So geschah es denn auch bei der endlich zustandegekommenen Begegnung mit dem großen Mimen. Zu Schildkrauts Enttäuschung beschränkte sich Sperber auf nichtssagende, verlegene Phrasen: »Wo haben Sie Ihre ständige Partie, verehrter Meister? ... Im Café Reichsrat, so so ... Immer am Nachmittag, vermute ich ... Und wie sind Sie sonst mit Ih- · rem Aufenthalt zufrieden?« Schildkraut antwortete dementsprechend, und die Unergiebigkeit der Konversation nahm allmählich ein lähmendes Ausmaß an.

Um ihr ein Ende zu bereiten, schritt man zum Spiel. Es wurde ausgeteilt. Dr. Zeisel, der das Treffen arrangiert hatte, nahm die Partie auf und wurde somit von Schildkraut und Sperber gemeinsam bekämpft. Schildkraut, vor Sperber sitzend, mußte ausspielen. Natürlich konnte er beim erstenmal nicht wissen, welche Farbe seinem Partner willkommen wäre und welche nicht. Unglückseligerweise entschied er sich für eine Farbe, die in Sperbers Blatt fehlte, so daß er ihn mitten ins Tarock-Gekröse traf. Im selben Augenblick war es mit Sperbers Verhemmtheit radikal vorbei:

»O Sie ostjüdische Mißgeburt!« röhrte er. »Welches Ghetto hat Sie ausgespien?!«

Der Bann war gebrochen, und Schildkraut hat dann noch viel zu lachen bekommen.

Einschaltung für Tarock-Experten:

Die im Café Central beheimateten Meisterspieler hatten eine unglaublich komplizierte Abart des ohnehin anspruchsvollen »Königrufens« erfunden, die sie »Rostopschin« nannten. Hier gab es außer dem »Pagat ultimo« – der angesagten Verpflichtung, mit dem niedrigsten Tarock den letzten Stich zu machen – noch einen »Uhu pre-ultimo«, nämlich die Ansage, daß man mit dem zweitniedrigsten Tarock den vorletzten Stich machen würde, was im Fall des Gelingens eine hohe Punktprämie einbrachte. Eine noch höhere Prämie erzielte, wer im Verlauf der Partie mit den Tarockwerten

XVII und XVIII zwei Stiche hintereinander machte. Das war nicht im voraus anzusagen, sondern erst beim Ausspielen, und zwar bei der ersten Karte mit »Ross!« und bei der zweiten mit »Topschin!«, sonst galt's nicht. Die fünf oder sechs Matadore, die diese überzüchtete Tarock-Variante beherrschten, hielten auf so strenge Exklusivität, daß man eine formelle Aufnahmsprüfung ablegen mußte, um als Kiebitz zugelassen zuwerden.

Um jene Zeit lebte ich abwechselnd in Prag und Wien. In Prag stand mir die Wohnung meiner Mutter zur Verfügung, in Wien bezog ich – herkömmlicher Studentenart folgend, auch als ich kein Student mehr war – ein Zimmer bei irgendeiner möblierten Witwe. Wenn ich für den Aufenthalt in Prag nur ein paar Wochen vorgesehen hatte, bezahlte ich mein Wiener Untermietzimmer weiter, andernfalls mußte ich mir nach meiner Rückkehr ein neues suchen. Und ich ließ es mir angelegen sein, mich immer möglichst nahe von Dr. Sperbers Wohnhaus einzuquartieren, weil ich mir das Vergnügen des gemeinsamen nächtlichen Heimwegs erhalten wollte.

Zum Ritual dieses Heimwegs gehörte es, daß wir bei einem der vielen »Würstelstände« Station machten, die damals in weit größerer Zahl als heute das nächtliche Straßenbild Wiens beherrschten. Der unsrige befand sich am Schottentor. Er wurde nicht, wie üblich, von einem Würstelmann geführt, sondern von einer ebenso beleibten wie geschwätzigen Würstelfrau. Sperber pflegte dort eine »Burenwurst« zu konsumieren (manchmal auch zwei oder drei, denn er entwickelte selbst zu später Nacht- oder früher Morgenstunde enormen Appetit), ich ließ es bei einem Apfel bewenden, den ich mir als Stammkundschaft selbst aussuchen durfte. Eines Nachts wollte sich keiner finden, der mir zusagte, alle waren verfault oder sahen so aus und wirkten jedenfalls wenig einladend. Als ich zum dritten- oder viertenmal nach einem neuen Apfel griff, begann der Redeschwall unsrer Würstelfrau auf mich loszuprasseln:

»Das sind sehr gute Apferln junger Herr das sind keine schlechten Apferln die sind nur vom Transport bissel ang'schlagen drum haben s' die kleinen braunen Flecken der Herr das müssen S' Ihnen vorstellen wann die Holzwatta zwischen die einzelnen Apferln zu dünn is dann schlagen s' halt beim Transport gegeneinander und da kriegt so ein Apferl einen braunen Fleck und wann s' dann nocheinmal gegeneinanderschlagen kriegt's vielleicht noch einen zweiten und –«

An dieser Stelle unterbrach der immer nervöser gewordene Dr. Sperber die würstelfrauliche Redeflut:

»Die Genesis, liebe Frau, ist *nicht* interessant!«

Es war vermutlich das erstemal in ihrem Leben, daß die Würstelfrau das Wort »Genesis« hörte. Sie verstummte erschrocken.

Mit weiblichem Dienstpersonal hatte Sperber überhaupt seine Schwierigkeiten, besonders mit den Garderobe- und Abortfrauen der diversen Wiener Kaffeehäuser. In seinen Augen waren es lauter Hexen, eigens ausgesandt, um ihm das Leben zu erschweren. In einem der Nachtcafés, die wir frequentierten, hatte die Abortfrau – von Sperber dieserhalb als »Abortfrau mit erweitertem Kompetenzkreis« bezeichnet – auch das Kartenzimmer zu betreuen, womit sie sich Sperbers zusätzliche Abneigung einhandelte. Es erregte nicht geringes Aufsehen im ganzen Lokal, als Sperber einmal aus dem Klosett (er nannte es »Stoffwechselstube«) hervorgestürzt kam und seine röhrende Stimme zu lautem Zorngeheul steigerte:

»Abortfrau! Abortfrau! Wo soll das hinführen? Ich bin Rechtsanwalt und Sie sind Abortfrau. Wenn ich gegen meine beruflichen Pflichten verstoße, habe ich eine Disziplinarstrafe zu gewärtigen und kann sogar aus der Advokatenkammer ausgeschlossen werden. Abortfrau! Möchten Sie mir gefälligst sagen, was in einem Parallelfall mit Ihnen geschieht oder an welche höhere Berufsinstanz ich mich wenden kann, um das zu erfahren?!«

So ging es noch minutenlang weiter, ehe die Ursache seines Tobens sich herauskristallisierte: das Klosettpapier war zu Ende gegangen und nicht erneuert worden.

Bei einem Nachmittagsnickerchen in einer der hintersten Logen des Café Herrenhof wurde Sperber durch einen zufällig hereingeschneiten Gast aufgestört, der in der Nebenloge Platz nahm, nur »rasch eine Kleinigkeit« essen wollte und den Schlafbedürftigen obendrein dadurch erbitterte, daß er sämtliche Vorschläge des Kellners Franz als zu opulent zurückwies. Selbst das angebotene Schinkenbrot überstieg seinen Appetit. Der ratlos gewordene Franz machte einen letzten Versuch und empfahl ein weichgekochtes Ei, also wahrlich das Minimum einer Bestellung.

Auch das sei ihm noch zu viel, beharrte der schwierige Gast.

Da aber jaulte Sperber auf:

»Franz! Fangen Sie dem Herrn eine Fliege, damit endlich Ruh ist!!«

Einmal hatten ihn wohlhabende Freunde zu einem ausgiebigen Abendessen mit anschließendem Nachtbummel eingeladen – wofür Sperber sehr empfänglich war, besonders für das ausgiebige Essen, an dem es ihm schon seit längerer Zeit gebrach; lagen doch seine Finanzverhältnisse noch bedeutend tiefer im argen, als es der allgemeinen Wirtschaftskrise entsprochen hätte.

Indessen wirkte sich die Krise auch auf das Wiener Nachtleben aus: die vornehme Tanzbar, in die sich die Gesellschaft anschließend begab, hatte keinen einzigen Besucher aufzuweisen. Um so prompter funktionierte der im Nachtgeschäft übliche Kundendienst: ein geheimes Klingelsignal des Portiers gab das Nahen von Gästen bekannt, im Lokal wurde eilends Betrieb vorgetäuscht, die Kapelle intonierte eine flotte Tanzweise, zwei Kellner machten sich mit Tassen, Gläsern und sonstigem Zubehör an den Tischen zu schaffen, der Eintänzer tanzte mit der Eintänzerin – es waren wirklich alle Möglichkeiten ausgenützt.

Sperber erfaßte die Situation:

»Ich möchte wetten, die Abortfrau sitzt am Häusel und kackt!«

Seine Abneigung gegen »Abortfrauen mit erweitertem Kompetenzkreis« bedeutete keineswegs, daß er dem männlichen Kaffeehauspersonal besondere Sympathie zuwandte. Die Kellner, die für die Versorgung der Kartenspieler mit den nötigen Requisiten zuständig waren, drängten immer wieder auf eine Bestellung, und Sperber, von chronischer Geldknappheit verfolgt, suchte dem Konsumationszwang immer wieder zu entgehen. Das führte, als sich ein diensthabender Kellner besonders hartnäckig zeigte, zu folgendem Dialog:

»Was wird angenehm sein, Herr Doktor?«

»Ein Paket doppeldeutsche Karten, ich sagte es ja schon.«

»Jawohl bittesehr. Und was noch?«

»Ein Ersatzpaket.«

»Wünschen Herr Doktor sonst noch etwas?«

»Eine Tafel, eine Kreide *und* einen Schwamm, bevor Sie weiterfragen!«

Der Kellner brachte das Gewünschte und blieb, auch als die Partie schon begonnen hatte, immer noch wartend stehen.

»Herr Ober«, wandte sich Sperber mit erhobener Stimme an ihn. »Merken Sie nicht, daß Ihrer Anwesenheit lediglich dekorative Bedeutung zukommt?«

Mit seiner intellektuell verschraubten Ausdrucksweise zielte Sperber nicht etwa darauf ab, sich über Gesprächspartner von geringerem Bildungsniveau lustig zu machen. Er konnte nicht anders. Es war ihm nicht gegeben, sich »normal« auszudrücken. Die verständnisvolle Heiterkeit, die er damit im Gerichtssaal hervorrief, ließ ihn im Grunde ebenso gleichgültig wie das Unverständnis, auf das er außerhalb des Gerichtssaals stoßen mochte. Und jetzt wird es Zeit, von den zahllosen Aussprüchen, denen er seinen advokatorischen Ruf und Ruhm verdankte, wenigstens eine kleine Anzahl vor der Vergessenheit zu bewahren.

Der wahrscheinlich populärste dieser Aussprüche, der jahrelang in allerlei Variationen (und schließlich ohne Quellenangabe) kursierte, fiel in der Verhandlung gegen einen von Sperber ex offo verteidigten Einbrecher. Der Mann hatte zwei Einbruchsdiebstähle begangen, den einen bei Tag, den andern bei Nacht, und der Staatsanwalt legte ihm als erschwerend im ersten Fall die besondere Frechheit zur Last, mit der er sein verbrecherisches Handwerk sogar bei Tageslicht ausübte, im zweiten Fall die besondere Tücke, mit der er sich das Dunkel der Nacht zunutze gemacht hatte.

An dieser Stelle erdröhnte der Gerichtssaal von Dr. Sperbers Zwischenruf:

»Herr Staatsanwalt, wann soll mein Klient eigentlich einbrechen?«

Und in der nächsten Sekunde erdröhnte der Gerichtssaal
von Gelächter.

Auch als ein geistig minderbemittelter Hirtenknabe der
Sodomie mit einer Kuh angeklagt war, kam der übereifrige
Staatsanwalt nicht gut weg. Er hielt ein so flammendes Plädoyer, als hätte der armselige Älpler das denkbar gemeinge-
fährlichste Verbrechen begangen, und forderte strenge Bestra-
fung.

Dr. Sperber erhob sich zur Verteidigungsrede, wobei er das
vorbereitete Konvolut ostentativ beiseite legte.

»Die Worte des öffentlichen Anklägers«, begann er im Ton-
fall hoffnungsloser Resignation, »haben mich tief beeindruckt.
Ich kann ihnen nicht widersprechen.« Und mit wuchtigem
Pathos: »Ja ich möchte sogar die Frage hinzufügen: war die
Kuh schon vierzehn Jahre alt?«

Der Hirte wurde zu einer bedingten Freiheitsstrafe verurteilt.

Nicht immer hatten Sperbers Querschüsse den gewünschten
Erfolg. Manchmal bewirkten sie sogar das Gegenteil, wie etwa
im Fall eines jüdischen Stoffhändlers namens Jonas Teitel-
baum, der sich wegen angeblicher Betrügereien vor einem
Schöffengericht zu verantworten hatte. Sperber begann seine
Verteidigungsrede mit den Worten:

»Ich wende mich an diejenigen unter den Herren Schöffen,
für die nicht schon der Name Jonas Teitelbaum ein Schuld-
beweis ist ...«

Wie sich dann zeigte, war der Name Jonas Teitelbaum genau das.

Auch den Raubmörder Gruber – einer Bluttat angeklagt, die er dadurch zu verdecken gesucht hatte, daß er sein Opfer, eine greise Pfründnerin, zerstückelte und die Leichenteile an verschiedenen Orten vergrub (wo einige von ihnen zustande gebracht wurden) – auch diesen allerdings kaum bemitleidenswerten Kriminellen konnte er nicht vor dem Schuldspruch retten, den er mit folgenden bewegten Worten zu mildern hoffte:

»Meine Herren Geschworenen! Lassen Sie sich nicht davon beeindrucken, daß die Grammeln der Ermordeten zerlassen auf dem Richtertisch stehen. Bedenken Sie lieber, daß Gruber aus dem Burgenland stammt, einer Gegend, die außer Ananaserdbeeren und Raubmördern noch nichts hervorgebracht hat …«

Das Urteil lautete auf zwanzig Jahre Kerker.

Etwas besser erging es ihm bei der Pflichtverteidigung eines pensionierten Sektionsrats, dessen Straftat sich wohl nur umwegig schildern läßt. Der alte Herr war nach seiner Pensionierung einer absonderlichen, zwar mit keinerlei Gewalttätigkeit verbundenen, aber doch strafbaren sexuellen Perversion verfallen: er lockte minderjährige Mädchen in seine Wohnung, band eine Seidenschnur an den kümmerlichen Restbestand seiner Männlichkeit und ließ sich von der betreffenden Minderjährigen so lange um den Tisch seines Wohnzimmers herumführen, bis die Führung ihren Zweck erreicht hatte. Die Sache flog auf und der auf Abwege geratene Pensionist wurde vor Gericht gestellt. Dort wußte er vor Scham und Verlegenheit nicht ein noch aus, brachte kein Wort zu seiner Verteidigung hervor und durchkreuzte alle Bemühungen Dr. Sperbers, ihm entlastende Äußerungen zu entlocken, durch hartnäckiges Schweigen. Als er auch auf eine besonders mundgerechte Entlastungsfrage nur durch stumme Abkehr seines schamroten Gesichts reagierte, hob Sperber verzweifelt die Arme:

»Herr Vorsitzender – der kurz angebundene Sektionsrat verweigert die Aussage!«

Ein andrer gab auf die für ihn konstruierten Entlastungsfragen so dumme Antworten, daß Sperber in den Klageschrei ausbrach:

»Herr Vorsitzender – mein Klient verblödet mir unter der Hand!«

Eher gegenteilig verhielt es sich mit einem Einbrecher, der nicht aufhören wollte, ihm während des Plädoyers vermeintliche Entlastungsumstände zuzuflüstern. Sperber versuchte sie eine Zeitlang zu überhören, dann wies er den unerwünschten Souffleur laut hörbar zurecht:

»Lieber Freund, *ich* habe *Sie* nicht beim Einbrechen gestört – stören *Sie* mich nicht beim Verteidigen!«

In einem Zivilprozeß, den zwei streitsüchtige Greise seit Jahren miteinander führten, hatte Dr. Sperber die Verteidigung des 84jährigen gegen den 87jährigen übernommen, aber wann immer es zu einer Tagsatzung kommen sollte, war entweder der eine oder der andre der beiden Kontrahenten gerade erkrankt und nicht verhandlungsfähig. Als zum viertenmal vertagt wurde, meldete sich Dr. Sperber:

»Herr Vorsitzender, ich beantrage die Abtretung des Falles an das Jüngste Gericht.«

Die sogenannten »Bassena«-Prozesse – als »Bassena« bezeichnete man das Wasserleitungsbecken, das in den alten Wiener Wohnhäusern auf dem Gang installiert war, immer nur eines für sämtliche Wohnparteien des betreffenden Stockwerks, und als »Bassena«-Prozesse bezeichnete man die Ehrenbeleidigungsklagen, die aus den Zusammenstößen und Beschimpfungen rund um die Bassena entstanden – diese Prozesse also, meistens im Bezirksgericht Josefstadt vor sich gehend, gaben den Kennern wahre Leckerbissen und reiches Material zur Erforschung der Volksseele ab. Wenn vollends ruchbar wurde, daß Dr. Sperber als Verteidiger fungieren würde, war der kleine Saal des Bezirksgerichts immer zum Bersten voll, und man tat gut daran, sich schon im voraus den Eintritt zu sichern, was am besten durch persönliche Fühlungnahme mit Dr. Sperber geschah.

Als ich mich wieder einmal bei ihm erkundigte, wann der Besuch eines solchen »Bassena«-Prozesses in der nächsten Zeit lohnend wäre, zog er sein kleines, verschmuddeltes Notizbuch hervor und begann zu blättern:

»Warten Sie ... hm ... am nächsten Dienstag bin ich mit einer Dreckschlampen hier ... das ist nichts für Sie ... aber halt! Donnerstag habe ich einen geleckten Arsch, daß Ihnen das Wasser im Mund zusammenlaufen wird!«

Es lief.

1934, nach Auflösung des Parlaments durch Bundeskanzler Dollfuß, installierte sich in Österreich der autoritäre »Christliche Ständestaat«. Das bedeutete das Ende der politischen Parteien, empfindliche Einschränkungen der Meinungsfreiheit, allerlei Deutschtümelei mit unverkennbar antisemitischen Tendenzen, Einführung der Pressezensur und andere ganz- oder halbfaschistische Maßnahmen, die dem großen Nazi-Bruder den Wind aus den Segeln nehmen sollten (den er sich bekanntlich nicht nehmen ließ).

Es bedeutete auch das Ende des Humors im Gerichtssaal, vor allem aber der Toleranz, die ihn geduldet hatte. Als Dr. Sperber im Korridor des oben erwähnten Bezirksgerichts auf einer Türe die Aufschrift »Parteienklosett« mißbilligenden Blicks betrachtete und dem vorbeikommenden Gerichtsdiener lautstark empfahl, diese ebenso undeutsche wie verfassungswidrige Titulatur in »Ständeabort« zu ändern, blieb er zunächst noch ungeschoren. Aber kurz darauf ereilte ihn ein unfreundliches Schicksal. Er hatte, alter Sozialdemokrat der er war, die Pflichtverteidigung eines jugendlichen »Illegalen« übernommen, dem ein nicht ganz geklärtes Sprengstoffattentat zur Last gelegt wurde. In seinem Plädoyer, das auch an anderen Stellen von seiner rührend naiven Fehleinschätzung der neuen Situation zeugte, appellierte er folgendermaßen an die Milde des Gerichts:

»Ich bitte Sie, die Unerfahrenheit des jugendlichen Sprengstoffattentäters in Rechnung zu ziehen. Offenbar wußte er nicht, daß das einzige in Österreich erlaubte Sprengmittel das Weihwasser ist.«

Weder dem Angeklagten noch ihm selbst war damit geholfen. Sperber wurde an Ort und Stelle verhaftet. Die Protektion eines Gerichtsarztes bewirkte seine Überstellung ins Inquisitenspital, der wenig später die Entlassung folgte. Vorher hatte er noch einen Kassiber hinausgeschmuggelt, dessen Text alsbald im Freundeskreis die Runde machte:

»Ich befinde mich im Inquisitenspital, Dollfuß hingegen an der Regierung. Umgekehrt wär' besser ...«

Statt dessen wurde es schlechter und schlechter. Und 1938 wurde es so schlecht, daß Dr. Hugo Sperber sein Leben einbüßte.

ALLES (ODER FAST ALLES) ÜBER FRANZ MOLNÁR

*Große Teile dieses Textes entstammen einem Nachruf, den
ich 1952 auf einer in Wien veranstalteten Gedenkfeier
für Franz Molnár gehalten habe. Eine erweiterte Fassung
erschien im Druck unter dem Titel »Franz Molnár / Ein
Lebensbild in Anekdoten«. Sie wird im folgenden abermals um eine Reihe bisher unveröffentlichter Anekdoten
vermehrt.*

Hätte er nichts weiter geschrieben als die »Fee« oder den
»Schwan« oder das »Spiel im Schloß«: sämtliche Theaterdirektoren in sämtlichen Sprachbezirken würden immer
wieder auf ihn zurückgreifen, wenn ihr Repertoire eines gesicherten (auch gegen Verriß gesicherten) Erfolgs bedarf. Hätte
er nichts weiter geschrieben als »Die Jungen der Paulstraße«:
er bliebe unvergessen als der Schöpfer einer der zauberhafte-
sten Geschichten, die jemals das schmerzlich-zarte Zwielicht
aus Kinderwelt und Knabenseele eingefangen haben. Hätte
er nichts weiter geschrieben als die herbsüße Legende vom
unsterblichen Himmels-Hallodri Liliom: er stünde im kleinen
Kreis der großen Tragikomödien-Dichter auf unkündbarem
Platz. Franz Molnár jedoch, weil er ein Nimmersatt war, hat
»Liliom« geschrieben *und* »Die Jungen der Paulstraße« *und*
»Spiel im Schloß«. Und hätte er das, was er sonst noch geschrieben hat, auf einer Wohltätigkeits-Tombola für talent- und
erfolgsbedürftige Zeitgenossen verlosen lassen, so wäre ein gutes Dutzend von ihnen fürs ganze Leben glücklich geworden.

Seine Erfolge erreichten beispiellose Dimensionen. Es gab Zeiten, da in den großen Theaterstädten Europas zugleich drei Stücke von ihm gespielt wurden, und in New York lief einmal eines seiner Stücke zugleich in drei Sprachen. Er war der einzige nichtenglische Autor, dessen Werke in einer englischen Gesamtausgabe erschienen, während er noch am Leben war; der einzige nichtfranzösische, den die Franzosen als »Boulevardier« akzeptierten; der einzige ungarische, der nicht wie die andern Vertreter der panmagyarischen Schule, von Fodor bis Fekete und von Lengyel bis Lakatos, seine Stücke so schrieb, daß sie für alle Weltsprachen adaptiert werden konnten, sondern er adaptierte die Sprache der Welt für seine Stücke. Er war der geborene Routinier. Sein Griff nach dem Stoff (und wie er den Stoff behandelte) war von nachtwandlerischer Sicherheit, war der Griff eines Könners und Wissers, der Griff einer Meisterhand. Mochte sie mit kaltblütigem Chirurgenmesser die schwierigsten Gewächse und Verschlingungen des Seelenlebens bloßlegen (wobei sie gerade tief genug unter die Oberfläche drang, daß die Operation noch knapp gelingen konnte) – mochte sie die Wirklichkeit mit Schichten und Schleiern überdecken, ein Spiel noch ins Spiel einbauen, ein Zwischenreich aus halbem Tag und halbem Traum sich schaffen –: seine Hand griff niemals daneben. Und es wird niemals festzustellen sein, wann sie vom Hirn aus dirigiert wurde und wann vom Herzen aus, wann es das Hirn war, das sich den souveränen Spaß erlaubte, aus der Vielfalt der von ihm beherrschten Mittel auch etwas Herz hervorzuzaubern, und wann das Herz – in einer leicht genierten Besorgnis, daß es sonst allzu unverhohlen in Erscheinung treten könnte – sich vom Hirn einen schmiegsamen Schuppenpanzer aus Ironie und Detachement anlegen ließ. Jedenfalls blieb es immer spürbar, das Herz. Es ist in den Spielen vom »Gläsernen Pantoffel« und von der »Himmlischen und irdischen Liebe«, es ist in der einfältigen Frömmigkeit des »Wunders in den Bergen«, in den Romanen vom »Grünen Husar« und vom »Musizierenden Engel« und in den leise hingepinselten Skizzen, wie sie etwa in der »Panflöte« oder in »Des Zuckerbäckers goldener Krone« gesammelt sind. Es blinkt und blinzelt durch die Dialoge des »Schwans« und des »Teufels«, des »Gardeoffiziers« und des »Märchens vom Wolf«, es schimmert zwischen den gerissensten Pointen von »Olympia« und »Delilah« hervor, und es bildet manch freundliche Inselbank inmitten der skurrilen Strudel, mit denen Molnár den Fluß seiner autobiographischen Prosa durchsetzt hat.

In dieser autobiographischen Prosa ist auch ein gut Teil Lebensgeschichte jenes einstmals schwarzgelben Kulturkreises zu finden, dessen Edelexportprodukt Ferenc Molnár war, unverkennbar gestempelt vom österreichisch-ungarischsten aller Produktionszentren: vom Kaffeehaus. »Wo ich sitze«, soll Frankreichs Sonnenkönig gesagt haben, »ist die Spitze der Tafel.« Wo Molnár saß, war das Kaffeehaus, auch dann noch, als es dieses Kaffeehaus in der Wirklichkeit Wiens und Budapests gar nicht mehr gab, auch dort noch, wo es dieses Kaffeehaus niemals gegeben hatte: in New York, dem Ort des letzten Lebensjahrzehnts und dem Ort der letzten Ruhe Franz Molnárs. Es war so viel Kaffeehaus in ihn eingegangen, so viel durchlesene Nachmittage, so viel durchschriebene und durchdiskutierte Nächte, daß er vom Kaffeehaus innerlich gebräunt war, wie ein Skilehrer es äußerlich von der Sonne ist. In ihm war er lebendig geblieben, der Virus der geistigen Anregung, der nur in Rauch und Mokkadampf sich züchten ließ. In ihm wirkte es noch, das heilsame Fieber, das vom hitzigen Umschlag der Diskussion erregt wurde, am besten unter Zuhilfenahme von essigsaurem Ton. Er wußte um die Magie des letzten Tisches, wenn von allen anderen schon die umgekehrten Sessel aufwärtsragten wie kahles Knieholz jenseits der Vegetationsgrenze. Und sein Tisch war dann auch der letzte, an dem in der Emigration wehmütiger Rückblick gehalten wurde aufs Unwiederbringliche und das Kaffeehaus erkannt wurde als dieses Unwiederbringlichen zentrale Stätte, als platonischer Ort, als Boden trächtiger Zusammenstöße – als der Schauplatz, kurzum, dem im vorletzten Akt des mitteleuropäischen Dramas ungefähr die gleiche Rolle zukäme wie dem Schlachtfeld bei Shakespeare. »Ein andrer Teil des Kaffeehauses. Getümmel.« So müßte die dazugehörige Regiebemerkung lauten, wenn Molnár das Stück geschrieben hätte.

Daß er's nicht schrieb, lag am letzten Akt. Die unvermutete Wendung, diese eine Drehung der Einfalls-Spirale, durch die sich Molnárs Dramaturgie von der seiner Zunftgefährten unterschied: sie hat sich an ihm selbst betätigt, als er nach Amerika emigrieren mußte. Er, der im Persönlichen wie im Literarischen die gelassene Urbanität des Weltbürgers besaß – er, der in Europa gewöhnlich vier Wohnsitze gleichzeitig unterhielt und von dem man nie genau wußte, ob er gerade in Wien oder Budapest anzutreffen sei, in Paris oder Venedig, in Karlsbad oder an der Riviera – er, dem das aufgezwungene Exil seiner letzten Lebensjahre einfach deshalb nicht behagen konnte, weil er gewohnt war, sich seine Exile selbst auszusuchen –: er war in der Emigration, in dieser Entwurzelung *kat exochen,* seßhaft geworden. Und das paßte ihm nicht, im Doppelsinn des Wortes. Es war ihm nicht recht, und es paßte nicht zu ihm. Er rührte sich kaum noch aus New York hinaus, ja er entfernte sich nur selten und ungern aus dem Umkreis des Häuserblocks, in dem er wohnte. Dort, zwischen fünfter und sechster Avenue, entlang dem Central-Park auf der einen und der 57. Straße auf der andern Seite, befand sich das kleine italienische Restaurant, in dem er zu Mittag, und der kleine jüdische Delikatessenladen, in dem er zu Abend aß, dort war er anzutreffen und empfangsbereit, entweder in einem der beiden Lokale oder auf seinem Spaziergang, den er eine Zeitlang sogar bis zur Südseite der 57. Straße ausdehnte. Denn auf der Nordseite war damals gerade ein Haus niedergerissen worden, und durch die Lücke, die da zwischen den Wolkenkratzern entstand, fiel an manchen Nachmittagen zwischen 2 und 3 Uhr ein wenig Sonne auf das gegenüberliegende Trottoir, ungefähr in der Länge der Klavierhandlung Sohmer. Und auf der solcherart besonnten Strecke, die er infolgedessen »Sohmers Riviera« nannte, ging Molnár dann genießerisch auf und ab, zwanzig Schritte hin und zwanzig Schritte zurück. Das war aber schon sein verwegenster Ausflug.

Und das ist, wenn man's näher besieht, schon eine ganz richtige Molnár-Anekdote.

Mit diesen Anekdoten – die noch nicht einmal zahlenmäßig erfaßt sind – hat es eine absonderliche Bewandtnis. Die meisten Shaw-Anekdoten stammen von Tristan Bernard. Die meisten Bernard-Anekdoten stammen von Sacha Guitry. Und in Wahrheit stammen die meisten Shaw-, Bernard- oder Guitry-Anekdoten von keinem dieser drei, sondern sie wurden ihnen von Witzbolden minderen Ranges zugeschrieben. Hingegen stammen die meisten Molnár-Anekdoten wirklich von Molnár. Er hat, als er einmal als Zeuge zu einer vormittägigen Gerichtsverhandlung erscheinen mußte und als seine

Freunde es unter unendlichen Mühen fertigbekamen, den Nachtvogel und Tagschläfer schon zu früher Morgenstunde auf die Straße zu lotsen – er hat da wirklich auf die vielen einherhastenden Menschen gedeutet und verblüfft gefragt: »Lauter Zeugen?« Er hat, als seine im Groll von ihm geschiedene Ex-Gattin Sári Fedák sich in Amerika als Sári Fedák-Molnár lancierte, wirklich Berichtigungen an die amerikanische Presse verschickt, in denen er feststellte, daß die augenblicklich in New York gastierende Schauspielerin Sári Fedák-Molnár nicht seine Mutter sei. Er fand, von einem nach längerer Pause erfolgten Besuch in Budapest zurückgekehrt, für die dort vorliegende Wirtschaftssituation die wirklich aufschlußreiche Formel: »In ganz Budapest sind noch 2000 Pengö, und die gibt jede Nacht jemand andrer aus.« Und weil zwei Generationen von Stückeschreibern und Feuilletonisten, von Kritikern und Cabaretiers bei ihm in die Schule gegangen waren, ehe sie (mit oder ohne Reifezeugnis) von Wien und Budapest aus ihren Weg und ihren Aufstieg nahmen, nach Berlin und Paris und London, auf den Broadway und nach Hollywood: so tragen auch noch die apokryphen Molnár-Anekdoten die Marke seiner Originalität und seines Charakters. Sie wären nicht entstanden ohne ihn, ohne die sublimierte Schärfe seiner Beobachtungen, ohne die Flanken-Strategie, mit der er Menschen und Situationen erfaßte, ohne den Röntgenblick, den er für ihre Schwächen und Fragwürdigkeiten besaß.

Die Prägnanz seiner Definitionen, die Zielsicherheit, mit der er aus unvermuteter Richtung ins Schwarze traf, grenzte bisweilen ans Unheimliche. Von einem Journalisten, der mit der Wahrheit besonders wüst und willkürlich umsprang, sagte er: »Ein unverläßlicher Mensch. Er lügt so, daß nicht einmal das Gegenteil wahr ist.« Als einmal in New York die Rede auf einen nach Europa zurückgekehrten Kollegen kam, der seine Dünkelhaftigkeit und Arroganz unter den bescheideneren Lebensverhältnissen der Emigration abgelegt zu haben schien und dem man zugute halten wollte, daß er sich in der Emigration gebessert hätte, widersprach Molnár: »Er hat sich nicht gebessert. Er hat nur geschwiegen.« Und einem andern, der sich immer nur in der von ihm allerdings meisterhaft beherrschten »kleinen Form« äußerte, in Feuilletons und Aphorismen und scharfgeschliffenen Glossen, und der trotz Molnárs energischem Zuspruch sich nicht dazu verstehen mochte, sein Talent an größeren Aufgaben zu erproben, sagte Molnár einmal am Schluß einer solchen Debatte: »Also gut, dann bist du eben Weltmeister im Schnellaufen über ein Meter.«

Dergleichen hat ihm keiner nachgemacht. In diesen ebenso vehement wie mühelos zustoßenden Sätzen lag alles, was er den anderen voraushatte. Die Anekdote war die Grundform seiner literarischen und seiner Lebensäußerungen. Nicht der absichtsvoll »witzige« Ausspruch, nicht das bedachtsam zugeschliffene »Bonmot«, sondern die präzise Zusammendrängung des Wesentlichen auf minimalen Raum. Fürs Theater verfuhr er dann umgekehrt und löste das Konzentrat so weit auf, daß es wieder abendfüllend wurde (fast allen seinen Lustspielen, mit dem Welterfolg vom »Spiel im Schloß« als Musterfall, liegt eine knapp erzählbare Anekdote zugrunde). Im Leben ließ er es bei der konzentrierten Fassung bewenden.

Indessen verhielt es sich nicht bloß so, daß Molnár Anekdoten prägte oder Geschichten in Umlauf setzte. Mit Vorliebe – und je älter er wurde, desto häufiger – bediente er sich der Anekdote als Mittel zum Zweck, erzählte er eine wirkliche oder erfundene Geschichte, um seinen Standpunkt klarzustellen oder um sein Urteil über einen Menschen, eine Situation, ein Ereignis abzugeben. Das hatte etwas von talmudischer Kasuistik an sich, vom Väterbrauch, welcher das Gleichnis der direkten Mitteilung vorzog. Überhaupt begann Molnár in seinen letzten Lebensjahren immer mehr einem weisen alten Juden zu gleichen, dem man nichts mehr erzählen kann und der darum lieber selbst erzählt. Kein gütiger Patriarch, beileibe nicht, aber doch ein lächelnder aus überlegener Nachsicht. Molnár war nicht unnachsichtig. Nur seine Formulierungen waren es. Wenn er einen Ausspruch tat, dann war es eine Aussage. Und die Geschichten, die er erzählte, hatten Geschichte in sich.

Er sprach das sehr gewählte, ein wenig altmodische Deutsch, das dem ungarischen Bürgertum der einstigen Monarchie eigen war, und sprach es mit dem leisen Singsang, der von der Tonfärbung seiner Muttersprache herkam. Auf die Beherrschung andrer Fremdsprachen legte er keinen Wert, oder tat doch so: »Ich habe nicht den Ehrgeiz, mit Oberkellnern und Hochstaplern zu konkurrieren.« In Wahrheit war sein Französisch nahezu perfekt, sein Italienisch durchaus passabel, und ich bin niemals den Verdacht losgeworden, daß auch sein Englisch wesentlich besser war, als er's merken ließ. Offenbar wollte er sich auf diese bockige Art gegen die Zwangslage seines amerikanischen Exils zur Wehr setzen. Denn er fühlte sich nicht wohl in Amerika, wenngleich er auch dort ein hochberühmter und erfolgreicher Mann war. In seinem Freundeskreis befand sich kein einziger Amerikaner. Ob das wirklich nur an den Sprachschwierigkeiten lag, auf die er sich immer wieder berief? Er brachte jedenfalls auch diese Hemmung, die eine der schmerzlichsten Erfahrungen unsrer Emigrationszeit war, auf die denkbar schlüssigste Formel. Wir unterhielten uns einmal darüber, daß man sich in einer fremden Sprache nur unfrei ausdrücken kann und im Zweifelsfall lieber das sagt, was man richtig und einwandfrei zu sagen hofft, als das, was man eigentlich sagen will. Molnár nickte bestätigend: »Es ist sehr traurig«, resümierte er. »Ich habe oft mitten im Satz meine Weltanschauung ändern müssen …«

Manchmal wieder bemühte er sich, der amerikanischen Lebensform die guten Seiten abzugewinnen. Auch das besorgte er auf grotesk überspitzte und eben darum überzeugende Art. »Schauen Sie, lieber Freund«, hob er in bedächtig melodischem Tonfall zu erklären an, »es ist doch eigentlich sehr schön hier. Um halb neun stehe ich auf, gehe ins Badezimmer, nehme eine Dusche oder ein Bad, heiß, warm oder lau, alles funktioniert elektrisch, viel besser und viel bequemer als in Europa. Dann kommt das Frühstück – Tomatensaft, Orangensaft oder sonst etwas, was wir in Europa nicht hatten – ausgezeichneter Kaffee – frische Eier direkt von der Hühnerfarm – schmeckt alles wunderbar – dazu lese ich die New York Times, die beste Zeitung der Welt – so wird es langsam elf – no, und was dann noch passiert, spielt schon keine Rolle mehr.«

In den fünf Jahren von 1945 bis 1950, in denen ich sein New Yorker Exil teilte, wohnten wir nur wenige Minuten voneinander entfernt, und es ergab sich fast von selbst, daß wir regelmäßig zusammenkamen, daß ich ihn auf seinen Spaziergängen begleitete oder eine Mahlzeit mit ihm einnahm. Er hatte seine eigenen, sehr persönlichen Verkehrsregeln aufgestellt, die er sorgfältig beachtete. Die Straße überquerte er grundsätzlich nur bei rotem Licht, weil man da, wie er herausgefunden hatte, »wenigstens nur nach rechts und links schauen muß – aber wenn man bei grünem Licht geht, wird man in der Kurve von hinten überfahren«. Daß er mit seinem bedächtigen Spaziergängertempo im Hasten und Jagen ringsum einen zu Zusammenstößen geradezu herausfordernden Fremdkörper bildete, focht ihn nicht an. Hingegen verbitterte es ihn ganz außerordentlich, daß die Leute, die in ihn hineinrannten, sich nachher nicht einmal entschuldigten. Mit der Zeit entwickelte er einen sechsten Sinn für im Rücken herannahende Rempler – und eine eigene Strategie, um ihnen zu begegnen: »Passen Sie auf, lieber Freund. Die Leute haben keine Manieren. Wenn sie einem auf die Füße steigen, laufen sie weiter, als ob nichts geschehen wäre. Da muß man ihnen vorher den Ellbogen in die Magengrube rennen. Dann erschrecken sie und entschuldigen sich.« (Daß er damit zugleich das außenpolitische Verhalten der Amerikaner auf eine Formel gebracht hatte, ahnte er damals noch nicht.)

Von den Erleichterungen im Reiseverkehr mit Europa, die nach dem Krieg eintraten, wollte er zunächst nichts hören, und die ersten Kartengrüße, die seine wagemutigen Kollegen ihm von Besuchen in der alten Heimat schickten, schob er angewidert beiseite: »Wie gefällt Ihnen das? Abschaum schreibt Ansichtskarten!« Allmählich aber begann es an ihm zu nagen. Er erwog eine Reise nach Paris – »der einzigen Stadt, wo man in einem Café nur um Schreibzeug bitten muß, und schon wird man mit Maître tituliert«. Dann verwarf er Paris zugunsten Italiens, und zwar einer italienischen Hafenstadt. Auch davon kam er bald wieder ab. Die Verhältnisse in Europa waren ihm zu unsicher. »Aber doch nicht so unsicher, daß man Angst haben müßte, Herr Molnár?« – »Sie verstehen mich nicht, lieber Freund. Ich bin ein älterer Mensch und ein wenig nervös. Ich möchte ganz sicher sein, daß ich im Notfall sofort wegkann. Das heißt, daß ich in einer Hafenstadt bleiben muß. Und zur Beruhigung meiner Nerven wohne ich natürlich in einem Hotel mit Aussicht auf den Hafen, wo das amerikanische Kriegsschiff liegt. Sogar am Abend, wenn ich schon zu Bett gegangen bin und das Licht ausgelöscht habe, möchte ich mich noch einmal überzeugen, daß alles in Ordnung ist. Was tue ich? Ich stehe auf und laufe zum Fenster, um hinauszuschauen. Barfuß. Im Nachthemd. Wenn ich das ein paarmal mache, habe ich die schönste Lungenentzündung. Soll ich vielleicht nach Europa fahren, damit ich in irgendeinem dreckigen Hafenhotel krepiere? Fällt mir gar nicht ein.«

Es war ihm auch niemals eingefallen, nach Hollywood zu gehen. Er als einziger wahrte diese Standfestigkeit selbst den lockendsten Angeboten gegenüber. Er hatte sich ausgerechnet, daß die finanzielle Lockung sich auf die Dauer in ein Verlustgeschäft verwandeln würde, und auch das wußte er mit einer gleichnishaften Geschichte zu begründen; sie stammte noch aus jener Zeit, als er alljährlich ein paar Sommerwochen in Karlsbad verbracht hatte: »Da gibt es doch sehr viele schöne Geschäfte, wie Sie wissen. Und da stehe ich einmal vor der Auslage von so einem schönen Geschäft, und neben mir steht eine ungarische Mutter mit ihrer Tochter. Sehr dicke Tochter. Und ich merke, wie die Mutter der sehr dicken Tochter etwas ins Ohr flüstert und dabei unauffällig auf mich deutet. Und plötzlich dreht sich die dicke Tochter nach mir um und sagt laut und enttäuscht: ›Der?! Den seh ich doch jeden Tag!‹ Und deshalb, lieber Freund, gehe ich nicht nach Hollywood ...«

Er tat natürlich gut daran, nicht hinzugehen. Für die Filmrechte seiner erfolgreichen Lustspiele wurden ihm Phantasiesummen bezahlt, wie sie ihm nie bezahlt worden wären, wenn man ihn jeden Tag dort gesehen hätte; und als Rodgers & Hammerstein aus »Liliom« ein Musical machten, das unter dem Titel »Carousel« jahrelang am Broadway lief, brauchte er keinen Finger zu rühren, um einen gewaltigen Tantiemenanteil zu beziehen.

Er selbst hat in diesen Jahren nur noch ein einziges Stück geschrieben, die Komödie »Panoptikum«, deren deutsche Bühnenbearbeitung er mir übertrug. Ich mußte sie mangels ungarischer Sprachkenntnisse auf Grund einer englischen Rohübersetzung durchführen. Bald fiel mir auf, daß im Dialog auf besonders wirksame Pointen sehr oft ein inhaltsloser Nachsatz folgte, der mir vollkommen überflüssig schien. Ich hielt das zuerst für eine Unzulänglichkeit der englischen Übersetzung, wollte aber ganz sicher gehen und erkundigte mich bei Molnár, was diese läppischen Leerläufe zu bedeuten hätten und warum ein Schauspieler nach einem garantierten »Lacher« noch hinzusetzen müßte, daß es jetzt schon spät sei oder daß es morgen möglicherweise regnen würde. Molnár sah mich beinahe mitleidig an:

»Weil Sie Schauspieler nicht kennen, lieber Freund. Wissen Sie, was das für neidige Schurken sind? Wenn einer eine Pointe hat, gönnt ihm der andre die Wirkung nicht und beginnt zu sprechen, während das Publikum noch lachen will. Also muß der, der die Pointe hat, noch einen Nachsatz bekommen. Dann kann er schön warten, bis das Publikum genug gelacht hat – und gibt dem Partner erst dann das Stichwort zum Weiterreden. Verstehen Sie jetzt?«

Ich verstand. Und als ich die Bearbeitung fertig hatte, verstand ich noch um einiges mehr.

Indessen besaß (und betätigte) Molnár den gleichen kritischen Blick auch für seine eigenen Schwächen. Er hielt vor sich selbst so wenig inne wie vor den anderen – als wollte er ihnen zeigen, wie sie's zu machen hätten, und sie zugleich in ihre Schranken verweisen: wenn schon jemand auf Molnárs Kosten witzig wird, dann doch am besten Molnár. Als ihm während einer längeren Abwesenheit aus Budapest zugetragen wurde, daß die Freundin, die er dort zurückgelassen hatte, ihn mit Krethi und Plethi hinterginge, replizierte er sieghaft: »Ja, aber umsonst! Für Geld – nur mit mir!«

Diese Selbstironie kam ihm in seinen Liebesbeziehungen überhaupt sehr zustatten, vor allem um seine Eifersucht zu tarnen, die er sich und seiner Umgebung um keinen Preis eingestanden hätte (indessen das Eingeständnis der Eitelkeit, die ihr zugrunde lag, schon wieder zu den von ihm geübten Übertreibungen gehörte). Er hatte – so hieß das zu seiner Zeit, in der man ja auch noch Ausdrücke wie »Weiberheld« und »flatterhaft« gebrauchte – er hatte »Glück bei den Frauen«, ohne sein Glück jemals zu überschätzen oder es gar für beständig zu halten. Da er seinerseits alles eher als beständig war, setzte er bei den Frauen, mit denen er's zu tun bekam, automatisch (und meistens mit Recht) das gleiche voraus, auch bei seinen Ehefrauen, deren es insgesamt drei gegeben hat.

Um welche von den dreien sich's im folgenden handelt, ist unwesentlich – jedenfalls verdächtigte er sie einer theoretisch unerlaubten Beziehung zu einem Budapester Journalisten, den wir Pataky nennen wollen, und stellte sie gelegentlich auf Proben wie diese, die in Form eines unvermuteten Telephonanrufs erfolgte:

»Pataky ist bei dir«, säuselte er mit sanfter Bestimmtheit in den Hörer.

»Wie kommst du darauf? Sei nicht albern!« klang es unmutig zurück.

»Pataky ist nicht bei dir?«

»Nein.«

»Wirklich nicht?«

»Natürlich nicht.«

»Also dann sag jetzt bitte laut und deutlich: Pataky hat Schweißfüße und stinkt aus dem Mund.«

»So etwas Blödes sag ich nicht.«

»Tu mir den Gefallen und sag's.«

»Ich denke nicht daran.«

»Pataky ist bei dir«, resümierte Molnár in unverändert sanftem Tonfall und legte den Hörer auf.

Übrigens war Pataky sowohl mit Molnár wie mit dessen damaliger Gattin von Kindesbeinen an befreundet und genoß dementsprechende Vergünstigungen, durfte nach Belieben kommen und gehen, ließ sich dann und wann einen Imbiß servieren oder machte von der reichhaltigen Bibliothek Gebrauch – und war bei einer solchen Gelegenheit über der Lektüre eines Buches eingenickt, als Molnár nach Hause kam und das Bibliothekzimmer betrat.

Pataky schrak empor und glotzte verlegen.

»Warum fährst du allein auseinander?« fragte Molnár.

Spätestens von diesem Tag an wußte Pataky, daß Molnár im Bilde war.

Madame bekam das an einem Abend zu merken, den Molnár im Theater verbringen wollte und anschließend im Schriftsteller-Club, er würde sehr spät nach Hause kommen, kündigte er an – und hatte längst den Plan gefaßt, durch verfrühte Heimkehr vielleicht auf einen handfesten Beweis in Sachen Pataky zu stoßen. Als es soweit war, verließ ihn der Mut zum Überraschungseffekt, das geplante Manöver erschien ihm – allerdings eigener Aussage zufolge – eines souveränen Mannes unwürdig, und um einem möglichen Eklat vorzubeugen, rief er von unterwegs zu Hause an, daß er früher kommen würde.

Er fand seine Gattin lesend im Salon, dessen peinlich geordnete Sauberkeit ihm sofort auffiel. Auch die zu solcher Stunde ungewöhnlich reine Luft fiel ihm auf. Man hatte also kurz zuvor gelüftet. Warum? Weil sehr viel geraucht worden war, mehr als eine lesende Gattin rauchen kann, mehr und andres, wahrscheinlich Zigarren, aber die sorgfältig geleerten Aschenbecher wiesen keinerlei Spuren auf.

Molnár begab sich ins Badezimmer. Zurückgekehrt, setzte er sich seiner Frau gegenüber:

»Mein Kind«, sagte er, »ich gebe dir jetzt etwas mit fürs Leben. Wenn du Champagnerstöpsel verschwinden lassen willst, wirf sie *nie* in die Abortschüssel. Sie gehen nicht unter.«

Und auf solche Art Verdacht zu äußern, war eines souveränen Mannes schon eher würdig.

Seiner dritten Gattin, der zauberhaften, 1974 in New York verstorbenen Schauspielerin Lilli Darvas, verdanke ich eine kleine Geschichte, in der Molnár selbst nur passiv auftritt, die aber um ihres Aussagewertes willen verbucht werden muß. Sie hat sich in der Budapester Wohnung des Ehepaars zugetragen, und ihre Heldin ist ein neu aufgenommenes Stubenmädchen, dem von der Hausfrau sofort eingeschärft wurde, sich in einem bestimmten Teil der Wohnung und besonders in der Nähe eines bestimmten Zimmers nur ja recht leise zu verhalten, in diesem Zimmer arbeite Herr Molnár, und Herr Molnár vertrage keinen Lärm.

»Gnädige Frau«, sagte am nächsten Tag das Stubenmädchen und senkte schuldbewußt die Augen, »bitte verzeihen Sie – ich habe irrtümlich die Tür zum Zimmer von Herrn Molnár aufgemacht. Herr Molnár arbeitet nicht. Herr Molnár sitzt am Schreibtisch.«

Nicht nur den Frauen, auch Verlegern und Theaterdirektoren gegenüber hegte er unerschütterliches Mißtrauen, zumal wo es um Abrechnungen ging. Unter den vielen dafür vorliegenden Beweisen ist der folgende nach beiden Richtungen hin ergiebig.

Georg Marton – Inhaber des gleichnamigen, international angesehenen Bühnenverlags und nicht nur ein tüchtiger Geschäftsmann, sondern weitaus witziger als die meisten seiner Autoren – hatte die Filmrechte des Lustspiels »Der Schwan« nach Hollywood verkauft und kam zu Molnár, um ihm den unterschriftsfertigen Vertrag vorzulegen, einen jener nur in Amerika beheimateten, erschreckend umfangreichen Verträge, die jede erdenkliche Eventualität bis ins kleinste erdenkliche Detail berücksichtigen und die noch kein Mensch, Rechtsanwälte ausgenommen, jemals gelesen hat. (»Unterschreiben Sie *nie* einen amerikanischen Vertrag«, lautete eine Warnung, die Molnár – leider überflüssigerweise – viel später einmal an mich richtete. »Irgendwo im Text, niemand weiß wo, steht ein kleingedruckter Absatz: ›Dieser Vertrag ist ungültig.‹ Und dagegen sind Sie wehrlos.«) Zum Zeitpunkt des »Schwan«-Verkaufs, in den späten Zwanzigerjahren, war Molnár der englischen Sprache in keiner Weise kundig, sehr wohl jedoch der von Theaterverlegern geübten Praktiken. Er schlug die letzte Seite des Vertrags auf, warf einen Blick auf die zum Abschluß angegebene Summe und schob das Konvolut zu Marton hinüber:

»Gyuri«, sagte er, »du bist doch auf das Geld genauso scharf wie ich. Es gibt jetzt zwei Möglichkeiten. Entweder ich schreibe mich in die Berlitz School ein und lerne so lange

Englisch, bis ich diesen Vertrag verstehe. Das kann ein bis zwei Jahre dauern. Oder, Gyuri, du zahlst mir das Doppelte von dem, was da unten steht, und ich unterschreibe sofort.«

Gyuri zahlte.

Wer sich Molnárs Unmut zugezogen hatte – sei's aus noch so geringfügigem Anlaß, sei's noch so unbeabsichtigt – mußte auf Schlimmes gefaßt sein. Geringfügigkeit und mangelnde Absicht schützten auch seinen großen Freund Max Reinhardt nicht, der ihm herzlich zugetan war und ihn nicht nur als meisterlichen Beherrscher des Bühnenhandwerks schätzte. Aber das Gulasch, das an jenem Abend auf Schloß Leopoldskron serviert wurde, war flachsig, oder vielleicht hatte nur Molnár eine flachsige Portion erwischt, außerdem kümmerte man sich nicht so um ihn, wie es ihm gebührte – kurzum: er ging verfrüht und verärgert ab. Dabei handelte es sich um einen ganz besonderen Galaempfang, veranstaltet zu Ehren Jack Warners, des Chefs der Hollywooder Filmfirma, mit der Reinhardt damals wegen der Verfilmung des »Sommernachtstraum« unterhandelte; und natürlich lag ihm daran, dem Filmgewaltigen durch eine möglichst große Anzahl europäischer Prominenz zu imponieren. Das alles wußte auch Molnár, und das war es, warum er in der Halle des Salzburger Hotels, in dem er und Jack Warner wohnten, die Heimkunft des Ehrengastes abwartete.

»Oh, Mr. Molnár!« In sichtlich gehobener Stimmung trat Jack Warner auf ihn zu. »Habe ich Sie nicht auf der Party in Leopoldskron gesehen?«

»Allerdings. Aber ich bin früher weggegangen.«

»So? Warum denn? Es war doch ein wundervoller Abend! Und was für interessante Persönlichkeiten Professor Reinhardt eingeladen hatte!«

»Eben. Das ist es ja.«

»Wieso? Was meinen Sie?«

»Solche Sachen hat er doch nicht notwendig.« Molnárs dramaturgische Gerissenheit steigerte die Neugier seines Gesprächspartners immer mehr.

»Ich verstehe Sie nicht«, drängte Jack Warner. »Was hat er nicht notwendig?«

»Daß er für eine Party ein paar Statisten vom Landestheater als Erzherzöge und Bischöfe verkleidet und den Gästen einreden will, daß wirklich lauter prominente Leute zu ihm kommen ...«

Die Verhandlungen über die Verfilmung des »Sommernachtstraum« wären damals beinahe gescheitert.

In der Tat: Molnár kam auf vernichtende Einfälle, wenn es die Durchkreuzung von Plänen galt, die irgendwie auf seine Person und seine Berühmtheit spekulierten. Das mußte auch der Schauspieler Ernst Verebes erfahren, der in Budapest an manch einem Erfolg Franz Molnárs mitgewirkt hatte und später als ebenso erfolgreicher Operetten-Bonvivant in Wien gastierte, wo er – nicht ganz so erfolgreich – die Tochter eines Großindustriellen umwarb. Eines Tages war er mit ihr wieder in der Halle seines Hotels, in dem auch Molnár wohnte, zum Tee verabredet. Die junge Dame erschien, nahm Platz, sah unnahbar und gleichgültig aus den langbewimperten Augen rundum – und zuckte plötzlich zusammen:

»Sitzt dort nicht Molnár?« flüsterte sie mit vor Ehrfurcht ersterbender Stimme.

»Ja«, nickte Verebes nachlässig. »Molnár. Und?«

»Kann man – könnte ich – wenn es Ihnen keine Mühe macht –«

»Sie wollen meinen Freund Feri kennenlernen?« Mit über-
legenem Schwung nahm Verebes die unverhoffte Chance
wahr, seinen Weizen zum Blühen zu bringen. »Nichts leichter
als das.« Und er führte die sichtlich tief Beeindruckte zu dem
Fauteuil, in dem Molnár der Zeitungslektüre oblag:

»Gestatte, lieber Feri, daß ich dich mit Fräulein X. be-
kanntmache, die dich gerne kennenlernen möchte. Und das
ist Ferenc Molnár.«

Molnár klemmte sein Monokel etwas fester und erhob sich:
»Sehr angenehm«, sagte er mit gewinnendem Lächeln.
Dann, die Stirn leicht gefurcht, wandte er sich zu Verebes:
»Und wer, wenn ich fragen darf, sind Sie?«

»Schon gut, Feri, schon gut«, besänftigte Verebes, der offenbar auf derlei immer gefaßt war. »Ich wollte der jungen Dame
nur einen kleinen Gefallen tun.«

»Was heißt da ›schon gut‹? Was ist das für eine Unverschämtheit? Direktor! Chef de réception! Personal! Muß
man sich hier von fremden Menschen belästigen lassen?«

»Aber Feri —«

»Ich verbitte mir das, Sie Flegel! Schauen Sie, daß Sie verschwinden, oder ich werde unangenehm …«

Verebes verschwand. Die bezaubernde junge Dame blieb
zurück.

Damit Molnár hier nicht nur als verkörperter Triumph des
Bösen in Erscheinung trete, sei noch ein Fall vermerkt, in dem
er sich mit einem (wenngleich eleganten) Rückzugsgefecht
zufriedengeben mußte. In diesem Fall war es nämlich er selbst,
der sich erfolglos um die Gunst einer vielumworbenen Berliner Schauspielerin bemühte. Sie hielt ihn hin, sie wich ihm
aus, sie wußte es auch auf einer großen Abendgesellschaft so

einzurichten, daß er sie vergeblich in ein Gespräch unter vier Augen zu ziehen versuchte. Endlich schien ihm das glücken zu wollen: er stellte sie im Bibliothekzimmer, wo sie angelegentlich in ein Buch vertieft war. Das Buch war ein Handlexikon der modernen Dramenliteratur und noch dazu – Molnár erspähte es hoffnungsfroh – beim Buchstaben M aufgeschlagen.

»Wollten Sie etwas über mich erfahren?« erkundigte er sich.

»Hab ich schon«, antwortete die Diva. »War mir neu. Und macht Sie mir eigentlich sehr sympathisch.«

»Was denn?«

»Daß Sie Jude sind.«

Da beugte sich Molnár ein wenig vor und dämpfte seinen Tonfall zu diskreter Vertraulichkeit:

»Ich hab ja gewußt, daß Sie mir draufkommen werden. Aber die Gelegenheit hab ich mir anders vorgestellt.«

Er hing am Leben, am Wohlleben, an sich selbst, und da er weder willens noch in der Lage war, das zu verheimlichen, strich er's lieber gleich heraus, gab sich egoistischer und geiziger, als er's in Wirklichkeit war, und nahm, um den Überschuß zu applanieren, auch hier wieder Zuflucht zu seiner Selbstironie. Die Zeitungsleute, die ihn vor einer als stürmisch avisierten Überfahrt nach Amerika beziehungsvoll fragten, ob er denn gar nicht um sein Leben bange und was er zu tun gedächte im immerhin möglichen Fall einer Schiffskatastrophe, wußte er nachdrücklich zu beruhigen: »Machen Sie sich keine Sorgen um mich. Wenn Sie in den Augenzeugenberichten etwas von einem vornehmen, weißhaarigen Gentleman lesen, der rücksichtslos über Frauen und Kinder weggetrampelt ist, um ins Rettungsboot zu kommen – das war ich.« Dem Freund, der ihn mißmutig in der Halle seines New Yorker Hotels sitzen sah (es war etwa zwei Jahre nach Kriegsschluß und die Verhältnisse begannen sich langsam zu normalisieren), gab er auf die besorgte Erkundung nach dem Grund seiner Übellaune seufzend zur Antwort: »Wissen Sie nicht, was geschehen ist? Man kann wieder Geld nach Budapest schicken.« Und fügte nach einer melancholischen Pause hinzu: »Und jetzt kommt das fürchterlichste Wort, das es überhaupt gibt: monatlich!«

Als es vor meiner Rückkehr nach Europa zum Abschiednehmen kam, war ich darauf gefaßt, von Molnár getadelt zu werden. Aber der Tadel erfolgte aus einem ganz andern Grund, nämlich aus seiner Abneigung gegen das Fliegen. »Fliegen«, so hatte er einmal gesagt, »werde ich erst dann, wenn man dem Piloten beim Aussteigen ein Trinkgeld gibt. Solange der Pilot ein Held ist, fliege ich nicht.« Und pünktlich quittierte er mein Geständnis, daß ich die Reise im Flugzeug anträte, mit einer mißbilligenden Grimasse: »Diese Flugzeuge … sie betrügen einen um das Beste. Bei einem Zugsunglück oder einem Schiffsunglück steht nachher immer so schön in der Zeitung: Bericht eines Augenzeugen. Nach einem Flugzeugunglück habe ich sowas noch nie gelesen …«

Mit diesen Worten im Ohr verließ ich Franz Molnár und verließ sein Hotel, das berühmte »Plaza«, wo er im achten Stockwerk ein nicht eben repräsentables Apartment bewohnte (»Merken Sie sich: immer das billigste Zimmer im teuersten Hotel nehmen!«) und wo sich kurz zuvor eine für ihn besonders typische Geschichte zugetragen hatte:

Während der letzten Jahre hatte Molnár an jedem Donnerstag die wenigen Freunde empfangen, die er noch um sich duldete, in streng bemessener, unveränderlicher Anzahl, und alle waren sich der Verpflichtungen, die ihre Sonderstellung ihnen auferlegte, wohl bewußt. Dennoch geschah es eines Abends, daß einer von ihnen, der intimsten einer, sich überwand und Anlauf nahm und sprach: »Feri! Hör mir bitte gut zu und sei vernünftig. Es lebt in New York ein Mann namens Samuel Kornstreicher aus Budapest. Er ist in deinem Alter, und er hat deine Laufbahn von Anfang an mit dem größten Respekt und der größten Verehrung verfolgt. Er kann alles auswendig, was du je geschrieben hast, einschließlich deiner Kriegsberichte aus dem Ersten Weltkrieg. Und es war seit je seine größte Sehnsucht, dich persönlich kennenzulernen. In Budapest hat er sich natürlich nicht in deine Nähe getraut. Aber jetzt, in der Emigration, die unser aller gemeinsames Schicksal ist, hofft er, daß sein Wunsch ihm endlich in Erfüllung gehen wird. Feri! Er sitzt unten in der Halle. Darf ich ihn für ein paar Minuten heraufbringen?«

Bange, erwartungsvolle Stille entstand. Molnár blickte langsam in die Runde, von einem zum andern. Dann schüttelte er den Kopf. »Nein«, entschied er, fest und bedauernd zugleich. »Es geht nicht. Du weißt, daß ich keinen Zuwachs mehr vertrage. Aber wenn ich euch so anschau … der eine hustet, der andre kann nicht mehr richtig essen, der dritte hat schon einen ganz blassen Teint … weißt du was? Geh hinunter zum Herrn Kornstreicher und sag ihm: sowie einer stirbt, kann er heraufkommen …«

Herrn Kornstreichers Sehnsucht ist unerfüllt geblieben. Bald darauf starb Molnár selbst, der letzte große Boulevardier, der letzte, der sich vom Kaffeehaus her an die Welt gewandt hatte und dessen Weltgewandtheit kein mühsam überwundenes Provinzlertum war, sondern ein organischer Bestandteil seines Werks und seines Wesens – der letzte, dessen verborgener Herzschlag noch vom Rhythmus einer untergegangenen europäischen Eleganz gespeist war – der letzte aus einer Zeit, die sich's noch leisten konnte, Originale hervorzubringen, und in der die Originale sich's noch leisten konnten, es zu bleiben.

DER KREIS SCHLIESST SICH

Allmählich rundet der Kreis sich zum Anfang zurück, dorthin, wo im Exkurs über das Wörtchen »was«, gleich nach der
Tante Jolesch, von Kisch und Kuh die Rede war, die viel zu
kurze Rede, zu kurz aus meiner Schuld – und die möchte ich
noch abtragen, so gut es geht. Und nicht nur Kisch und Kuh
gegenüber. Es mußten ja auch noch andere darunter leiden,
daß ich dem Ansturm meiner Reminiszenzen keine organi-
sierte Abwehr entgegenzusetzen vermochte. Einzig bei Franz
Molnár könnte mir das geglückt sein: teils hatte ich da eine
gewisse Vorarbeit geleistet, teils eignete sich Molnár für eine
kompakte Präsentation schon deshalb, weil ich ihm auch auf
sozusagen kompakter Basis begegnet war, nämlich immer nur
im Zusammenhang mit ihm selbst. Die anderen alle drängten
sich in so vielerlei Zusammenhängen, aus so vielerlei Anlässen in mein Gedächtnis, daß die Erinnerung an sie sich nur
aufgesplittert bewältigen ließ. Ich sammle jetzt die restlichen
Splitter.

Kisch und Kuh – es ist mir nie klargeworden, warum sie mir
fast stets zugleich einfallen. Bloß am Phonetischen kann's nicht
liegen. Eher schon daran, daß sie eine nach den Begriffen des
Literatencafés schlechthin klassische Feindschaft personifizier-
ten und sowohl zu- wie übereinander nur Schlechtes sprachen. Kuh tat das nahezu gewohnheitsmäßig, Kisch brauchte
etwas länger, aber wenn er sich aufraffte, erfolgte ein massi-
ver Gegenschlag. So gab er auf eine der damals grassierenden
Zeitungsumfragen mit dem ohnehin geschmacklosen Thema

»Woran möchten Sie am liebsten sterben?« die Antwort: »An einem Schlaganfall aus Freude über den Tod Anton Kuhs.« Dabei konnte von irgendwelchem Konkurrenzneid zwischen den beiden keine Rede sein. Sie hatten höchstens insofern etwas gemeinsam, als sie in (weit auseinanderliegenden) Randbezirken der Literatur siedelten: Egon Erwin Kisch steht auch heute noch für eine zeitkritisch gehobene Art journalistischer Berichterstattung, die von kaum einem andern erreicht wurde, und Anton Kuh, dessen im Druck vorliegendes Œuvre sich neben den zahlreichen Büchern Kischs einigermaßen dürftig ausnimmt, gehört – ja, wohin gehört er eigentlich?

Wenn ich nicht irre, war es Egon Friedell, der Anton Kuh einen »Sprechsteller« genannt hat. Damit ist die ganze Misere dieses begabten, blitzgescheiten und mehr als bloß witzigen, nämlich im höchsten Grad geistreichen Wirr- und Feuerkopfs angedeutet. Ob sie von seiner mangelnden Disziplin herrührte oder, wie intimere Kenner zu wissen glaubten, von seinem mangelnden Charakter; ob er, dem ganz gewiß der Ehrentitel eines Bohemiens zusteht, von der dazugehörigen Faulheit am richtigen Gebrauch seines Talents gehindert wurde oder von seiner (behutsam ausgedrückt) fragwürdigen Beziehung zum Geld, das er lieber durch kunstvolles Schnorren als durch kunstvolles Schreiben erwarb –: jedenfalls, und von wenigen Ausnahmsfällen abgesehen, zeigte er sich außerstande, den Witz und den Geist, den er am Kaffeehaustisch mit müheloser Grandezza versprühte, in eine für den Druck und vollends für den Buchdruck geeignete Form zu fassen. Versuchte er's dennoch, so hielt die Druckfassung der kleinen Glossen und Feuilletons, die er sich um sehr hoher Honorare willen abzuringen bereit war, keinen Vergleich mit der Erzählfassung aus oder erreichte deren Qualität erst wieder auf dem Vortragspodium (ein Musterfall sind die im »Unsterblichen Österreicher« gesammelten Skizzen). Kuh konnte großartig improvisieren, seine Stegreifvorträge, die immer enormen Zulauf fanden, hatten nicht ihresgleichen, und selbst seine ad hoc geprägten Sentenzen waren so sehr auf seine persönliche Ausstrahlung, auf sein Temperament und seine Pointierungskunst angewiesen, daß sie sich vielfach sogar der mündlichen Nacherzählung widersetzen, von einer gedruckten ganz zu schweigen.

Oder wie sollte man den überwältigenden Bierernst wiedergeben, mit dem er – in einen reichsdeutschen Rundfunksprecher sich verwandelnd – die »vorläufigen Ergebnisse der heute abgehaltenen Sexualwahlen« verlautbarte, so trocken und sachlich, daß man sekundenlang versucht war, Parteien wie den »Bund homosexueller Landwirte« und die »Lesbische Linke« für tatsächlich existent zu halten und an einen knappen Vorsprung der »Deutschen Fortpflanzungspartei« vor der »Vereinigten Liste der Nekrophilen und Koprophagen« zu glauben. Nicht weniger überzeugend – denn sein unheimliches Nachahmungstalent erstreckte sich gleichermaßen auf Typen wie auf Einzelpersonen – traf er das trostlose, mörderisch langweilige Leiern eines österreichischen Ansagers, der an Ort und Stelle über einen Trachtenfestzug vor dem Wiener Rathaus berichtete und seinem analphabetenhaft beschränkten Wortschatz zwar eine mühsam hochdeutsche Färbung, aber keinerlei Belebung abzuringen wußte:

»… hier kommen die wackeren Innviertler … von ihrer Musikkapelle geführt … in ihren schmucken weißroten Trachten … es folgen die trefflichen Mühlviertler … in farbenfrohes Blaugelb gekleidet … an der Spitze ihre Musikkapelle … nunmehr erscheinen …« und so ging die Litanei weiter, mit unerbittlicher Gründlichkeit, eintönig, einschläfernd:

»… und jetzt, von ihrer Musikkapelle geleitet … in ihrer geschmackvollen grüngestreiften Tracht … die biederen Traunviertler« – aber da kam plötzlich Leben in seine Grabesstimme, schreckhaft aufkreischendes Leben: »Haltaus! Des san ja die Waldviertler!!« Und man meinte ihn leibhaftig vor sich zu sehen, den dumpfen Troglodyten, wie er erleichtert aufatmete, weil die Berichtigung des katastrophalen Irrtums ihm noch ganz knapp geglückt war.

In jenen Jahren, da der Rundfunk populär zu werden begann, entdeckte Kuh als erster die unfreiwillig komischen Seiten des immer noch neuen Massenmediums und hielt sie in parodistischen Szenen fest. Besonders die damals in Schwang kommenden Hörspiele älplerischen Gepräges hatten es ihm angetan. Schon die Ansage des Personenverzeichnisses erbitterte ihn, weil sie dem Hörer keine Möglichkeit gab, zwischen den Rollen und ihren Darstellern zu unterscheiden:

»Achtung. Hier Radio Wien. Wir bringen Ihnen jetzt ›Das Nullerl‹, Volksstück mit Gesangseinlagen in drei Akten. Besetzung: Alois Schwendner – Anton Gschweidl. Amalia Hermetslechner – Eusebia Habetswallner. Karl Novak – Franz Holetschek. Bimpfl – Dampfl …« Kuh behauptete, einmal noch während der Ansage im Rundfunk angerufen und mit dem Verzweiflungsschrei »*Wer* spielt *wen?!*« um Auskunft gebeten zu haben, die ihm jedoch verweigert worden sei.

Auf weitere Beispiele dieses Radio-Cabarets, das er mit nimmermüder Erfindungskraft am Kaffeehaustisch produzierte, muß leider verzichtet werden. Der Wirkungsverlust, den sie im Druck erleiden würden, wäre gar zu groß.

Er droht, wie ich fürchte, auch zahllosen anderen seiner Aperçus, die ihre Wirkung aus der Gunst des Augenblicks bezogen,

aus einer bestimmten, von Kuh schlagfertig wahrgenomme-
nen Situation. Den Ausruf etwa, mit dem er sich entschloß,
nach Amerika zu emigrieren – »Schnorrer kann man überall
brauchen!« – wird man nur dann vollauf zu würdigen wissen,
wenn man sowohl Anton Kuh als auch die Umstände kennt,
die diesen Ausruf begleitet haben.

Mit der von ironischem Selbstmitleid getragenen Bilanz seines Pariser Zwischenaufenthalts: »Früher war ich der Kuh aus
Wien, jetzt bin ich der Kuh de Paris« verhält es sich ähnlich
und sogar schlimmer, weil im Druck das phonetische Wort-
spiel flöten geht, das auf dem Gleichklang des französisch, also
»Küh« auszusprechenden Namens mit dem »Cul de Paris« be-
ruht. Außerdem werden viele Leser nicht mehr wissen, daß es
sich beim »Cul de Paris« um eine Modeschöpfung des fin de
siècle handelt, dazu bestimmt, dem Hinterteil der Damen –
für das Anton Kuh große Sympathien hegte – graziös hervor-
gehobene Geltung zu verschaffen.

Von prägnantestem Scharfblick zeugten seine physiognomi-
schen Beobachtungen. Dem spitzbärtigen, sonderbar schrägen
Gesicht Heinrich Manns sagte er nach, es wirke so, wie wenn
man im Kino in der ersten Reihe sitzt. Und ein kunstvoll
idealisierendes Profilbildnis von Stefan George brachte er auf
die Formel: »Er sieht aus wie eine alte Frau, die wie ein alter
Mann aussieht.«

Dann und wann konnte es sogar geschehen, daß sein Es-
prit sich auch in gedruckter Form voll entfaltete. Ich denke mit Neid und Vergnügen an seine Besprechung eines neu
erschienenen Buchs von Albert Ehrenstein zurück, den er
schon als Lyriker wiederholt gestichelt hatte (z. B. mit dem
Schüttelreim: »Hoch schätzt man Albert Ehrensteinen – Nur

seine Verse stören einen«) und der ihn jetzt auch mittels Prosa provozierte, vor allem durch den anspruchsvollen Titel der Neuerscheinung: »Briefe an Gott«. Kuh kleidete seine Kritik in die Form eines Briefs von Gott an Albert Ehrenstein und ließ ihn wissen, daß er, Gott, die Annahme der an ihn gerichteten Briefe verweigere, weil er ihm, Ehrenstein, keinen Korrespondenzpartner abzugeben wünsche. War das schon witzig genug, so steigerte sich's noch in dem Postscriptum, das Gott seinem Brief anfügte: »Wenn Sie den Werfel sehen, sagen Sie ihm, er soll meinen Sohn in Ruh lassen.«

Unter denen, die Anton Kuh geringschätzte (und die er's merken ließ), befanden sich nicht nur Franz Werfel und Albert Ehrenstein, es befanden sich fast sämtliche seiner Zeitgenossen darunter und – wie bereits angekündigt – auch Egon Erwin Kisch.

Mit dem Spürsinn, der ihn zu einem großen Reporter machte, hatte Kisch die »goldenen Zwanzigerjahre« vorausgeahnt, hatte sich lang vor den meisten seiner Kollegen aus der österreichischen Schreiberzunft in Berlin angesiedelt und war, als die anderen nachkamen, bereits voll akklimatisiert. Er bediente sich nur noch der im Norden Deutschlands üblichen Ausdrucksweise (den Akzent verwehrte ihm sein unaustilgbar pragerisch-jüdischer Tonfall), er sagte »Kissen« statt (wie einst zu Hause) »Polster«, er sagte »Schrank« statt »Kasten«, er »war« nicht mehr, sondern »hatte« gesessen oder gestanden, und eines Tags im »Romanischen Café«, behaglich in seinen Stuhl (statt Sessel) zurückgelehnt, ließ er die Bemerkung fallen, daß er am kommenden Sonnabend einen Vortrag halten würde.

Da wandte sich Anton Kuh mit mahnend erhobenem Zeigefinger an ihn:

»Kisch – ich erinnere mich an eine Zeit, in der Sie noch nicht einmal Samstag gesagt haben …« (Er bezog sich damit, wissentlich oder nicht, auf jene Zeit, die den jungen Kisch das »Café zum Schabbesgoj« frequentieren sah – mit welch trübem Ergebnis, ist uns noch aus dem vorhin herangezogenen »Exkurs« erinnerlich.)

Die Chronistenpflicht wird mir gebieten, noch diese oder jene Anekdote aufzuzeichnen, die für Egon Erwin Kisch nicht eben schmeichelhaft ist. Ich möchte damit dem freundlichen Andenken, das ihm gebührt, keinen Abbruch tun. Er war ein liebenswerter Mensch, gutartig bis zur Naivität und von einer so offen sich einbekennenden Eitelkeit, daß sie eher rührend als ärgerlich wirkte. Auf einen Platz in den höheren Rängen der Literatur schien er keinen Wert zu legen oder tat doch so, als hielte er die Bezeichnungen »Journalist« und »Reporter« für Ehrentitel; was nichts daran ändert, daß einige seiner frühen Geschichten, zumal die in Prag spielenden, eine rare Mischung von Humor und Poesie aufweisen (mit der sein Stilvermögen allerdings nicht immer Schritt hielt). Ich habe ihn nicht gut genug gekannt, um zu beurteilen, ob er besonders gescheit war. Aber von der unprätentiös kameradschaftlichen Art seiner Menschenbehandlung ging große Wärme aus, und ich bin niemals den Verdacht losgeworden, daß es ihm mit seinem Kommunismus nicht wirklich ernst war. Vielleicht wollte er – aus einem im Grunde bürgerlichen Begriff von »Anständigkeit« – an einer einmal getroffenen Gesinnungswahl festhalten, vielleicht glaubte er tatsächlich an die Verheißung einer besseren Zukunft. Ihm selbst ist sie nicht zuteil geworden. Die kommunistischen Machthaber in Prag haben ihm nach seiner Rückkehr aus der Emigration einen schäbigen, dank- und ruhmlosen Lebensabend bereitet, ja es könnte – ganz im Sinn der Tante Jolesch – »noch ein Glück« gewesen sein, daß sie ihn wenigstens in Ruhe ließen.

Lang vorher kursierte im »Prager Tagblatt« eine Kisch-Anekdote, die erbaulichen Aufschluß über seine Eitelkeit gibt. Anläßlich seines 50. Geburtstags wollte man ihm – dem zwar die meisten Redaktionsmitglieder freundschaftlich zugetan waren, nicht aber das Blatt als solches – ein ausnahmsweise uneingeschränktes Lob zollen, jenseits aller politischen und journalistischen Meinungsverschiedenheiten und unter möglichst weitgehender Berücksichtigung seiner notorisch hohen Ansprüche. Es wurde also ein Huldigungsartikel verfaßt, der von Superlativen nur so strotzte und sich bis zu dem Gipfel verstieg, Egon Erwin Kisch den »Homer der Reportage« zu nennen. Höher, so glaubte man, ging's nicht mehr.

Es war ein Irrglaube. Wenige Stunden nach Erscheinen des Artikels kam Kisch in die Redaktion gestürmt, direkt ins Zimmer des von Jugend auf mit ihm befreundeten Chefs vom Dienst (wo sich immer auch ein paar andere Redakteure aufhielten) und knallte sein Exemplar des »Prager Tagblatts« wütend auf den Tisch:

»Also bitte!« schnaubte er. »Das sind meine Freunde! Vergleichen mich mit einem blinden Goj, von dem man nicht einmal weiß, ob er gelebt hat ...«

Zwei kleine Illustrationen zu meiner Vermutung, daß sein politisches Credo, wie unerschütterlich er's nach außenhin auch zur Schau trug, sich nicht unbedingt mit seiner Haltung deckte:

Da war, erstens, ein sozusagen privates Credo, das er mir einmal in vertrautem, schon ganz leicht weinseligem Gespräch eröffnete (und das im übrigen eine unter seines- und meinesgleichen häufig anzutreffende Konstellation bloßlegt). Wir sprachen – es geschah in Paris, kurz vor Kriegsausbruch – über die täglich wachsende Unsicherheit unseres Emigrantendaseins, und wie das denn weitergehen solle, und ob man sich noch auf irgendetwas oder irgendwen verlassen könne.

»Weißt du«, sagte Kisch, »mir kann eigentlich nichts passieren. Ich bin ein Deutscher. Ich bin ein Tscheche. Ich bin ein Jud. Ich bin aus einem guten Haus. Ich bin Kommunist … *Etwas* davon hilft mir immer.«[*]

Und da war, zweitens, seine Reaktion auf meinen unter ähnlichen Umständen unternommenen Versuch, ihm eine Äußerung zum Stalin-Hitler-Pakt zu entlocken. Er weigerte sich. Er wehrte starrköpfig ab. Er habe die Tatsachen zur Kenntnis genommen, und Schluß.

»Aber um Himmels willen – da mußt dir doch etwas dabei gedacht haben?«

»Für mich denkt Stalin«, sagte er.

(Die Replik eines bedeutenden Zeitgenossen auf diese Äußerung Kischs wird in einem späteren Zusammenhang noch registriert werden.)

---

[*] Da in den mangelhaft regulierten Fluß dieser Aufzeichnungen nun schon soviel Autobiographisches eingesickert ist, nehme ich die Gelegenheit wahr, um den obigen Ausspruch abzuwandeln und auf mich umzumünzen, wobei ich vor allem an meine Erfahrungen mit dem bundesdeutschen Buchhandel denke, ja überhaupt an die Lage, in der ich mich der deutschen Literatur gegenüber befinde: Ich bin ein Jud. Ich lebe in Österreich. Ich war in der Emigration. Ich hab was gegen Brecht … *Etwas* davon schadet mir immer.

Bei aller echten oder vorgetäuschten Geringschätzung des kapitalistischen Literaturbetriebs lag ihm doch sehr an der Gunst und Anerkennung einiger Stars dieses Betriebs, die er schätzte oder mindestens respektierte. Mit ganz besonderer Vehemenz umbuhlte er Alfred Polgar, kam jedoch nie über die kühle Distanz hinweg, die Polgar ihm gegenüber wahrte (er betrieb diese Wahrung auch sonst mit höchster Meisterschaft). Um sich augenfällig als Polgar-Verehrer zu legitimieren, ging Kisch so weit, ein neu erschienenes Buch Alfred Polgars käuflich zu erwerben und es ihm mit der Bitte um eine persönliche Widmung vorzulegen. Das bekam ihm nicht gut. Die Widmung lautete:

»Egon Erwin Kisch, dem mutigen Stilisten und feinsinnigen Revolutionär.«

Kein Wunder, daß die schon zuvor eher einseitige Beziehung sich daraufhin noch weiter abkühlte – ohne daß Kisch von der Hoffnung, sie vielleicht doch einmal zu intensivieren, gänzlich abgelassen hätte. Als Polgar und Egon Friedell einmal im »Romanischen Café« saßen, warf Kisch sehnsüchtige Blicke nach den beiden, traute sich aber erst nach Polgars Abgang an den Tisch.

»Ich wollte nicht stören«, begann er. »Wahrscheinlich hat Polgar wieder sehr schlecht über mich gesprochen«, fuhr er fort, insgeheim ein Dementi erwartend. Und wirklich:

»Nein, nein«, widersprach Friedell. »Im Gegenteil. Er hat gesagt: ›Das ist doch reizend vom Kisch, daß er sich nicht zu uns setzt‹.«

Ob es tatsächlich Polgar war, der diese Bosheit von sich gegeben hatte, oder ob sie ihm von Friedell in zweifach boshafter Absicht zugeschrieben wurde – jedenfalls ist Egon Erwin Kisch, wie schon in der vorangegangenen Geschichte, zur undankbaren Rolle eines passiven Helden verurteilt – hier zum Objekt einer der vielen Anekdoten, die bereits unter der Chiffre »Friedell« zu verbuchen wären.

Bleiben wir gleich bei Egon Friedell in Berlin. Es dürften die späten Zwanzigerjahre gewesen sein, als er dort im Eröffnungsprogramm eines neugegründeten literarischen Cabarets auftrat. Ich habe ihn noch in dem von Fritz Grünbaum geleiteten Wiener »Simplicissimus« seine berühmten Altenberg-Anekdoten vortragen hören und kann somit aus eigener Wahrnehmung versichern, daß er die Originalität seines Witzes und seiner Persönlichkeit auch auf dem Cabaret vollgültig einzusetzen wußte. Die Berliner Kritik war jedoch andrer Meinung und verriß ihn so unbarmherzig, wie's ihm noch nie widerfahren war. Auf einen dieser Verrisse, der ihn u.a. einen »versoffenen Münchner Dilettanten« nannte, reagierte Friedell mit einem offenen Brief ungefähr folgenden Inhalts:

»Es stört mich nicht, als Dilettant bezeichnet zu werden. Dilettantismus und ehrliche Kunstbemühung schließen einander nicht aus. Auch leugne ich keineswegs, daß ich dem Alkoholgenuß zugetan bin, und wenn man mir daraus einen Strick drehen will, muß ich's hinnehmen. Aber das Wort ›Münchner‹ wird ein gerichtliches Nachspiel haben!«

In diesem Brief steckt der ganze Friedell, steckt sein Sarkasmus, seine Bereitschaft zur Selbstironie mitsamt der daraus resultierenden Überlegenheit, seine Freude an pointierten Auseinandersetzungen, seine Freude am Dasein überhaupt. Er war – man muß sich das immer wieder vergegenwärtigen – von einer schier unglaublichen Vielseitigkeit, er war ein durchaus ernstzunehmender Kulturphilosoph und ein brillanter Essayist, ein Liebhaber und Kenner des Theaters, für das er auch geschrieben und auf dem er sich als Schauspieler betätigt hat, er konnte mit seinen kabarettistischen Improvisationen, die denen eines Anton Kuh um nichts nachstanden, den mieselsüchtigsten Menschen zum Lachen bringen, aber er konnte (zum Unterschied von Kuh, der keinem andern eine Pointe gönnte) auch selber lachen, unbändig und von Herzen. Das ist, im übrigen, eine meiner wenigen persönlichen Erinnerungen an ihn; ich bin ihm nur zwei- oder dreimal begegnet, einmal davon in Prag, wo er im Anschluß an seinen Besuch im »Prager Tagblatt« mit der von Rudi Thomas angeführten Schar einen ausführlichen Nachtbummel unternahm. Es war Winter. Wir zogen durch tiefverschneite Straßen von Lokal zu Lokal, auf jeder Etappe wurden irgendwelche Geschichten erzählt, und eine dieser Geschichten – wovon sie gehandelt und wer sie erzählt hat, tut nichts zur Sache – erregte Friedells Heiterkeit in so gewaltigem Maß, daß er stehenbleiben mußte, nach Luft zu schnappen begann und sich schließlich, immer noch von dröhnendem Lachen geschüttelt, in den Schnee fallen ließ. Es bedurfte größter Anstrengung insgesamt dreier Helfer, um seinen massigen Körper wieder hochzustützen. (Als er ein paar Jahre später, im März 1938, durchs Fenster seiner Wohnung die SA-Leute herankommen sah, die ihn abholen wollten, warf er sich auf die Straße und stieß noch im Fallen einen Warnungsruf aus, damit kein Passant zu Schaden käme. Seine Freunde hatten ihn vergebens zur Flucht gedrängt. Er wußte, was ihm bevorstand, aber er besaß keine Entschlußkraft mehr. Apathie und Weltekel hatten den »lachenden Philosophen« zermürbt.)

Eine zweite Erinnerung an ihn ist mir um 1930 auf indirektem Weg vermittelt worden, durch den damaligen Leiter des Münchner Piper-Verlags, Dr. Freund, der zu Verhandlungen mit Friedell nach Wien gekommen war. Dieser Dr. Freund, ein eleganter, durch und durch schöngeistiger, geradezu exzessiv kultivierter Herr, verkörperte einen Typ, den wir »Déjeuner-Snob« nannten, das ist einer, der französische Lebensart mit englischer Formenstrenge zu verschmelzen strebt – und dergleichen konnte Friedell nicht ausstehen. Dennoch ist es keineswegs sicher, daß die Einladung, die er an Dr. Freund auf dessen telephonischen Anruf hin ergehen ließ, mit Hintergedanken verbunden war:

»Wollen Sie morgen das Frühstück bei mir nehmen, lieber Doktor Freund?« fragte er.

»Mit Vergnügen«, sagte Dr. Freund. »Wann darf ich kommen?«

»Paßt Ihnen halb eins?«

»Selbstverständlich.«

Am folgenden Tag um halb eins erschien Dr. Freund, wurde von Friedell, einem notorischen Nachtarbeiter und Spätaufsteher, im Schlafrock empfangen und ins Wohnzimmer geleitet, wo die Wirtschafterin schon alles vorbereitet hatte: Kaffee, Milch, Weißgebäck, Butter und Marmelade – also ganz richtig das, was man in Wien unter einem Frühstück versteht. Und zum Frühstück war Dr. Freund ja eingeladen.

Es ehrt seinen Sinn für Humor, daß er dieses Erlebnis nicht bei sich behalten hat.

Friedells Abneigung gegen Snobismen jeder Art bekundete sich auch anläßlich eines der berühmten Empfänge, die Max Reinhardt während der Salzburger Festspielsommer auf Schloß Leopoldskron zu veranstalten liebte. An einem besonders pompös aufgezogenen Festabend waren auf der Zufahrt und vor dem großen Eingangsportal livrierte Fackelträger postiert.

»Was ist los?« fragte Friedell. »Kurzschluß?«

Eine andre Salzburger Geschichte spielt in einem von Friedell frequentierten Gasthaus, das im Ruf stand, die besten Salzburger Nockerln zu servieren. Von dieser Spezialität, deren Zubereitung äußerste Sorgfalt verlangt, zeigte sich ein deutsches Ehepaar so begeistert, daß es um Mitteilung des Rezeptes bat. Der Wirt, altem Brauchtum folgend, weigerte sich zuerst, gab aber schließlich nach und setzte sich an den Tisch des Ehepaars, um dessen weiblichem Teil das kostbare Rezept zu diktieren, Punkt für Punkt, langsam und bedächtig, mit genauen Zeitangaben und sämtlichen Ingredienzien. Als er fertig war, las ihm die gründliche deutsche Dame das Ganze nochmals vor und wollte ausdrücklich hören, daß sie alles richtig notiert hätte.

Alles, bestätigte der Wirt.

Ob wirklich nichts fehle?

Nein, nichts.

Kaum war der Wirt gegangen, wandte sich vom Nebentisch her Egon Friedell an die Wißbegierige:

»Verzeihung, gnädige Frau – Sie haben *nicht* alles.«

»Nicht? Was fehlt mir denn noch?«

»Sechshundert Jahre Habsburg«, sagte Friedell.

In ihrem Sommerhaus am Grundlsee im steirischen Salzkammergut versammelte die von Leo Perutz so unhöflich behandelte Pädagogin Eugenie Schwarzwald alljährlich während der Ferienzeit eine wechselnde Anzahl möglichst prominenter Gäste, unter denen sich eines Sommers auch der späterhin allseits geschätzte Seelenarzt Dr. B. befand. Damals, eben erst mit den psychoanalytischen Weihen versehen, lauerte er auf jede Chance, sein Fachwissen anzuwenden.

Man saß beim Jausenkaffee und sprach über Sexualsymbole im Alltag. Auf dem Tisch stand ein Korb mit frischem Gebäck. Dr. B. deutete auf ein sogenanntes »Baunzerl«, eine zweiteilige, in der Mitte eingebuchtete Form, und stellte apodiktisch fest, daß dieses Gebäckstück ganz unverkennbar den weiblichen Geschlechtsteil symbolisiere.

Friedell beugte sich zu kurzer Kontrolle vor und schüttelte den Kopf:

»Dem Reinen ist alles rein«, sagte er. »Für mich ist das ein Kinderpopo.«

Ein andresmal kam die Rede auf die schwere Zeit nach dem Ersten Weltkrieg, auf die damaligen Nöte des Volks von Wien, auf seine Heimsuchung durch Kälte und Hunger. Jemand gedachte eines tragischen Falles, der in jenem Nachkriegswinter großes Aufsehen erregt hatte:

Mehrere Bewohner eines Mietshauses waren an gleichartigen Vergiftungserscheinungen erkrankt. Als Ursache wurde der Genuß von verdorbenem Fleisch ermittelt. Sie hatten es aus einem Mülleimer herausgeholt. Weitere Untersuchungen ergaben, daß es sich um Menschenfleisch handelte. Und damit nicht genug: wie sich nach und nach herausstellte, war das Fleisch eines Kindes gegessen worden, und zwar eines ermordeten Kindes, und zwar eines lustgemordeten Kindes.

Das einigermaßen gepeinigte Schweigen, das sich über die Zuhörer legte, brach Friedell mit dem entschlossenen Fazit:

»Also *mehr* kann man ein Kind wirklich nicht ausnützen!«

Über einen korrupten Journalisten sagte Friedell: »Er nimmt so kleine Beträge, daß es praktisch an Unbestechlichkeit grenzt.« Der Ausspruch machte die Runde und trug ihm die Bewunderung eines Mannes ein, dessen politische Haltung um jene Zeit nicht unbedingt darauf abzielte, Juden zu bewundern: es war der Chefredakteur der christlichsozialen »Reichspost«, Dr. Friedrich Funder, der nach 1945 mit Recht als eine der großen, respektgebietenden Figuren des wiedererstandenen Österreich angesehen wurde und in der von ihm gegründeten Wochenzeitung »Die Furche« für hohes journalistisches Niveau sorgte. Damals freilich, in der Zwischenkriegszeit, ließen ihn seine autoritären wie seine antisemitischen Neigungen nicht just als Musterdemokraten erscheinen, und da er seine Bewunderung für Friedell offenbar als Schwäche empfand, suchte er sich durch gelegentliche Sticheleien Luft zu machen. Man darf sie ihm um so leichter nachsehen, als ihnen zwei witzige Repliken Friedells zu verdanken sind.

Friedells Bruder Oskar hatte den als jüdisch geltenden Familiennamen Friedmann beibehalten, was Dr. Funder ausnützte, um Friedell wie folgt zu apostrophieren:

»Doktor Friedell, ich war gestern bei Ihrem Bruder eingeladen – der heißt aber Friedmann?«

Friedell zuckte die Achseln:

»Tja – ich weiß auch nicht, wozu er das macht.«

Und als im »Theater in der Josefstadt« die Tragödie »Armut« von Anton Wildgans mit Friedell in der Rolle eines jüdischen Hausierers vorbereitet wurde, gab Dr. Funder sich abermals naiv:

»Was höre ich, Doktor Friedell – Sie spielen einen Juden?«

»Ein Schauspieler«, belehrte ihn Friedell, »muß *alles* können.«

Und wie wir wissen, konnte Egon Friedell vielleicht als Schauspieler nicht alles, aber sonst sehr, sehr viel.

*

Aus seiner langjährigen Freundschaft mit Alfred Polgar ist manch eine Anekdote und manch ein gemeinsames Produkt hervorgegangen, als bestbekanntes der Einakter »Goethe«, eine Bildungsparodie von unverwüstlichem Witz. Hingegen ist weniger bekannt, daß Friedells schon in anderen Quellen nachgewiesene Danksagung an seine Geburtstagsgratulanten – eine gedruckte Karte mit dem Text: »Von allen Glückwünschen zu meinem 50. Geburtstag hat mich der Ihre am meisten gefreut« – die Paraphrase einer von Polgar aus gleichem Anlaß verschickten Drucksache darstellt: »Sehr wohl imstande, für jeden der mir zugegangenen Geburtstagswünsche eigens zu danken, ziehe ich es dennoch vor, das auf diesem Wege zu tun.«

Alfred Polgar hat seinen Freund Friedell um siebzehn Jahre überlebt, um siebzehn keineswegs beneidenswerte, von Emigration und Flucht und Krieg überschattete Jahre, die ihn zuerst nach Frankreich und dann nach Portugal und schließlich in die Vereinigten Staaten getrieben hatten. Ich bin ihm auf den Stationen dieses Schicksalswegs oft und oft begegnet, manchmal nur in den kargen Pausen unsrer Hetzjagd um Stempel und Visa und Aufenthaltsbewilligungen, später dann, während des amerikanischen Exils, in der Pseudo-Geborgenheit halb notgedrungener, halb freiwilliger Enklaven, die fast wieder so etwas wie Sammlung und Gespräch erlaubten, fast wieder mit der Atmosphäre von ehedem uns anheimelten, mochte auch draußen und ringsumher, kaum daß man sie verließ, eine urfremde Welt sich auftun, Hollywood oder New York genannt und was sollte uns das, was hatten wir hier zu suchen. »Hollywood«, befand Polgar, »ist ein Paradies, über dessen Eingangstor die Worte stehen: Ihr, die ihr hier eintretet, laßt alle Hoffnung fahren.« Es war die geistreichste unter den vielen Formulierungen, die den Zustand der Emigration zu definieren versuchten (die kürzeste stammte von Annette Kolb, als Antwort auf die Frage, wie sie sich in Amerika fühle: »Dankbar und unglücklich«, antwortete sie). Und es war gut und tröstlich, einen Alfred Polgar zu haben, der sich die Goldschmiedekunst eleganter Formulierungen angelegen sein ließ, unverdrossen und hingebungsvoll, als könnte er sich und allen, die solches noch wußten und wollten, wenigstens den Verbleib in der Sprachheimat sichern.

Vielleicht finde ich keine bessere Gelegenheit mehr, und deshalb sage ich's jetzt und hier: ich bin stolz auf die Zuneigung, die Alfred Polgar mir entgegengebracht hat und an der er sich, wiewohl empfindlichst auf Exklusivität bedacht, nicht einmal dann beirren ließ, als er sich zum deutlichen Vorbild meiner theaterkritischen Bemühungen gemacht sah. Es könnte auch ins Gewicht gefallen sein, daß diese Zuneigung gewissermaßen unter der Schirmherrschaft von Karl Kraus entstanden war, der sich ja gleichfalls aufs toleranteste damit abfand, mich beeinflußt zu haben. (Wie sehr Polgar selbst unter dem Einfluß des großen Sprachmeisters stand, habe ich schon aus einem andern, früher gegebenen Anlaß verbucht: kurz nachdem Karl Kraus gestorben war, wurde Polgar von unsrer gemeinsamen Freundin Gina Kaus bei einer Sprachschlamperei erwischt und scherzhaft zur Rede gestellt; er flüchtete in eine ebenso scherzhafte Bagatellisierung: »Ach was«, sagte er. »Jetzt, wo der Kraus tot ist ...«)

Auch nach seiner Rückkehr aus der Emigration – war's wirklich eine Rückkehr? – hielten wir ständigen Kontakt. Und wenn er aus Zürich, wo er domizilierte, nach Wien zu Besuch kam, brachte er manchmal einen Beitrag für das »FORVM« mit, das ich zwölf Jahre lang, von 1954 bis 1965, herausgegeben habe. Als er wieder einmal abreiste, begleitete ich ihn zum Bahnhof und wollte wissen, wie es ihm nun eigentlich in Wien gefallen habe.

»Ich muß über diese Stadt ein vernichtendes Urteil abgeben«, sagte Polgar. »Wien bleibt Wien.«

Bald darauf schickte er mir eines seiner unvergleichlichen Theaterfeuilletons zur Veröffentlichung im »FORVM«. Es war das letzte, das er überhaupt geschrieben hat. Er starb im Alter von 83 Jahren. Die Todesnachricht rief mir einen Abend ins Gedächtnis zurück, den wir in New York mit einigen Freunden verbracht hatten, und in den plötzlich jemand mit der Meldung hereinplatzte, daß ein hochbetagtes Mitglied der europäischen Künstlerkolonie schwer erkrankt sei, besorgniserregend schwer. Die Besorgnis griff denn auch prompt um sich und lagerte lähmend im Raum – bis Alfred Polgar sie beschwichtigte:

»Nur keine Angst. Der ist schon über das Alter hinaus, in dem man stirbt.«

EPILOG

Rätselhafterweise gibt es im Deutschen eine Reihe von Negativ-Adverben – »unwirsch«, »ungestüm«, »unflätig« –, zu denen sich kein Gegenteil bilden läßt. In diese Reihe gehört auch »unversehens«, und das ist schade. Sonst könnte ich nämlich sagen, daß ich mit meinen abschließenden Reminiszenzen an Alfred Polgar – andere finden sich aufgesplittert in früheren Kapiteln – versehens in die Emigrationszeit geraten bin. Das will bedeuten: ich habe nicht darauf hingearbeitet, aber es hat sich auch nicht ganz ohne Absicht so ergeben. War doch schon im Geleitwort vermerkt, daß die letzten Auswirkungen jenes untergegangenen Lebensstils, der hier zur Darstellung stand, sich noch in die Emigration hinein fortgesetzt und erst den eigentlichen Vollzug des Untergangs besiegelt haben. Und da ich davon ausgegangen bin, daß jener Lebensstil mit allem, was dazugehört, also auch mit dem Vollzug seines Untergangs, in keiner andern Form so schlüssig zu erfassen ist wie in der anekdotischen, müßte ich's mir als Versäumnis ankreiden, wenn ich zur restlosen Komplettierung jetzt nicht die Anekdoten der Emigrationszeit heranzöge.

Die Anekdoten? Welche? Es gibt zahllose. Ein Kundiger könnte den jeweiligen Ort ihrer Handlung bestimmen, würde fast einer jeden von ihnen anmerken, ob sie in Zürich spielt oder in London, in Paris oder Stockholm, in Hollywood oder New York, in Lateinamerika oder Australien oder im entlegenen Kenya gar, denn auch dorthin hatte es etliche verschlagen, und einer von ihnen sandte aus Nairobi einen Brief an seinen in Shanghai gelandeten Freund, und schrieb: »Natürlich gibt es hier kein Kaffeehaus, aber auf dem Hauptplatz, an einer Straßenecke, wo eigentlich ein Kaffeehaus sein müßte, treffen sich immer am Nachmittag die wenigen Emigranten, die hier leben, und tauschen Neuigkeiten aus.« Das schrieb er. Aus Nairobi nach Shanghai. Und der reiche Kaufherr Blumenfeld aus Brünn nahm in Buenos Aires, als der Krieg vorüber war, eine Landkarte zur Hand, um festzustellen, wieviele seiner Auslandsniederlassungen ihm noch verblieben wären, und entdeckte nur eine einzige, in Saigon, und machte sich auf und fuhr hin, und fand zu seiner Freude ein intaktes Geschäft vor, mitsamt dem alten, aus Rußland stammenden Geschäftsführer, den er nach Absolvierung der großen Begrüßungsfreude zum Mittagessen einlud. Als sie das Gebäude verließen, rannte ein eiliger Passant in Herrn Blumenfeld hinein, und es war sein engerer Landsmann Heller, und die Begrüßungsfreude war womöglich noch größer. »Was machst du in Saigon?« fragte Blumenfeld, und Heller antwortete: »Was kann ein Brünner Jud in Indochina schon machen? Ein Wiener Restaurant!« Das traf sich gut und traf sich um so besser, als Blumenfeld seinem Geschäftsführer dortselbst mit einem exotischen Gericht namens Wiener Schnitzel aufwarten konnte. Der Alte fand es sichtlich schmackhaft, wischte sich hernach zufrieden die Speisereste aus dem weißen Schnauzbart und wandte sich in russisch getöntem Englisch an seinen aus Argentinien angereisten Brünner Gastgeber: »Mijstr Blumenfeld«, sagte er, »das war das beste Wiener Schnitzel, das ich seit Manila gegessen habe.« Denn auch ihn hatte es auf dem Erdball etwas weiter herumgetrieben als ursprünglich vorgesehen.

So polyglott, so vielfach verzweigt, so kreuz und quer und durcheinander ist es in der Emigration zugegangen, so ausgedehnt war der Bereich, dem ihre Anekdoten entkeimten. Sie alle wären unschwer auf den Tenor der hier unternommenen Darstellung abzustimmen, gleichgültig, ob sie echt oder erfunden sind, denn symptomatisch sind sie in jedem Fall. So etwa das in Paris kolportierte Gerücht über die Kaffeehäuser, in denen sich deutsche Emigranten – von den Franzosen »les chez-bei-uns« genannt, weil sie immer wieder bekanntgaben, daß bei ihnen in Deutschland alles viel besser gewesen wäre – zu lautstarkem Geplauder zusammenfanden; das Gerücht besagte, daß diese Kaffeehäuser große Tafeln mit der lockenden Aufschrift »On parle français« anzubringen planten. Oder der nur in London denkbare Stoßseufzer, den ein verbitterter Mitteleuropäer zum ständig niederschlagsbereiten Himmel emporschickte: »Regnen – das können sie!« Oder die unsäglich traurige Geschichte von den beiden völlig heruntergekommenen Ex-Wienern in New York, die einen Spaziergang am Hudsonufer unternahmen, denn einen andern Luxus konnten sie sich nicht leisten. Nachdem sie eine halbe Stunde schweigend nebeneinander hergetrottet waren, hielt der eine im Gehen inne und wandte sich bittend an seinen Freund: »Borg mir einen Dollar«, sagte er. »Sei nicht kindisch«, kam müde und melancholisch die Antwort. »Wo soll ich einen Dollar hernehmen?« Wieder verging eine halbe Stunde, wieder blieb der erste stehen: »Gib mir eine Zigarette«, bat er. Und wieder konnte der andre nur den Kopf schütteln: »Wenn in meiner Tasche auch nur eine einzige Zigarette wäre, hätte ich sie schon längst in zwei Hälften geteilt und wir hätten sie geraucht.« Noch hoffnungsloser als zuvor setzten sie ihren stummen Spaziergang fort – bis der eine abermals anhielt und eine letzte Bitte vorbrachte: »Weißt du was? Trag mich ein Stückel!«

Geschichten dieser Art, zuzüglich derer, die mit den mangelnden Sprachkenntnissen der Entwurzelten operieren, haben eines gemeinsam: sie sind, selbst wenn sie auf tatsächlich Erlebtem oder Erlauschtem beruhen, unpersönlich und bestenfalls mit örtlichen Quellenangaben zu belegen. Schon deshalb kann ich für sie nicht gutstehen, schon deshalb – nicht erst ihrer unabsehbaren Vielzahl wegen – muß ich auf sie verzichten. Ich bleibe wie zuvor bei solchen, die an eine bestimmte, mir bekannte Person gebunden sind, und wär's auch nur die meine. Außerdem und vorsichtshalber werde ich dem überreichen Material, das sich in jeder meiner Flucht- und Exilstationen angesammelt hat, immer nur wenige markante Proben entnehmen, wobei örtliche Quellenangaben von Nutzen, wenn auch nicht vonnöten sein mögen.

Eine der schönsten Erinnerungen an meine Zürcher Emigrationzeit verbindet sich mit dem lang vorher aus Prag zugewanderten Flickschuster Beran in der Hottingerstraße – wahrscheinlich der einzige Mensch auf Erden, der Schwyzerdütsch mit tschechischem Akzent gesprochen hat: »Griezi griezi« sagte er zur Begrüßung, »Auf Wiedrgick« sagte er zum Abschied, und wenn er zu politisieren begann, mußte man scharf aufpassen, um sich zwischen verstümmeltem Regionaldialekt und verstümmelten Eigennamen zurechtzufinden: »De Jamprlin is a dumme Chaib gsi, daß er am Heitler a Besuch g'macht hat.« Heitler ließ sich ja noch mühelos als Hitler identifizieren, aber in Jamprlin den britischen Premierminister Chamberlain zu entdecken, erforderte bereits eine gewisse Findigkeit. Es war ein Ohrenschmaus von einmaligem Reiz, und ich habe, um ihn genießen zu können, meinem Schuhwerk manch einen künstlichen Schaden zugefügt.

Aus Zürich stammt auch eine hintergründig-witzige Bemerkung Ödön von Horváths, den ich von Wien her kannte (und auf dessen »Geschichten aus dem Wienerwald« ich 1931 im Berliner »Querschnitt« eine miserable Parodie veröffentlicht habe). Die Bemerkung erfolgte im Gasthaus »Hinterer Sternen«, wo ab März 1938 die österreichischen Neu-Emigranten mit den bereits eingesessenen aus Deutschland zusammentrafen, im Beisein einiger freundwilliger Schweizer Kollegen und unter der unschätzbaren Patronanz der gütigen Mutter Niggl, gepriesen sei ihr Andenken, sie war die Traumgestalt einer Wirtin und hat die zahlungsunfähigen unter ihren Gästen oft monatelang über Wasser gehalten. Im »Hinteren Sternen« also wandte sich Horváth – übrigens kurz vor seiner fatalen Abreise nach Paris – an einen in Zürich beheimateten Freund:

»Bei euch hier ist alles so entsetzlich sauber«, sagte er. »Woher nehmt ihr eigentlich die Kultur?«

✳

»Emigration« hat im Vergleich mit »Flucht« beinahe etwas Geruhsames an sich. Bot Zürich noch den Anschein einer möglichen Bleibe – Paris und Frankreich insgesamt ließen keinen Zweifel daran, daß Emigranten als Flüchtlinge nicht nur zu betrachten, sondern zu bezeichnen waren, als »Réfugiés«, und daß selbst diese Bezeichnung, die ja einem offiziellen Status gleichkam, erst erworben und beglaubigt sein wollte. Tagaus und tagein, mittels schriftlicher Gesuche und persönlicher Bittgänge, bemühte sich der Réfugié, irgendeines Papiers habhaft zu werden, das ihn als solchen legitimierte. An eine »Carte d'identité« wagte er kaum zu denken; schon mit einem zeitlich begrenzten »Permit de séjour« oder einem zu kurzfristigem Gebrauch ausgestellten »Titre de voyage« war er »en règle«, und sogar eine »Ordre de l'expulsion« gab ihm ein Dokument in die Hand, das immerhin einen amtlichen Stempel trug. »Heut hab ich die Ausweisung gekriegt«, berichtete ein lange erfolglos gebliebener Petent aufatmend seinen Freunden. »Jetzt kann ich endlich meine Familie nachkommen lassen!« Aber das gehört, fürchte ich, schon wieder zu jener Art von Geschichten, die ich als »unpersönlich« abqualifiziert habe.

Hingegen bin ich in der Lage, die folgende Anekdote auf Grund persönlicher Zeugenschaft wiederzugeben. Was mich in diese Lage versetzt hat, würde allerdings einen so komplizierten Vorbericht erfordern, daß ich auch im Interesse des Lesers um Dispens bitte. Ohnehin muß ich vorher noch auf ein Phänomen zu sprechen kommen, das aus jenen Jahren nicht wegzudenken ist und besonders zur Zeit des französischen Zusammenbruchs in geradezu unheimliche Erscheinung trat. Es war die Zeit, da die Massen der von Hitler Vertriebenen sich in einer zweiten, großen Fluchtwelle vor den anrückenden Nazi-Armeen zu retten suchten, ohne zu wissen wohin, nur weg, das weitere würde sich finden. Und es fand sich. Wo immer man Rast machte auf dieser ziel- und atemlosen Flucht, wo immer in einer größeren Stadt die Flüchtlingsströme zu provisorischem Stau zusammentrafen, war schon ein Wissender da, der Auskunft gab, wie es weiterginge und was man tun müßte, um weiterzukommen. Diese Auskünfte – ähnlich wie die rasch improvisierten »Centres d'accueil«, die Ausspeisungsstellen und später dann die zumeist von jüdischer Seite ins Werk gesetzten Hilfsaktionen – machten keine konfessionellen Unterschiede, es profitierten von ihnen in gleicher Weise (wenn auch keineswegs in gleicher Anzahl) Christ und Jud, und ich würde durchaus begreifen, wenn Christ bei dieser Gelegenheit an die Existenz der Weisen von Zion geglaubt hätte. Denn es war völlig rätselhaft, woher jene Wissenden ihre ausnahmslos richtigen Informationen bezogen, wieso Herr Kohn, der erst am Dienstag in Bordeaux eingetroffen war, bereits am Mittwoch sämtliche Hotels angeben konnte, in denen man ohne polizeiliche Meldung für ein paar Tage Unterschlupf fand, oder aus welcher Geheimquelle ein andrer Herr Kohn erfahren hatte, daß der portugiesische Konsul in Bayonne zur Erteilung eines Einreisevisums eher bereit wäre als sein Kollege in Bordeaux. Und man konnte sich auf jeglichen Herrn Kohn verlassen. Er wußte, wovon er sprach. Aber wie kam sein Wissen zustande?

Ich darf mit Stolz sagen, daß ich ein Mal dabei war. Das geschah in Arcachon, der zu Bordeaux gehörigen Landspitze, auf der Terrasse eines Strandcafés, in tiefer, nachtschwarzer Dunkelheit, und da es obendrein einen Fliegeralarm gegeben hatte, wurde an den durchwegs von Réfugiés besetzten Tischen jener Caféterrasse nur flüsternd gesprochen. Ein einziger Tisch verschmähte es, sich an diese irrationale Schutzmaßnahme zu halten. Von dorther drang, klar hörbar überm nächtlichen Gewisper, eine satte, selbstsichere, leicht verfettete Stimme:

»Was man zuallererst braucht, ist eine Landungserlaubnis in Port au Prince. Kostet dreitausend Francs.«

»Interessant«, antwortete ein offenbar Interessierter. »Wo ist Port au Prince?«

»Port au Prince ist Haiti«, lautete die einigermaßen pauschalisierende Antwort.

Darauf vernahm man längere Zeit nichts.

Dann hörte man eine dritte Stimme fragen:

»Haiti? Ist dort schön?«

Und dann hörte man durch die Dunkelheit ganz deutlich zwei Ohrfeigen klatschen.

Am nächsten Tag war es ein allgemein akzeptierter Bestandteil emigrantischer Kenntnisse, daß für 3000 Francs eine Lan-
dungs- und Aufenthaltserlaubnis in Haiti zu haben sei, von
deren Erlangung das portugiesische Einreisevisum abhinge,
mit dem man das spanische Durchreisevisum bekäme, und
dann wäre das französische Ausreisevisum nur noch eine Formalität.

Die Prozedur hat sich Zug um Zug bestätigt und als rich-
tunggebend bewährt. Ob einer der vielen, die von ihr Gebrauch machten, jemals in Haiti gelandet ist, weiß ich nicht.
Ich weiß nur, daß auch ich auf diesem Instanzenweg nach
Portugal gelangt bin. Und daß ich dabei war, als er entdeckt
wurde.

*

Der in Lissabon amtierende Herr Kohn hieß Kaufmann und
wußte alles. Er wußte, welche der von Portugal aus erreichba-
ren Überseeländer die Einreisesperre erwogen, durch wessen
Vermittlung noch ein Visum zu haben wäre, was es kostete und ob es etwas taugte, und er wußte, mit welchem der
insgesamt fünf Konsuln, die auf dem amerikanischen Ge-
neralkonsulat über die Erteilung der Visa entschieden, man
»menschlich reden« konnte und mit welchem nicht. Dies
wußte Herr Kaufmann aus persönlicher Erfahrung, denn er
war unglücklicherweise an den einen Konsul geraten, der sich
eine Art sportlichen Vergnügens daraus machte, die sehnsüch-
tig wartenden und weinerlich bettelnden Visa-Petenten hin-
zuhalten und sie immer aufs neue zu sich zu bestellen (als
man in Washington davon erfuhr, wurde er sofort abberufen).
Herr Kaufmann ertrug die Sekkaturen des unguten Gesellen
mit herausfordernder Geduld und brachte es sogar fertig, ihm

einen besonders derb angelegten Triumph zu vergällen. Als nämlich jener die Frage des wieder einmal abschlägig beschiedenen Herrn Kaufmann, wann er das nächstemal kommen dürfe, mit der hämischen Auskunft: »Nächstes Jahr!« beantwortet hatte, brach der Abgefertigte keineswegs zusammen, sondern erkundigte sich ebenso prompt wie sachlich: »Vormittag oder nachmittag?« Seither war Herrn Kaufmanns reicher Wissensfundus um einen Faktor vermehrt: er wußte, daß er auf sein amerikanisches Visum noch sehr, sehr lange würde warten müssen.

Herr Kaufmann wußte auch um die privaten Sorgen, Nöte und Eigenheiten derer, die seinen Rat suchten, registrierte jede beiläufig geäußerte Hoffnung, jede Klage und jeden Stoßseufzer, hatte längst gemerkt, daß ich die in Lissabon herrschende Hitze schlecht vertrug und ließ mir diese seine Erkenntnis hilfreich zugute kommen, als mir ein Visum nach Kuba angeboten wurde.

»Wann können Sie's haben?« wollte Herr Kaufmann wissen.

»In zwei Wochen.«

»Hm. Dann müssen Sie von jetzt an täglich um die Mittagszeit, sagen wir von zwölf bis eins, ohne Kopfbedeckung auf der baumlosen Seite der Avenida da Liberdade auf- und abgehen. Damit Sie sich an den Schatten in Kuba gewöhnen.«

Die Entscheidung gegen das Kuba-Visum war gefallen.

Ein andrer aus unserm Kreis hatte sich – ohne vorherige Erkundigung bei Herrn Kaufmann – ein Visum nach Shanghai andrehen lassen und legte es ihm zur Begutachtung vor. Herr Kaufmann warf einen prüfenden Blick auf das Blatt mit der Kolonne chinesischer Schriftzeichen und gab den Paß an seinen Inhaber zurück:

»Das können Sie höchstens addieren«, sagte er.

Es muß hier noch von Rudi Blau berichtet werden, dem Schöpfer eines eigenen Instanzenwegs. Rudi Blau, zum Zeitpunkt der Handlung an die Sechzig, war in seiner Jugend ein begehrter Gast auf Wiens gesellschaftlichen Veranstaltungen, ein ausgezeichneter Tänzer und charmanter Plauderer, der witzige Geschichten erzählen und zu eigener Klavierbegleitung eigene Couplets vortragen konnte – er repräsentierte, kurzum, den seither längst ausgestorbenen Typ des »Salonlöwen« und repräsentierte ihn auf so sympathische, unaufdringliche Art, daß er auch dort, wo man für diesen Typ rein gar nichts übrig hatte, also in den Kreisen der Intellektual-Bohème, stets gerne gesehen war. Ich kannte ihn nur flüchtig, aber doch gut genug, um die Geschichte seiner etappen- und hindernisreichen Flucht von ihm selbst erzählt zu bekommen.

Sie begann in Paris, als die deutschen Truppen immer näher heranrückten und jeder, der irgend konnte, die Stadt verließ. Rudi Blau konnte nicht. Er besaß kein einziges der zum Zweck der Bewegungsfreiheit nötigen Dokumente, und in der damals herrschenden Panikstimmung ohne ein solches angetroffen zu werden, war lebensgefährlich. Es sah schlecht aus für Rudi Blau. Trübselig begann er in seinen Habseligkeiten zu kramen und fand ein aus besseren, unhysterischen Zeiten stammendes »Permit de transfer« von Calais nach Dover und zurück, längst abgelaufen und aus purer Schlamperei nicht weggeworfen. Unter normalen Umständen ein völlig unbrauchbares Stück Papier, stellte es unter den jetzigen zumindest einen Ansatzpunkt dar. Wenn ich mir auf dieses Papier einen Stempel verschaffen kann, so sagte sich Rudi Blau, irgendeinen jetzt datierten Amtsstempel, dann wäre das Dokument neu belebt und vielleicht ausbaufähig. Er faltete es zu sorgfältig berechneter Größe, fügte ein Blatt von gleichem

Format hinzu, unterklebte das Ganze und ließ es in rotes Sa-
fianleder mit der goldgeprägten Aufschrift »Titre de Voyage«
binden, womit er sich im übrigen keiner Dokumentenfäl-
schung schuldig machte, da »Titre de Voyage« nicht nur im
amtlichen, sondern auch im gewöhnlichen Sprachgebrauch
ganz einfach ein Reisedokument bezeichnet – und das war es
ja ohne Zweifel, allerdings auch noch ohne Gültigkeit. Diese wurde ihm tatsächlich zuteil, als Rudi Blau auf der Mai-
rie eines Pariser Randbezirks einen verschlafenen Beamten
aufstöberte, der keinen Anstand nahm, den zahlreichen alten
Stempeln des eindrucksvoll gebundenen Reisepapiers einen
neuen anzufügen. Damit war in den bürokratischen Wall eine
erste Bresche geschlagen, die nächsten schlossen sich beinahe
selbsttätig an, und Rudi Blau kam mit seinem »Titre de Voyage« bis nach Madrid.

Daß er sich in Madrid zu einem unfreiwilligen Aufent-
halt gezwungen sah, lag keineswegs an seinem fragwürdigen
Ausweis, sondern an seiner für spanische Verhältnisse gleich-
falls fragwürdigen Konfession. Nicht als wären die jüdischen
Flüchtlinge diskriminiert worden – sie hatten nur keinen
Anspruch auf die (einzig wirksame) Fürsorge der mächtigen
Ordensgesellschaften Spaniens, die den katholischen Flüchtlingen zur Seite standen und ihnen auf kürzestem Weg nach
Lateinamerika weiterhalfen. Einem jüdischen Flüchtling wurde diese sehnlich erwünschte Hilfe nur dann zuteil, wenn er
zum Katholizismus konvertierte – keine besonders saubere
Art, Proselyten zu machen, aber wer fragte dort und damals
schon nach Sauberkeit. Man fragte nach Fluchtwegen und
Einreisevisa, und als er sah, daß es für ihn keine andre Möglichkeit gab, beschloß Rudi Blau, Katholik zu werden. Er ging
dabei nicht plump noch hastig zu Werke, sondern behutsam

und taktvoll, er verzog in ein kleines kastilianisches Bergdorf, strich tagelang scheu um die Kirche herum, ehe er sie erstmals zu betreten wagte, verließ sie sogleich, blieb beim nächstenmal etwas länger und wußte sich der freundlichen Aufmerksamkeit des Pfarrers sicher, als er endlich Kontakt mit ihm aufnahm und ihm nach einigem Zaudern gestand, daß er in den Schoß der heiligen Kirche einkehren möchte. Darob brach große Freude aus, und die gute Botschaft von der Rettung einer verlorenen Seele sprach sich in der ganzen Gegend herum (in der man seit der Regierungszeit Isabellas der Katholischen keinen Juden mehr gesehen hatte). Als der Tag der feierlichen Handlung gekommen war, dröhnten die Kirchenglocken, die Kinder hatten schulfrei, von den Anhöhen stiegen, auf ihre knorrigen Stöcke gestützt, die Bergbauern zu Tal, um dem historischen Ereignis, als das »el baptismo de un Judio« aufgezogen war, im Festgewande beizuwohnen, und Rudi Blau wurde noch rasch über eine altkastilianische Gepflogenheit unterrichtet: wenn ein Jude die Taufe annahm, bekam er zum Lohn einen besonders schönen biblischen Vornamen mit (daß man in Spanien zum Familiennamen auch den Geburtsnamen der Mutter trug, wußte er).

»Es war«, schloß Rudi Blau seinen Bericht, »eine erhebende Zeremonie in der dicht gefüllten Dorfkirche. Nur eines hat mich ein bißchen verwirrt. Hineingegangen bin ich als Jud und hieß Rudolf Blau. Herausgekommen bin ich als Christ und hieß Rodolfo Abraham Blau y Rosenblatt.«

Später, nachdem er über Brasilien und Mexico in die Vereinigten Staaten gelangt war, hat er das wieder ins Lot gebracht.

*

In den Vereinigten Staaten wandelte sich der Emigrant zum Immigranten, der Umherirrende zum Einwanderer, der Flüchtling zum gleichberechtigten Bürger. Inwieweit das mit einem inneren Wandel verbunden war, ist hier schon aus Raum- und Strukturgründen nicht zu untersuchen, ganz abgesehen davon, daß eine solche Untersuchung sich auf die müßige Frage zuspitzen müßte, ob all diese deutschen, österreichischen, tschechoslowakischen und sonstigen von Hitler nach Amerika genötigten Europäer auch ohne Nötigung zu Amerikanern geworden wären. Sie sind's geworden, und damit gut. Aber sie sind, ob sie wollten oder nicht – und viele, das muß redlicherweise gesagt sein, wollten *nicht* –, in einem je nachdem überdeckten oder offenen Teil ihres Wesens die Europäer geblieben, die sie ursprünglich waren.

Der mir gewohnte Umgang aus der Sparte »Kunst und Kultur« gab sich keine Mühe, seinen europäischen Wesensteil, der bei den meisten das ganze Wesen ausmachte, zu verbergen. Wer solche Mühe für angezeigt hielt, gehörte zu einer im Grunde ebenso abstoßenden (und pünktlich abgestoßenen) Randschicht wie jene, die an Amerika kein gutes Haar ließen. In der Mitte lag zwar nicht die Wahrheit, aber doch die Ehrlichkeit, und in der Mitte des Hollywooder Emigrantenviertels lag das von Ernst und Anuschka Deutsch bewohnte Haus, das sich – mangels anderer geeigneter Lokalitäten – alsbald zum abendlichen Treffpunkt der nicht unbedingt Assimilationswilligen entwickelte und kurzweg »Festung Europa« genannt wurde. Dort saßen sie beisammen, Schauspieler und Schriftsteller und Regisseure, lauter einstmals Erfolgreiche, deren Beruf mehr oder weniger mit ihrer Muttersprache identisch war und die sich in der neuen Umgebung nicht so geschwind zurechtfinden oder gar durchsetzen konnten, die ihren Namen, wenn ab und zu eine berufliche Chance sich bot, dem Interessenten erst buchstabieren mußten (»How do you spell it?« lautete die unvermeidliche, die erniedrigende, die inbrünstig gehaßte Frage) – dort, in der Festung Europa, drohte nichts dergleichen, dort wußte man, wer ein jeder war, wußte es so genau, daß man's einander schon wieder mißgönnte wie in den alten Tagen, und sogar das trug zum Behagen bei. Die Gespräche drehten sich um Beschäftigung und Betrieb, um Erlebnisse mit Agenten und Produzenten, um gute und schlechte Erfahrungen mit glücklicheren oder schon von früher her arrivierten Landsleuten, und natürlich auch um die Vorgänge auf den Kriegsschauplätzen, über deren europäischen Teil von Presse und Radio äußerst mangelhaft berichtet wurde, weil für die Bewohner der Westküste schon aus geographischen Gründen vor allem die japanische Front und die Aktionen des dort kommandierenden Generals MacArthur wichtig waren. In den Nachrichtensendungen des Rundfunks wurde Europa mit ein paar raschen Einleitungssätzen abgetan, die übrige Sendezeit gehörte den Meldungen aus dem Hauptquartier MacArthurs, die nun wieder uns Europäern minder wichtig erschienen. »Wenn ich nur ›Mac‹ hör, dreh ich schon ab«, sagte Gisela Werbezirk, die für Hollywood, auf eine Wiener Gartenvorstadt anspielend, die geringschätzige Bezeichnung »Purkersdorf mit Palmen« geprägt hatte und die – aber da bedrängt mich schon wieder ein Schwall von Anekdoten, den ich nicht zu meistern vermöchte. Ich greife eine besonders aufschlußreiche heraus:

In der »Festung Europa« fand sich eines Abends auch Erwin Kalser ein, der exzellente, zuletzt am Zürcher Schauspielhaus tätig gewesene Charakterdarsteller, der in Hollywood kaum

beschäftigt wurde. Um so erstaunter war die Runde, als er sich
bereits kurz nach elf verabschiedete (man blieb gewöhnlich
bis in die frühen Morgenstunden).

Warum so eilig? wurde er gefragt.

Er müsse um sieben Uhr aufstehen, lautete die Antwort.

Und was er dann täte?

»Ich bin verzweifelt«, sagte Kalser.

Von den ständigen Abenden in der »Festung Europa« unterschieden sich die sonntagnachmittäglichen Zusammenkünfte
bei Professor Hildesheimer, einem emeritierten deutschen
Musikologen, vor allem durch das Alter ihrer Teilnehmer, die
fast ausnahmslos auch unter normalen Umständen bereits im
Ausgedinge gewesen wären. Ich bin nie in die Versuchung gekommen, aus meinen Erlebnissen in Hollywood ein Buch zu
machen, aber ich hätte mir einen trefflichen Titel dafür gewußt: »Söhne, Witwen und Gespenster«. Wenn man nämlich
bei Hildesheimer oder auf ähnlich makabren Veranstaltungen
einem Namen von europäischer Berühmtheit begegnete,
handelte sich's in neun von zehn Fällen entweder um den
Sohn oder um die Witwe eines längst Verblichenen; war's aber
noch der Namensträger selbst, dann hatte man mit Sicherheit
ein Gespenst vor sich.

Zu den vitalsten dieser Gespenster zählte der mehr als acht-
zigjährige Julius Korngold, Vater des erfolgreich in Hollywood
tätigen Komponisten Erich Wolfgang Korngold und vor langen Jahren ein maßgeblicher Wiener Musikkritiker. Über seine fachlichen Qualitäten steht mir so wenig ein Urteil zu wie
über die musikalischen seines Sohnes, in dem ich jedenfalls
eine temperamentvolle Künstlernatur und einen warmherzi-
gen, hilfsbereiten Menschen schätzen lernte. Vater Korngold

war schon seinerzeit, als der achtjährige Wunderknabe Erich Wolfgang mit einer Ballett-Komposition debütierte, einigermaßen aufdringlich darauf bedacht, ihn zu fördern, wollte ihm diese überflüssig gewordene Förderung auch jetzt noch angedeihen lassen und hatte sich aus mir unerfindlichen Gründen in den Einfall verrannt, daß ich für seinen Sohn ein Opernlibretto schreiben müsse. Es störte ihn nicht, daß wir beide ein solches Unternehmen für völlig aussichtslos hielten, er ließ sich von seinem Plan nicht abbringen und nützte meine Vorliebe für historische Anekdoten zu immer neuen Versuchen aus, mich ins Gespräch zu ziehen und meinen Widerstand zu brechen.

Wieder einmal fand im Hause Hildesheimer eine Gespensterjause statt. Ich war an diesem Sonntag zum Mittagessen bei Franz und Alma Werfel, meinen guten Freunden, den besten, die ich in Hollywood hatte (und deren Einwirkungen auf mich viel tiefer gingen, als ich's hier auch nur andeuten kann). Am Nachmittag wollten wir dann gemeinsam zu Hildesheimer hinausfahren, aber da Werfel es vorzog, zu Hause zu bleiben, fuhren nur Alma und ich. Als wir ankamen, herrschte bereits der übliche Betrieb, man fühlte sich im Nu vom verstaubten Zauber einer musealen Vergangenheit umsponnen, die für diesen einen Nachmittag zu geisterhaftem Leben erwachte. Ernst Licho, einst Intendant des Dresdner Schauspielhauses, ärgerte sich gerade über seine Repertoirenöte im Kriegswinter 1916/17, als einer seiner Stars plötzlich einrücken mußte, Gisela Werbezirk schimpfte auf Josef Jarno, weil er damals als Direktor des »Renaissancetheaters« eine ihr versprochene Hauptrolle mit Hansi Niese besetzt hatte, der alte Korngold zwickte die nicht viel jüngere Opernsängerin Vera Schwarz in die starrgepuderte Backe und fragte: »Wie geht's, schöne Frau?«, ließ sie jedoch gleich darauf stehen, kam auf mich zugestürzt und zog mich zum unausweichlichen Gespräch beiseite.

»Also horchen Sie zu das wird Sie interessieren!« begann er, lebhaft und eindringlich, wie's seine Art war, in pausenlos hervorgestoßenen Satzfetzen, die er nur zum Atemholen unterbrach. »Das ist eine Geschichte für Sie ich wollt sie Ihnen schon letztesmal erzählen aber Sie sind mir davongelaufen. Also passen Sie auf. Ich sitz nach der Premiere von ›Rienzi‹ mit'n Hanslick im Café Michaelertor ... kommt herein der Spitzer ... setzt sich zu uns ... sagt der Hanslick zum Spitzer ... sagt der Spitzer zum Hanslick ... haut der Hanslick auf'n Tisch und sagt ...«

Was da gesagt worden ist, weiß ich nicht mehr. Ich hatte schon damals Mühe, es aufzufassen und zu behalten. Mich schwindelte. Das Café Michaelertor war um 1890 abgerissen worden – der Musikkritiker Eduard Hanslick war als schärfster Bekämpfer Richard Wagners längst in die Geschichte eingegangen – Daniel Spitzer, dessen satirische »Wiener Spaziergänge« in sieben Bänden vorlagen, wurde von der Literaturwissenschaft als Vorgänger von Karl Kraus und Alfred Polgar betrachtet – und da sitzt jetzt einer neben mir und spricht von den beiden, als ob er sie erst gestern im Café Michaelertor getroffen hätte ...

Ein wenig betäubt stand ich auf. Ich mußte diese Geschichte loswerden, sofort. Zum Glück sah ich Alma in der Nähe sitzen, taumelte zu ihr hinüber und erzählte ihr Wort für Wort, was soeben auf mich eingedrungen war.

Alma Mahler-Werfel – ihrerseits, wie vielleicht ergänzt werden muß, eine überzeugte Wagnerianerin – hörte mir aufmerksam zu.

»Na ja«, resümierte sie, als ich fertig war. »Hat halt der Hanslick einmal recht gehabt.«

Dann zuckte sie die Achseln. Sie hatte sich die Geschichte
auf den Inhalt hin angehört. Weiter war ihr nichts aufgefallen.

Die Emigrationszeit hat mir zumal in ihrer kalifornischen
Phase eine Reihe von persönlichen Begegnungen beschert,
die mir andernfalls vielleicht nicht zuteil geworden wären und
gewiß nicht in so bereichernder Fülle. Manche von ihnen –
mit Igor Strawinsky und Darius Milhaud, mit Bruno Walter
und Max Reinhardt – verdankte ich meiner Beziehung zu
Franz Werfel und seiner Alma. Manche – mit Hermann Broch
und Erich Maria Remarque, mit Marlene Dietrich und Fritzi
Massary – waren schon von Europa her vorgebaut und haben
sich in der Emigration weiterentwickelt, diese und jene bis zur
Freundschaft. Sie alle aber, und ein paar andere dazu, sind mir
wertvoll genug, um mich eine Gelegenheit herbeiwünschen
zu lassen, die sich zu besserer Berichterstattung eignet.

Nur auf eine einzige Begegnung und Bereicherung möchte
ich noch hier zu sprechen kommen: ich habe in Hollywood
Arnold Schönberg kennengelernt. Und an wieviele bedeutende oder geniale Zeitgenossen ich im Leben herangekom-
men sein mag, damals, vorher und nachher –: keiner von ihnen
hat mir so bezwingend und beglückend das Gefühl vermittelt,
daß ich's mit einem Genie zu tun habe. Ich wüßte das nicht
zu begründen, schon deshalb nicht, weil mir zum Schaffen
Arnold Schönbergs nur ein dürftiger und umwegiger Zutritt
gewährt ist. Der Umweg erfolgt über die Literatur, also über
ein rational faßbares Gebiet, auf dem Schönberg sich ganz ungleich besser auskannte als ich auf dem musikalischen; im übrigen wird uns wohl auch das gleichgestimmte Andenken an
Karl Kraus die gegenseitige Verständigung erleichtert haben.

Sie war vom ersten Augenblick an gegeben, schon als Schönberg sich nach gemeinsamen Bekannten erkundigte, und als ich auf seine Frage: »Was macht denn der Kisch?« die Antwort riskierte: »Für den denkt Stalin«, womit ich einen (dem Leser erinnerlichen?) Ausspruch Kischs wiedergab, von dem Schönberg nichts wußte, den er aber intuitiv durchschaute: »Das könnte ihm so passen«, sagte er.

Derlei knappe, für den Betroffenen zumeist ruinöse Bemerkungen waren Schönbergs Stärke. Sie hatten – auch in der Art, wie er sie hervorstieß – etwas von einem zielsicheren Pistolenschuß an sich, sein scharf geschnittenes, wunderschön durchgeistigtes Gesicht verzog sich dabei zu einer halb galligen, halb zwinkernden Grimasse, dann kam noch eine spitze Handbewegung nachgestochen, und damit war die Hinrichtung beendet.

»Sie gehen heute abend zum Bruno Walter?« fragte er mich, als Walter mit den Los Angeles Philharmonikern ein betont klassisches Konzert dirigierte. »Was hat er denn auf dem Programm?«

Ich wußte nur von der Ersten Beethoven.

»Ja?« stach Schönberg los. »Ist er schon so weit?«

Oder als einmal auf Puccini die Rede kam:

»Puccini? Das ist doch der, der dem Lehár alles vorgeäfft hat?«

Wenn ich den entscheidenden Eindruck nennen sollte, der meiner Verehrung für Arnold Schönberg zugrunde liegt, dann würde ich seine grandiose, seine metallisch unzerstörbare Kompromißlosigkeit nennen. Er machte ihr und sich nicht die geringste Konzession, er ließ sich durch nichts, auch nicht durch seine materielle Notlage, zur geringsten Nachgiebigkeit bestimmen. Von den vielen Beispielen, die es dafür gibt, folgt hier das imposanteste:

Einflußreiche Freunde hatten den legendären Chef der Metro-Goldwyn, den alten Louis B. Mayer, nicht ohne Mühe davon überzeugt, daß Schönberg der größte Komponist der Gegenwart sei, noch größer als George Gershwin oder Rodgers & Hammerstein, und daß die Metro-Goldwyn als größte Filmgesellschaft der Welt unter keinen Umständen versäumen dürfe, sich von Schönberg die Hintergrundmusik ihres nächsten Großfilms komponieren zu lassen. Das Traumengagement kam zustande, und Louis B. Mayer sagte sich, daß man einen so berühmten Mann, wenn man ihn schon unter Vertrag nahm, auch persönlich empfangen müsse – wie er das mit berühmten Männern immer zu tun pflegte. Er hatte sich für solche Fälle ein bestimmtes Zeremoniell nebst einigen unverbindlich schmeichelnden Begrüßungsworten zurechtgelegt, und als der größte Komponist der Gegenwart bei ihm erschien, erhob sich der größte Filmproduzent der Gegenwart, kam hinter seinem Schreibtisch hervor, ging dem Eintretenden entgegen und hielt ihm beide Hände hin:

»I'm happy to meet you, Mr. Schönberg«, sagte er. »I'm a great admirer of your lovely music.«

Schönberg zuckte zusammen und ließ die ihm hingehaltenen Hände in der Luft baumeln:

»My music isn't lovely«, stieß er schmallippig hervor. Dann machte er kehrt und ging. Das Engagement, das seine Existenzsorgen behoben hätte, war geplatzt.

Wer von einem schöpferischen Genie Kenntnis hat, dem unter ähnlichen Umständen ein ähnliches Verhalten zuzutrauen wäre, möge sich melden.

Wie diese Aufzeichnungen insgesamt sich zu ihrem Anfang zurückgerundet haben, kehre ich nunmehr zum

Ausgangspunkt dieses letzten Abschnitts zurück, nach Zürich, zu meiner ersten Exilstation und zum ersten Abend, den ich dort im »Hinteren Sternen« verbracht habe, noch unvertraut mit den Ortsüblichkeiten, zu denen u.a. das Erscheinen der Heilsarmee in öffentlichen Lokalen gehört. Die kleine Truppe ist zugleich eine Musikkapelle, die erst einmal ein frommes, zu Wohlverhalten und Wohltun mahnendes Lied zum besten gibt und deren Mitglieder sodann von Tisch zu Tisch gehen, um milde Gaben einzuheimsen und ein von der Heilsarmee herausgegebenes Mitteilungsblatt anzubieten, welches den martialischen Titel »Der Kriegsruf« trägt, aber der Ruf gilt nur dem Krieg gegen das Böse in uns.

An jenem ersten Abend also erschien die Heilsarmee auch im »Hinteren Sternen«, wo sie das Ihre tat und ich das Meine: ich erwarb gegen entsprechendes Entgelt ein Exemplar des »Kriegsrufs«.

Was ich jetzt zu berichten habe, ist ein wenig unwahrscheinlich und auf das Vertrauen des Lesers angewiesen. Belegen läßt sich's nicht, es sei denn, daß in den Archiven der Heilsarmee sämtliche Jahrgänge des »Kriegsrufs« aufbewahrt werden. Dann fände man in den Ausgaben vom Frühjahr 1938 eine damals neuartige und späterhin mehrfach kommerzialisierte Veröffentlichung: »Der Kriegsruf« brachte das Alte Testament gewissermaßen als Fortsetzungsroman, in anspruchsloser Alltagssprache und in geschickten, ja geradezu spannend eingerichteten Abschnitten. Der Abschnitt in dem von mir erworbenen Heft beschrieb den Auszug der Kinder Israels aus Ägypten und war für mich, den soeben eingetroffenen Flüchtling aus Hitlers Machtbereich, natürlich von besonderem Interesse. Der Schluß des Abschnitts aber lautete:

Die Fluten des Roten Meers schäumten den Israeliten drohend entgegen. Hinter ihnen nahten die Kriegswagen des Pharao heran. Der Untergang des Volkes schien wieder einmal bevorzustehen.

(FORTSETZUNG FOLGT)

Sie folgte.

✳

Er ist – wieder einmal – nicht zum planmäßigen Ende gediehen, der Untergang. Aber vielleicht rechtfertigt sich's aus der bloßen Tatsache seiner Planung, daß dieses Buch so übergewichtig von denen handelt, auf die sie abzielte: von Juden. Und vielleicht rechtfertigt sich von hier aus auch die These, daß mit dem untergegangenen Teil des europäischen Judentums zugleich ein Teil des Abendlandes untergegangen ist. Man wird noch merken, in welch wesensverwandter Wechselbeziehung die beiden Untergänge zueinander standen, seit je und von der Basis her, als noch niemand an Untergang dachte.

Da ich nun schon versucht habe, ihn in Anekdoten und Aussprüchen festzuhalten, mögen mir ihrer drei als Abschluß dienen (und als Widmung an jene, die ihm entkommen sind).

Den schönsten Beitrag zum Thema hat mir Hermann Broch einmal aus Princeton nach New York mitgebracht. Es ist ein vierzeiliges Epigramm von Albert Einstein, der ebenso wie Broch in Princeton lebte und freundschaftlichen Kontakt mit ihm unterhielt. Ich habe Broch angefleht, mir diese vier Zeilen in Einsteins Handschrift zu verschaffen, ich wollte sie einrahmen lassen und ständig vor Augen haben. Es ist leider nicht mehr dazu gekommen. Aber deshalb darf dieser nur mündlich überlieferte Vierzeiler nicht in Vergessenheit geraten. Er lautet:

Schau ich mir die Juden an,
Hab ich wenig Freude dran.
Fallen mir die andern ein,
Bin ich froh, ein Jud zu sein.

Ich glaube nicht, daß jüdisches Selbstverständnis souveräner formuliert werden kann als durch diese Kombination von ironischer Eigenbewertung mit resigniertem Trost.

Von der »andern« Seite trifft ein Aphorismus der amerikanischen Schriftstellerin Dorothy Parker ins Schwarze: »The Jews are just like any other people – only more so.« Im Deutschen muß man (wie so oft) zu einer Umschreibung Zuflucht nehmen: »Die Juden sind genau wie jedes andre Volk – sie sind's nur viel intensiver.«

Dies wiederum erhärtet eine Äußerung des Wiener Schriftstellers Egmont Colerus. Sie bedarf eines kleinen Vorberichts.

Colerus zählte zu den Eigenbau-Autoren des Zsolnay-Verlags, der im März 1930 auch meinen Erstlingsroman herausgebracht hatte, den »Schüler Gerber«, dessen Erfolg mir neben anderen, substantielleren Erfreulichkeiten auch eine Einladung zu einem Tee im Haus des Verlegers Paul von Zsolnay eintrug. Dort klopfte mir die gesamte Verlags-Prominenz auf die Schulter und kümmerte sich weiter nicht um mich, sondern ließ mich sozusagen links sitzen. An dem Tisch, an dem ich solcherart saß, entstand plötzlich die Frage, wieviele Juden es auf der Welt gäbe. Es gab damals 15 Millionen, aber das schien niemand außer mir zu wissen, und ich als weitaus Jüngster hielt mich nicht für befugt, die versammelten Geistesheroen durch eine vorlaute Auskunft zu blamieren. Ich schwieg und lauschte respektvoll ihren Bemühungen, unter Heranziehung aller geschichtlichen Entwicklungsphasen – angefangen vom Aufstand Bar Kochbas über das Mittelalter bis zur großen

Zerstreuung – eine wahrscheinliche Zahl für die Gegenwart zu errechnen. Man einigte sich schließlich auf 12 Millionen. Und da schüttelte Egmont Colerus den Kopf und brummte in seinem behäbigen Ottakringerisch:

»Des is ausg'schlossen. Ich allein kenn mehr.«

Und dazu ist nichts weiter zu bemerken, als daß er das heute nicht mehr sagen könnte.

ANHANG

(bestehend aus schon früher Gedrucktem)

Ein sentimentales Vorwort (1966)

Geschrieben für das Buch von Ernst Trost: »Das blieb vom Doppeladler / Auf den Spuren der versunkenen Donaumonarchie«, Verlag Fritz Molden, Wien-München.

In den Zuckerlgeschäften, die fast allen Wiener Theatern gegenüberliegen, bekam man seinerzeit eine eigens für den Theaterbesuch zurechtgemachte Mischung von Bonbons. Sie bestand aus mindestens vier verschiedenen Sorten und hieß »Feine Theatermischung«.

Die Familie meines Vaters stammt aus Böhmen, die Familie meiner Mutter aus Ungarn und mein Geburtszeugnis von der Israelitischen Kultusgemeinde in Wien. Ich bin eine feine Monarchiemischung.

Meine Angehörigen väterlicherseits, sowohl die beiden Großeltern wie die ganze weitläufige Verwandtschaft, waren keine Städter. Ob ich sie geradewegs als Bauern bezeichnen darf, weiß ich nicht. Sie selbst hätten das wahrscheinlich ungern gehört, denn da sie es bereits zu kleineren oder größeren Gutshöfen gebracht hatten oder gar zur Pacht einer herrschaftlichen Domäne, hielten sie sich für etwas Besseres. Jedenfalls waren sie, soweit sich's zurückverfolgen läßt – nicht sehr weit, vielleicht über fünf Generationen –, immer auf dem böhmischen Flachland ansässig gewesen und hatten immer etwas mit Landwirtschaft zu tun gehabt. Mein Vatersname Kantor deutet allerdings darauf hin, daß zur Zeit, als die österreichischen Juden amtliche Familiennamen erhielten, sich auch ein Dorfschullehrer unter meinen Vorfahren befand. (Leider kein Synagogensänger. In diesem Sinn wurde die Bezeichnung »Kantor« erst viel später, gelegentlich der Reformierung des jüdischen Gottesdienstes, aus der kirchlichen Terminologie übernommen. Als Bezeichnung für den Schulmeister war sie auf den tschechischen Dörfern noch in meiner Jugend gebräuchlich.) Sei dem wie immer, und mögen es nun jüdische Landwirte oder jüdische Dorfschullehrer gewesen sein: beides, soviel ich weiß, hat's nur im alten Österreich gegeben, und deshalb führe ich's hier an.

Religiosität und Gelehrsamkeit in religiösen Dingen, vom böhmischen Familienteil arg vernachlässigt, wurden vom ungarischen desto höher gehalten. Mein Großvater mütterlicherseits, Simon Berg, und mehr noch dessen Vater Salomon Berg galten – wie meine fromme Mutter gern und stolz erzählte – als schriftgelehrte Männer und erfreuten sich in ihren Heimatgemeinden entsprechend hohen Ansehens. Aber schon in der nächsten Generation (die sich über die großen Städte der Monarchie zerstreute, hauptsächlich nach Wien und Prag) schlug das in eine gänzlich andre, unvermutete und nicht gerade stilvolle Richtung um: die sechs Brüder meiner Mutter, rauhe Gesellen allesamt, waren begeisterte Militaristen, zwei von ihnen ergriffen die aktive Offizierslaufbahn, und alle bis auf einen standen im Ersten Weltkrieg an der Front, von der sie teils verwundet und teils verbittert zurückkehrten, kaisertreu bis ans Ende. Sehr im Gegensatz hierzu sprachen die bei Melnik in Böhmen begüterten Brüder meines Vaters und deren Kinder schon vor dem Krieg tschechisch, haßten den Kaiser, haßten seine Kaiserstadt und ließen das auch mich und meine beiden Schwestern fühlen, wenn wir in den späteren Kriegssommern aus dem nahrungsverknappten Wien zu unseren böhmischen Verwandten geschickt wurden, um uns anständig anzuessen.

Unsre Wiener Wohnung in der Porzellangasse, nahe dem kriegswichtigen Franz-Josefs-Bahnhof, glich während dieser Jahre nicht selten einem Heerlager. Onkel und Cousins, die an die Front abgingen oder auf Urlaub kamen, machten immer in Wien Station, nächtigten oder aßen bei uns, und manchmal saß ein halbes Dutzend uniformierter Gestalten am Familientisch. Bei einer solchen Gelegenheit kam es zu einem Auftritt, der sich meinen sehr lebendigen Kindheitserinnerungen besonders klar eingeprägt hat, obwohl ich ihn nicht recht zu deuten wußte. Mein Lieblingsonkel Paul, der jüngste Bruder meiner Mutter und offenbar ein Tunichtgut (war er doch sogar nach Amerika ausgerissen), schien mit dem um vieles älteren Onkel Berti in Streit geraten zu sein. Der Onkel Paul war Leutnant bei den Deutschmeistern, der Onkel Berti – mit vollem Namen Albert Großmann und Gatte der ältesten Schwester meiner Mutter – bekleidete beim selben Regiment den Rang eines Majors. Und plötzlich sprang der Onkel Berti auf, schlug mit der flachen Hand auf den Tisch, daß die Gedecke klirrten, rief dem Onkel Paul mit zornbebender Stimme und gesträubten Schnurrbartenden zu: »Herr Leutnant, was unterstehst du dich?« und rief noch einiges mehr, wovon ich nichts begriff. Ich sah nur, vom »Katzentisch« her, daß der Onkel Paul aufstand und mit rotem Gesicht so lange stehenblieb, bis der Onkel Berti sich wieder hinsetzte. Aus den Gesprächen der Erwachsenen, die sich noch tagelang mit dem Vorfall beschäftigten, reimte ich mir zusammen, daß der Onkel Berti den Onkel Paul »Habtacht gestellt« hatte. Auf mich wirkte das Ganze zugleich erschreckend und komisch. Sollte das vermutlich überdimensionale Sammelwerk »Was Juden imstand sind« jemals zum Abschluß kommen, dann wird diese Episode nicht fehlen dürfen.

Hier vermerke ich sie nicht etwa deshalb, um eine uninteressante Familiengeschichte wichtigmacherisch aufzurollen, sondern weil jüdische Berufsoffiziere ebenso zu den Wesenszügen der alten Monarchie gehört haben wie jüdische Bauern – und weil ich mich auf Grund alles dessen in einem gewissen Sinn legitimiert glaube, das vorliegende Buch einzuleiten. Denn auf die Frage: »Was blieb vom Doppeladler?« könnte ich mit einer gewissen Berechtigung antworten: »Zum Beispiel ich.«

Es kommen noch andere Legitimationen hinzu. Wie schon angedeutet – und wie das bei Menschen, die sich späterhin der fragwürdigen Beschäftigung des Schreibens zuwenden, häufig der Fall ist – war ich ein sehr frühreifes, mit einem ungewöhnlich guten Gedächtnis begabtes Kind. Über die Wichtigkeit von Kindheitserinnerungen hat der Altösterreicher Sigmund Freud alles Nötige gesagt, und sie haben auch in meinem Leben eine große Rolle gespielt. Ich sehe nicht ein, warum ich gerade jene von ihnen, die mit dem alten Österreich zu tun haben, künstlich verdrängen und mir womöglich ein monarchistisches Trauma einwirtschaften sollte; warum ich mich nichts davon wissen machen sollte, daß meine Geburt und acht Jahre meines Lebens noch in die Ära des alten

Kaisers fielen, in dessen Regierungserklärung Ungarn noch »Hungarn« hieß; warum ich leugnen oder bagatellisieren oder gar schmähen sollte, was ich als Kind bestaunt und bewundert habe; warum ich, kurzum, an diese Kinder- und Kaiserzeit, an das allsommerliche Feuerwerk in Ischl am Vorabend des 18. August (der für mich noch lange »Kaisers Geburtstag« blieb), an das klingende Spiel der Burgkapelle, dem ich an der Hand meines Kinderfräuleins zuhören durfte, an Regimentsmusik und Fronleichnamsprozession und Farbenpracht und Equipagenprunk – warum ich an dies alles nicht mit Wehmut zurückdenken und es nicht in einem sentimentalen Vorwort äußern sollte.

Denn etwas andres als ein sentimentales Vorwort ist hier nicht gemeint, und ganz gewiß kein politisches – obwohl auch der Politik ein kleiner Schuß Sentimentalität nicht unbedingt schlecht bekommen müßte, jedenfalls nicht so schlecht wie deren Gegenteil, das Ressentiment. Oder war es vielleicht kein Ressentiment, das 1937, in der schwersten Krisenzeit Mitteleuropas, den Inhaber einer politischen Schlüsselposition, Edvard Beneš, die Losung »Lieber Hitler als Habsburg!« proklamieren ließ? War das vielleicht Politik? Wenn ja, dann ist auch meine Kindheitserinnerung an die aufziehende Burgwache Politik. Sie könnte es sogar mit der Politik des tschechoslowakischen Regierungschefs aufnehmen, was ihre Erfolglosigkeit betrifft. Aber damit will ich kein politisches Credo abgelegt haben, ich sage es nochmals und ausdrücklich. Und möchte freilich auch sagen dürfen, daß ich mir Schlimmeres vorstellen kann als eine Monarchie, ja daß ich's mir eigentlich gar nicht vorzustellen brauche, denn ich habe Schlimmeres erlebt (und wer weiß, ob ich's in einer Monarchie hätte erleben müssen).

Nun, lassen wir das. Und einigen wir uns vielleicht auf eine Formel, die mir von der jahrelangen Beschäftigung mit dem Œuvre des genialen Alt- und Urösterreichers Fritz von Herzmanovsky-Orlando eingegeben wurde: daß der Untergang Österreichs eine der katastrophalsten Humorlosigkeiten der Weltgeschichte war ...

Die Geschichtsbücher, mit gewohnter Oberflächlichkeit, legen diesen Untergang auf das Jahr 1918 fest. In Wahrheit ist er erst 1938 erfolgt. Was in Wahrheit österreichisch war am alten Österreich, was die wahren Eigenheiten, die unvergleichlichen und unersetzlichen Qualitäten dieses seltsamen Staatengebildes ausgemacht und den einstmals schwarzgelben Kulturkreis zusammengehalten hat: damit, meine ich, war es erst 1938 endgültig vorbei. Zwar hatte jenes Österreich, daß 1938 auch formal zu existieren aufhörte, nicht als Erbe und nicht einmal als Abbild des alten Österreich gelten können; aber es hatte immer noch gewisse Kontinuitäten zu wahren vermocht, es war, wenn schon kein Zentrum, so doch eine Art Knotenpunkt, wo die noch nicht restlos abgespulten Fäden von dermaleinst zusammenliefen. Prag und Budapest standen immer noch in regster Wechsel- und Austauschbeziehung mit Wien, geistig, künstlerisch, atmosphärisch. Die böhmischen Heilbäder und die dalmatinischen Seebäder, die ungarischen Sommerfrischen und die slowakischen Wintersportplätze gehörten immer noch zum gewohnten Landschaftsbild des Österreichers, waren ebenso in seiner Sicht geblieben wie die von Polen und Rumänien absorbierten Teile der Monarchie. Immer noch gingen junge Wiener Schauspieler nach Mährisch-Ostrau und Aussig und Bielitz ins erste Engagement, immer noch lagen das »Prager Tagblatt« und der »Pester Lloyd« und die »Czernowitzer Morgenzeitung« mit der gleichen Selbstverständlichkeit in den Wiener Kaffeehäusern auf, wie in den Kaffeehäusern von Brünn, Agram und Triest die »Presse« und das »Tagblatt« und das »Journal« aus Wien. Kurzum: die Nachfolgestaaten des alten Österreich waren bis 1938 noch deutlich als solche erkennbar, manche von ihnen – etwa die Tschechoslowakei an ihrer Vielsprachigkeit, etwa Ungarn an seiner sozialen Schichtung – sogar deutlicher als das neue Österreich. Bis 1938.

Die Nacht vom 11. auf den 12. März 1938 werde ich nie vergessen. Ich hielt mich damals in Prag auf – nicht weil ich das über Österreich hereinbrechende Unheil vorausgesehen hätte, sondern um eine seit langem bestehende Vortragsverpflichtung an der Prager »Urania« zu erfüllen. Nur der Kuriosität halber sei vermerkt, daß die literarische Leitung der »Urania« damals in den Händen Heinrich Fischers lag, des heute in München lebenden Nachlaßverwalters von Karl Kraus, und daß meine Vortragsreihe den »Außenseitern der österreichischen Literatur« galt, darunter dem damals noch völlig unbekannten Herzmanovsky-Orlando. Das also hatte mich nach Prag geführt, nicht etwa meine politische Weitsicht. Vielmehr war ich von den aus Wien einlangenden, immer tragischer sich überstürzenden Nachrichten so völlig niedergeschmettert, als hätte sich niemals etwas dergleichen angekündigt. Verzweifelt saß ich mit einem Wiener Freund, der schon 1934 nach Prag emigriert war, die ganze Nacht hindurch am Radio. Als allmählich Funkstille eintrat, beschlossen wir – an Schlaf war sowieso nicht zu denken –, den fahrplanmäßigen Nachtschnellzug aus Wien abzuwarten, gegen sieben Uhr früh am Masarykbahnhof, vielleicht käme da jemand an, den wir kannten. Bis dahin wollten wir spazierengehen.

Kurz nach drei Uhr, nachdem wir noch die letzten Nachrichten eines französischen Senders abgefangen hatten, traten wir auf die Straße hinaus, in eine kalte, nebelverhangene Nacht, und schlugen den Weg zum Belvedereplateau ein, wo wir ziellos umherwanderten. Eine kleine Kneipe gewährte uns für die kurze Zeit bis zur Sperrstunde noch Unterschlupf, dann nahmen wir die Wanderung wieder auf, nach wie vor außerstande, aus unsrer dumpfen Niedergeschlagenheit mehr als den Ansatz eines Gesprächs zu entwickeln. Vom Panorama der Stadt mit den berühmten hundert Türmen war nichts zu sehen, der Nebel hatte sich verstärkt, die Straßenbeleuchtung wurde schwächer, und als wir uns an den Abstieg zur Štefanikbrücke machten, begann es auch noch zu regnen. Das Ganze war von einer so vorschriftsmäßigen Melancholie und Trostlosigkeit, wie man's aus solchem Anlaß nie erfinden dürfte – nur die Wirklichkeit darf es wagen, so zu sein.

Und dann, um die Weltuntergangsstimmung zu komplettieren, kam uns auf der menschenleeren Štefanikbrücke ein Betrunkener entgegen. Daß er betrunken war, sah man ihm schon von weitem ebenso unverkennbar an, wie daß er uns entgegenkam und sich von seiner Zielrichtung durch nichts würde abbringen lassen, auch dadurch nicht, daß wir nun etwa auf die andere Brückenseite hinüberwechselten. Alle Erfahrung mit Betrunkenen sprach dafür, daß wir nichts Besseres tun konnten, als der unvermeidlichen Begegnung standzuhalten und sie möglichst rasch hinter uns zu bringen. Ich beruhigte meinen Freund, der sich in einem erbärmlichen Nervenzustand befand, und erwartete im Vertrauen auf mein ziemlich akzentfreies Tschechisch den Zusammenstoß.

Mit merkwürdig steifen, merkwürdig durch die Dunkelheit hallenden Schritten steuerte der Betrunkene auf uns zu. Er torkelte nicht, er stapfte, nur als er vor uns stehenblieb, schwankte er ein wenig. Im übrigen wirkte er weder wie ein Gewohnheitstrinker noch irgendwie aggressiv. Sein Alter mochte zwischen 40 und 50 liegen.

Ein paar Sekunden lang musterte er uns stumm. Dann sagte er, mehr zwischen uns hindurch als an einen von uns gewendet, und nicht nur der ohnehin unvergeßliche Wortlaut, auch sein Tonfall ist mir bis heute im Ohr geblieben:

»Obsadili nám Rakousko«, sagte er. (Sie haben uns Österreich besetzt.) »Teď to máme.« (Jetzt haben wir's.)

Es war weniger die Prophetie seiner Worte – denn obwohl »sie« Österreich noch gar nicht wirklich besetzt hatten, gehörte nicht viel dazu, die Besetzung mit allen Folgen kommen zu sehen –: es war dieses »uns«, das mich ergriff und erschütterte, dieser rührende dativus ethicus, der im Tschechischen überhaupt die sonderbarsten Blüten treibt.

Ich wußte nichts zu erwidern und nickte.

Vielleicht schloß er aus dem Ausbleiben einer Antwort auf Sprachschwierigkeiten, vielleicht veranlaßte ihn der Inhalt des nunmehr Folgenden, in ein hartes, mühsames, jedoch völlig korrektes Deutsch zu wechseln:

»Bitte, wie komme ich hier nach Alt-Bunzlau?«

Seine sinnlose Frage machte mir wieder bewußt, daß ich es ja mit einem Betrunkenen zu tun hatte, dem man am besten auf alles einging; ich empfahl ihm, gleich hinter der Brücke nach links abzubiegen und immer den Straßenbahnschienen zu folgen, dann käme er bestimmt nach Alt-Bunzlau.

»Nämlich«, sagte er, ohne sich von der Stelle zu rühren. »Ich muß nämlich nach Alt-Bunzlau.«

Nichts wäre verhängnisvoller gewesen, als ihn nach dem Grund zu fragen und seiner Beharrlichkeit neue Nahrung zu liefern. Deshalb begnügte ich mich mit der nochmaligen Bestätigung, daß ihn der angegebene Weg bestimmt ans Ziel bringen würde.

Aber er kam von seinem »nämlich« und von Alt-Bunzlau nicht los. Und jetzt zeigte sich erst, was hinter der vermeintlichen Sinnlosigkeit steckte:

»Nämlich«, wiederholte er. »In Alt-Bunzlau habe ich nämlich gedient. Kaiser Karl auch. Ich muß nach Alt-Bunzlau. Sie haben uns Österreich besetzt.«

Er nahm Haltung an, salutierte und verschwand mit steifen, stapfenden Schritten in der Regennacht.

Wir blickten ihm nach. Mein Freund – wie schon gesagt: ein 1934er-Emigrant, also das Gegenteil eines Legitimisten – begann schamlos zu heulen. Er war, wie gleichfalls schon gesagt, mit den Nerven völlig herunter.

Mir stiegen die Tränen erst später hoch, auf dem Masarykbahnhof, und es waren Tränen der Wut: im fahrplanmäßigen Wiener Nachtschnellzug befand sich kein einziger Passagier aus Wien. Die Waggons mit den Flüchtlingen hatten die Grenze bei Lundenburg nicht passieren dürfen.

Das Wörtchen »uns«, mit dem mein nächtlicher Gesprächspartner von der Štefanikbrücke mich so sehr beeindruckt hat, kam noch in einem anderen Dialog zu sonderbarer und sogar heiterer Geltung, von der hier berichtet werden muß. Die dazugehörige Geschichte spielt beträchtlich früher, gegen Ende der Zwanzigerjahre, in der Split genannten dalmatinischen Hafenstadt Spalato, wo ich auf einer Ferienreise hängengeblieben war. Dort also ankerte eines flirrenden Sommermorgens ein Schiff, dessen sichtlich neue jugoslawische Flagge nicht recht zu seiner sichtlich altmodischen Bauart passen wollte. Ebenso altmodisch nahm sich das uniformierte Männlein aus, das in der Morgensonne langsam von der Mole her landeinwärts gebogen kam und sich durch seine Litzen und Borten an Mütze und Uniform sogleich als Offizier zu erkennen gab, vielleicht war's gar der Kapitän, und jedenfalls war es ein Marineur von hoher Rang- und Altersklasse, mit weißem, vom Tabak vergilbtem Knebelbart und vielen Runzeln im Gesicht und wasserblau verschwimmendem Blick. Luft und Lässigkeit des Sommermorgens begünstigten das Zustandekommen einer Anrede, und es ergab sich von selbst, daß sie der Erkundigung nach Art und Herkunft des merkwürdigen Schiffes galt, das draußen im Hafen lag. Der Vergilbte fingerte an den franzisko-josefinisch zugestutzten Knebeln seines Barts, wandte sich um, wandte sich wieder zurück und sah ein paar Sekunden wasserblau ins Leere, ehe er antwortete – in jenem vielfach gemischten Idiom, das zwischen Balkan und Adria einstmals als »Grenzerdeutsch« beheimatet war:

»Jo, jo«, nickte er. »Das Schiff. Wissen S', das hat früher uns g'hört, und dann ham's wir übernommen …«

Jahre und Jahrzehnte sind seither vergangen. Es ist nicht sehr wahrscheinlich, daß jene früher uns gehörige und dann von uns übernommene Schaluppe noch die Meere befährt, und wenn sie's tut, dann wird sie von keinem knebelbärtigen Alten mehr gesteuert. Der Prager Regimentskamerad des letzten österreichischen Kaisers könnte noch am Leben sein, und wenn er's ist, dann dürfte er an seine Dienstzeit in Alt-Bunzlau mit noch viel tieferer Trauer und Hoffnungslosigkeit zurückdenken als damals, da sie uns Österreich besetzt hatten – denn mittlerweile haben »sie« (die Definition ist auswechselbar) ja auch die Tschechoslowakei besetzt, ihm und uns. Der Wandel aber, der damals einsetzte, ist seither weiter fortgeschritten, immer weiter, in jeder Hinsicht, auch was den Doppeladler betrifft. Damals, vor 1938, als die Nachfolgestaaten des alten Österreich noch deutlich als solche erkennbar waren, waren sie es eben darum nur widerstrebend und taten alles, um die Merkmale dieser Erkennbarkeit auszulöschen. Heute, da vielleicht eben darum so vieles andre ausgelöscht ist, was sie niemals ausgelöscht wissen wollten, und da die einstigen Merkmale ihrer Herkunft sich in immer blasseren Spuren verlieren – heute widerstreben sie ihnen nicht länger. Es kann sogar geschehen, daß sie sich zu ihnen bekennen. Und damit ist keine offizielle, aus historischen oder propagandistischen Motiven besorgte Vergangenheitspflege gemeint, sondern das persönliche, sentimentale Attachement, die wehmutsvolle Sehnsucht nach etwas unwiederbringlich Verlorenem, jenseits von Besser oder Schlechter, jenseits aller Politik, ja wohl gar jenseits der Vernunft. Es gibt – ähnlich dem von Herzmanovsky-Orlando entdeckten »inneren Gamsbart« des Österreichers – es gibt einen sozusagen »inneren Doppeladler«. Ihn aufgespürt zu haben, jenen verblassenden Spuren noch einmal gefolgt zu sein, um sie nachzuzeichnen und festzuhalten: darin, so scheint mir, liegt der bleibende Wert dieses Buchs, darin besteht – mit allem Widerspruch, den es da und dort anzumelden gäbe – seine Leistung und sein Verdienst.

Mögen es nur noch ein paar ausgerupfte Federn sein, die vom Doppeladler blieben und die wir uns jetzt – wie man in Österreich sagt – am Hut stecken können. Und mag das alles – wie man im Gegenteil in Amerika sagt – ein alter Hut sein. Aber es war – und der Babenbergerherzog Heinrich II. pflegte in solchen Fällen zu sagen: ja so mir Gott helfe – es war ein schöner Hut.

URBIS CONDITOR – DER STADTZUCKERBÄCKER (1958)

Am Kohlmarkt zu Wien – nicht etwa »auf dem« Kohlmarkt, was zwar grammatikalisch richtig wäre, aber praktisch undurchführbar, denn »auf dem Kohlmarkt« hieße ja inmitten der Straße, und der Kohlmarkt ist heute längst kein Markt mehr, sondern eine schmale, vornehme Verkehrsader im Stadtzentrum –, am Kohlmarkt also, nahe der einstmals kaiserlichen Hofburg, befindet sich die Konditorei Ch. Demel's Söhne, kurz »Demel« und ganz genau »der Demel« geheißen. Dem Artikel kommt hier durchaus die Funktion einer verehrungsvollen Liebkosung zu, wie sie sonst nur den großen Theaterlieblingen entgegengebracht wird. Kein Mensch hat jemals von »Alexander Girardi« gesprochen; er hieß »der Girardi«. Man sagt ja auch nicht »Paula Wessely«, sondern »die Wessely«. Und man sagt »der Demel«. Man sagt: »Gehen wir zum Demel«, oder: »Wir treffen uns um halb fünf beim Demel.« Richtige Demel-Besucher sagen nicht einmal das. Sie begnügen sich mit einem simplen »Wir treffen uns um halb fünf«. Daß dies anderswo als beim Demel geschähe, könnten sie sich auch mit größter Mühe nicht vorstellen. Aber sie wenden solche Mühe erst gar nicht auf.

Wie und wodurch man ein richtiger Demel-Besucher wird – dafür gibt es keine Regel, sondern höchstens Anhaltspunkte. Am besten kommt man bereits als Kind eines richtigen Demel-Besuchers auf die Welt. Man wird dann meistens auch das Enkelkind eines solchen sein und wird sich sogar erinnern, daß einem der Großpapa beim ersten Demel-Besuch wehmütig davon erzählt hat, wie er von *seinem* Großpapa das erstemal zum Demel mitgenommen wurde. Denn der Demel ist mehr als eine Institution. Er ist, auch hierin wieder dem Theater vergleichbar, und zwar dem Burgtheater, eine Legende.

Eine Legende freilich, die sich nicht damit zufriedengibt, es zu sein, die nicht von ihrer Vergangenheit zehrt, sondern die Gegenwart von sich zehren läßt. Eine höchst lebendige, ständig aus sich selbst regenerierte Legende. Sowohl die Zukkerbäckerei, die nur noch vom kalten Buffet übertroffen wird, als auch das kalte Buffet, das nur noch von der Zuckerbäkkerei übertroffen wird, warten mit immer neuen Köstlichkeiten auf, mit unvergleichlichen und unnachahmlichen Spezialitäten, von denen jede einzelne genügen würde, um eine Konditorei berühmt zu machen. Eine unsichtbare Schar von Fachleuten – Heinzelmännchen vielleicht, mit spitzen Zukkerhüten auf dem Kopf und Bärten aus eitel Schlagobers – arbeiten unablässig an neuen Rezepten, lassen sich die raffiniertesten Kombinationen einfallen, die sich aus der Skala sämtlicher Geschmacksnuancen von bittersüß bis mildpikant ergeben mögen. Der Demel-Besucher, der nach mehrmonatiger Abwesenheit von Wien und damit vom Demel wieder nach Wien und damit zum Demel zurückkehrt, darf sicher sein, mindestens je zwei Pasteten und Salate vorzufinden, die er noch nie verkostet hat, mindestens ebenso viele ungeahnte Kreationen unter den Torten und Patisserien, und möglicherweise serviert man ihm gerade an diesem Tag auch eine neue »Crème du jour«. Wenn er ein richtiger Demel-Besucher ist, wird ihn das alles nicht weiter überraschen. Das heißt aber keineswegs, daß es ihn kalt läßt. Er findet es nur natürlich – so natürlich wie den ewigen Wechsel der Jahreszeiten. Es durchpulst ihn mit dem gleichen Wohlgefühl, das ihn etwa beim

Anblick eines knospenden Grüns überkommt. Beim Demel ist immer Frühling.

Außer den geborenen Demel-Besuchern, die zum größten Teil Aristokraten sind, gibt es auch noch die gewordenen. Sie sind zum größten Teil Aristokraten. Und wenn sie es nicht von Haus aus sind, dann werden sie es von Demel aus: teils eben dadurch, daß sie zum Demel gehen, teils indem sie vom Personal das Demelsche Adelsprädikat verliehen bekommen. Wer beim Demel nicht mindestens »von« heißt, ist kein richtiger Demel-Besucher. Dieses »von« unterscheidet sich fundamental vom wahllos vulgären »Herr Baron« einer trinkgeldheischenden Liebedienerei. Es wird nicht wahllos, sondern nach langer, wohlerwogener Prüfung verliehen. Und es gilt höher als ein noch so echter, noch so mühsam und redlich erworbener akademischer oder amtlicher Rang. Manch ein Professor, manch ein Ministerialrat (vom hergelaufenen Doktor ganz zu schweigen) würde einiges darum geben, wenn er statt mit seinem Titel mit dem Demelschen »von« apostrophiert würde. Aber da kann er lange warten.

Hingegen wird auch dem unterklassigen Besucher die Vergünstigung der indirekten Anrede zuteil, einer nur beim Demel erhältlichen Mischung aus Majestätsplural und kühler Distanz, die durch den Fortfall des Titels hergestellt wird. »Wurden schon bedient?« hält eine diskrete Mitte zwischen dem abrupt zupackenden »Wurden Sie schon bedient?« und dem allzu devoten »Wurden Herr Baron schon bedient?« Man fühlt sich in der dritten Person umsorgt, aber nicht bedrängt. Man weiß sich in sachlicher Hut, ohne ihre Gewährung als Gnade empfinden zu müssen. Wünschen mehr darüber zu erfahren? Dann gehen bitte zum Demel. Definitionen könnten hier nur plumpen Schaden stiften. Denn auch die Atmosphäre wird beim Demel nach einem sorgsam gehüteten Rezept erzeugt.

Zu dieser Atmosphäre gehört die sanfte, unauffällige Schwesterntracht des Personals und das altmodische Arrangement der Tische, gehört die Tatsache, daß hier als mutmaßlich einzigem Lokal des Erdenrunds kein Bedienungszuschlag eingehoben wird, und gehört der eigens als solcher bezeichnete »Rauchsalon«. Wer in den anderen Räumlichkeiten rauchen will, hat zwar mit keinem Verbot zu rechnen, aber es wird ihm deutlich gemacht, daß man das Rauchen außerhalb des Rauchsalons nicht gerne sieht. Er muß sich aus einem schwer zugänglichen Winkel den Aschenbecher holen, er wird, wenn er zufällig kein Feuer bei sich hat, sehr lange warten müssen, ehe er eines bekommt, und vielleicht läßt man ihn sogar auf seine Bestellung länger warten.

Dies allerdings hängt schon wieder von der Art des Verhältnisses ab, in dem er zu einer Servierdame steht. Bekanntlich wird in öffentlichen Gaststätten jedweder Prägung das Personal auf bestimmte Tische verteilt, deren Gesamtheit den sogenannten »Rayon« ergibt. Beim Demel verteilt sich das Personal auf bestimmte Gäste. Noch besser: es teilt die Gäste unter sich auf, und zwar ein für allemal. Man gehört – gleichgültig, an welchem Tisch man sitzt – einer bestimmten Servierdame und nur ihr. Dieses Zugehörigkeitsverhältnis wird desto unerbittlicher beobachtet, je richtiger man ein Demel-Besucher ist. Wenn ein Gast der Frau Paula gehört, wagt kein Fräulein Grete und keine Frau Berta, ihn zu bedienen – es sei denn, die Frau Paula hätte heute ihren freien Tag. Davon macht man ihm dann auch allsogleich Mitteilung, damit er nicht erschrickt und sich getrost einer andern überläßt. Für ganz besonders richtige Demel-Besucher steht eine

Ersatzhierarchie bis ins dritte Glied bereit. Höchstens im Falle einer Epidemie könnten sich da noch kleinere Unzukömmlichkeiten ergeben.

Die Frau Paula heißt übrigens nicht Paula, sondern Grete. Aber als sie dermaleinst – es muß schon Jahrzehnte her sein – beim Demel eintrat, gab es bereits eine Grete, und folglich bekam die neue Grete einen andern Namen. Warum sie sich damals für Paula entschied, weiß sie heute nicht mehr. Sie weiß kaum noch, daß sie in Wahrheit Grete heißt. In einer aufgeräumten Stunde gestand sie mir einmal, daß auch ihr Mann sie längst schon Paula nennt. Und die neue Paula, die inzwischen zum Demel kam, heißt Lina.

Die Frau Paula ist für mich mit dem Begriff Demel identisch, wie mein Kinderfräulein für mich mit dem Stadtpark identisch war und später mein gütig blinzelnder Lateinprofessor mit dem Gymnasium (oder doch mit seinen schöneren Stunden). Und dementsprechend behandelt sie mich auch.

Manchmal nämlich wird selbst der richtigste Demel-Besucher von gelindem Ärger erfaßt: weil es mit der Bedienung nicht klappen will, weil er an einen schlechten Platz gewiesen wurde, weil er nicht weiß, wohin er die Garderobe tun soll (eine Ablage gibt es nicht), weil er beengt und ungemütlich sitzt. Manchmal fragt sich selbst der richtigste Demel-Besucher, ob dieser Name ihm nicht vielleicht zu einem leeren Fetisch geworden ist; und was ihn denn eigentlich veranlaßt, all diese Unbequemlichkeiten immer wieder auf sich zu nehmen; und warum er denn überhaupt noch zum Demel geht. Und dann mag es geschehen, daß er die gerade vorübertrippelnde Frau Paula nun schon zum drittenmal bitten muß, doch endlich abzuservieren und auf dem Tisch ein wenig Platz zu schaffen. Das tut die Frau Paula denn auch und trippelt ein paar Schritte weiter – macht aber plötzlich kehrt, setzt die Tasse wieder ab und deutet mit mahnendem Finger auf den nicht ausgetrunkenen Rest der Schokolade:

»Das Beste lassen stehn«, sagt die Frau Paula. Und dann weiß man wieder ganz genau, warum man zum Demel geht.

Ob meine Bindung an die Frau Paula tatsächlich schon aus meiner Kindheit stammt, wie ich's so gerne wahrhätte, oder erst aus der Gymnasiastenzeit – darüber lag bis vor kurzem noch wohlig unentschiedener Dämmer gebreitet. Jetzt aber, leider, hat sich's geklärt.

Ich war mit einem Freund, der sich gleichfalls zu den richtigen Demel-Besuchern zählt, in eine jener Streitigkeiten geraten, wie sie eben deshalb zwischen richtigen Demel-Besuchern gelegentlich ausbrechen müssen. Es ging darum, wer von uns beiden denn nun der richtigere Demel-Besucher sei und wen die Frau Paula schon länger in ihrer Obhut hätte. Mein Rivale scheute sich nicht, der Frau Paula diese Frage ganz unverhohlen vorzulegen. Die Frau Paula kniff ihre Augen hinter den Brillengläsern für ein paar nachdenkliche Sekunden zusammen; dann wandte sie sich bedauernd an mich:

»Seien bitte nicht bös«, sagte sie. »Aber ich glaub, den jungen Herrn da kenn ich doch ein bisserl länger.«

Der junge Herr, ein korpulenter Fünfziger mit Glatze, war aber nur wenige Jahre älter als ich. Es hätte genausogut umgekehrt ausfallen können.

Noch von einem andern Anlaß ist zu berichten, an dem die Frau Paula ihren unendlichen Herzenstakt bewährte, und dieser Anlaß war nicht einmal ganz so harmlos. Er begab sich bei meiner Rückkehr aus der Emigration, ein paar Jahre nach Kriegsschluß. Überflüssig zu sagen, daß der Weg zum Demel sich unter meinen ersten Wegen befand. Ich setzte mich an einen nahe beim Eingang gelegenen Tisch und wartete, nicht gänzlich ohne Herzklopfen, bis die Frau Paula sich zeigen würde (daß es sie noch gab, hatte ich schon vorher erkundet). Sie tauchte auch bald genug durch die Schwingtüre auf, hinter deren milchig gläsernen Flügeln die geheimnisvollen Gefilde der Zuckerbäckerei beginnen – tauchte auf und hielt inne, und jetzt, so dachte ich, würde geschehen, was unter ähnlichen Umständen damals schon mehrfach geschehen war: die Wiedersehensfreude, echt oder vorgetäuscht, pflegte ihre herkömmlichen Formeln zu finden, ging in allerlei Fragen und Antworten über, mischte sich mit allerlei Seufzern und Reminiszenzen, und nach ein paar Minuten war's vorbei.

Nichts Derartiges schien sich anbahnen zu wollen. Sondern die Frau Paula war wieder in die Küche verschwunden, und ich begann mich mit der trüben Möglichkeit abzufinden, daß sie mich nicht erkannt hätte. Schließlich lag ja mein letzter Besuch beim Demel schon mehr als ein Jahrzehnt zurück.

Aber da stand die Frau Paula an meinem Tisch, stellte einen hohen, mit unverkennbar Köstlichem gefüllten Kelch vor mich hin, dessen Inhalt sich nachmals als »Crème Grenoble« erwies, und sagte:

»Ich glaub, das haben noch nicht gehabt.«

Das war alles, was sie sagte. Und es genügte vollauf, um das Jahrzehnt meines Fernseins wegzuwischen.

Seither ist am Stadtzuckerbäcker Wiens ein weiteres Jahrzehnt vorbeigegangen – nicht etwa spurlos, das soll's ja gar nicht, und die wunderzarten Mokkabohnen in den kleinen, runden Pappschachteln mit der Hoflieferanten-Etikette sind dessenungeachtet nach den allerneuesten Rezepten gefertigt,

eins tut dem andern keinen Abbruch, man kann die Mokkabohnen zu Hause umfüllen und das Schächtelchen wegwer-
fen, man kann es aber auch zu anderen Zwecken verwenden,
denn der Pappkarton ist von vortrefflicher Qualität, ist »echte
Friedensware«, nämlich aus der Zeit des echten Friedens, der
Zeit vor 1914, als Ch. Demel's Söhne noch k. k. Hoflieferan-
ten waren. Frau Anna Demel, die letzte Trägerin des Namens,
ist vor drei Jahren gestorben, im gleichen Alter wie Kaiser
Franz Joseph, mit 86 Jahren. Aber sie hat für die Zukunft ihres
Reiches ganz ungleich besser vorgesorgt. Von Tante Minna,
ihrer jüngeren Schwester, liebreich überwacht, sind hinter der
Milchglastüre die emsigen Heinzelmännchen am Werk, auf
daß der Zuckerbäcker Demel sich gegen die Zeit behaupte.
Und in der Tat: man hat, wenn man beim Demel sitzt, beinahe das Gefühl, einer geheimen Résistancebewegung anzugehören. Stärker als anderswo wird hier offenbar, daß in Wien
gerade die vermeintlichen Legenden am besten funktionieren, stärker wird hier die Vergangenheit gegenwärtig: als etwas
ganz und gar Lebendiges, als jenes Heute, das dem Wiener
seit jeher nur die unvermeidliche Übergangsphase zu einem
besseren Gestern war.

Rätselhaft und wirklicher als irgend sonst fließen Gestern
und Heute beim Demel ineinander. Es ist, als wäre man im
Fiaker vorgefahren. Oder als träte im nahen Burghof die kaiserliche Leibgarde ins Gewehr. Oder als wäre die Konditorei
Demel noch in Betrieb.

SACHER UND WIDER-SACHER

Umwegige Marginalien zum Wiener Tortenstreit (1961)

Vor grauen Jahren lebt' ein Mann im Osten, der ein Rezept von unschätzbarem Wert aus lieber Hand besaß. Es handelte sich um das Rezept der Sachertorte. Und damit bin ich beim Tafelspitz.

Der verblüffte Leser wird die Zusammenhänge alsbald durchschauen. Sie sind teils allgemein kulinarischer, teils persönlich vorbeugender Art. Denn gerade mir, der ich das Loblied des Zuckerbäckers Demel schon wiederholt gesungen habe, scheint es dringend geboten, endlich einmal den Tafelspitz von Sacher zu lobpreisen. Derselbe stellt sowohl im Zuschnitt wie in der Zubereitung, sowohl mit Apfelkren wie mit kalter Schnittlauchsauce einen absoluten Gipfel der Kochkunst dar. Er ist köstlicher als alles, was einstmals bei Meißel & Schadn unter »Rindfleisch« auf der Speisekarte stand. Und das war, man erinnert sich, nicht wenig.

Erinnert man sich? Das Restaurant dieses altehrwürdigen Hotels – Meißel mit e, Schadn, wohl um häßlichen Assoziationen vorzubeugen, ohne ein solches – galt jahrzehntelang als Hochburg der Rindfleischesser. Im Zweiten Weltkrieg wurde es durch Fliegerbomben zerstört. Im Ersten (genauer: im September 1916) fiel dort der k.k. Ministerpräsident Graf Stürgkh, während er gerade sein Rindfleisch aß, einem Attentat zum Opfer. Der Attentäter wurde zu lebenslänglichem Kerker verurteilt und 1918 durch einen Gnadenakt Kaiser Karls I. in

Freiheit gesetzt. Er hieß Friedrich Adler, war der Sohn des Gründers der österreichischen Sozialdemokratie, Victor Adler, und ist erst vor wenigen Jahren in der Schweiz gestorben. Solche Erinnerungen stellen sich ein, wenn man an das Rindfleisch bei Meißel & Schadn denkt. Aus ihnen ergibt sich die sogenannte »Tradition«, die man in Wien gewissermaßen als Beilage serviert bekommt. Es ließe sich denken, daß der Kellner, nachdem er das Fleisch vorgelegt und die gerösteten Erdäpfel, sorgfältig vom Spinat getrennt, danebengeschichtet hat, sich fragend an den Gast wendet: »Auch ein bisserl historische Reminiszenzen gefällig, der Herr?«

Indessen gehört zu diesen historischen Reminiszenzen auch schon die Zeit, da sich auf den Wiener Speisekarten – auf allen, nicht bloß auf denen der Nobelrestaurants – eine eigene Abteilung mit dem Titel »Rindfleisch« befand, die zwischen den »Fertigen Speisen« und den »Speisen auf Bestellung« ein gleichberechtigtes und umfangreiches Dasein führte. Da gab es den »Tafelspitz« und das »Beinfleisch« und das »Hieferschwanzel«, das entweder »geteilt« oder »ungeteilt« bestellt werden konnte. Da gab es das »warm garnierte« und das »kalt garnierte« Rindfleisch, das sich auf eine genauere Definition nicht festlegte und sie der Absprache zwischen Gast und Kellner überließ. Da gab es das »weiße Scherzel« und das »schwarze Scherzel« und das »Schulterscherzel«, da gab es den »Kruspelspitz« und den »Kavaliersspitz«, der jedoch nicht, wie man vermuten könnte, der vornehmste unter den »Spitzen« war, der Spitzenspitz sozusagen, sondern das besonders zarte Oberteil des Scherzels und als solches auf eine so kleine Partie beschränkt, daß sich höchstens vier oder fünf servierfähige Portionen aus ihm herausholen ließen, weshalb er auf vielen Speisekarten gar nicht erst erschien. Auf der Karte des »Grand Hotel« – eines gleichfalls entschwundenen Rind-fleischparadieses, wo heute die schmackhafte Atomenergie-Behörde haust – wurde der Kavaliersspitz zwar mitgedruckt, aber ohne Preisangabe und schon durchgestrichen, weil die wenigen Portionen immer für Stammgäste reserviert waren; man wollte nur demonstrieren, daß man ihn führte.

Die übrigen Spezialbezeichnungen, die dem Rindfleisch-kenner geläufig sein mögen – wie das »Hüfel«, der »Zapfen«, die »Kugel« oder das »Meisel« (das sowohl »mager« als auch »fett« vorkommt, aber in keinem Fall mit dem Meißel vom gleichnamigen Schadn verwechselt werden darf) – sind No-menklaturen des Fleischhauer- und nicht des Gastwirtgewer-bes. Was beispielsweise als »Schale« eingekauft wird, kommt als »Scherzel« auf den Tisch, und die etwaige Bestellung eines Gastes: »Bringen Sie mir ein schönes Vorderes, knochenfrei!« brächte den Kellner in die größte Verlegenheit. Der Fleisch-hauer hingegen wüßte den Wunsch einer Kundschaft nach einem schönen Hieferschwanzel sehr wohl zu erfüllen; freilich wüßte er das nicht als Hauer, sondern als Esser.

Es würde zu weit führen, alle hier möglichen Kombi-nationen und Komplikationen zu erörtern. Genug daran, daß man noch bis 1938 in den Wiener Restaurants unter sechs bis sieben nicht nur verschieden bezeichneten, sondern durch-aus verschieden gearteten Rindfleisch-Spezialitäten wählen konnte, und daß so Gast wie Kellner um diese verschiedene Artung sehr wohl Bescheid wußten. Es geschah bei Meißel & Schadn, daß sich einmal ein Stammgast nach eingehender Beratung mit seinem Stammkellner für einen Tafelspitz mit Butterkartoffeln, Fisolen und Dillensauce entschieden hatte, und daß der Kellner, während er die Augenweide aus Schüs-seln und Tabletten und Terrinen auf dem Serviertischchen aufbaute, entschuldigend das Ohr des Erwartungsfrohen suchte: »Bedaure vielmals, Tafelspitz war leider schon aus. Hab mir erlaubt, ein Bröselfleisch vom schwarzen Scherzel zu bringen. Sehr schön, sehr mürb, sehr gut abgelegen.« Und es geschah weiter, daß der Gast daraufhin einen glasigen Blick durch den Kellner hindurchgehen ließ, sich sonder Hast erhob und mit dem beißenden Tadel: »Da hätten S' mir ja gleich ein Naturschnitzel bringen können!« das Lokal verließ, verfolgt von den respektvollen Blicken des stumm sich neigenden Kellners.

Wer je in einem halbwegs brauchbaren Wiener Kochbuch die schematische Darstellung »Das Rind« studiert hat, der weiß, daß Tafelspitz und schwarzes Scherzel maximal zehn Zentimeter auseinanderliegen. Und das ist für ein Rind wirklich keine Entfernung.

Nach alledem wird man verstehen, daß ich das Haus Sacher in keinen höheren Tönen lobpreisen kann als durch den Vergleich mit Meißel & Schadn, und daß ich jederzeit zu einer eidesstattlichen Erklärung über die Qualität des Sacherschen Tafelspitzes bereit bin.

Was hingegen die Sachertorte betrifft, so beharre ich auf meiner schon vor dem Gericht – oder, um gastronomischen Doppeldeutigkeiten vorzubeugen: vor dem Gerichtshof – gemachten Aussage, daß die Original-Sachertorte zu Anna Sachers Lebzeiten in der Mitte *nicht* durchgeschnitten und *nicht* mit Marmelade gefüllt war; daß lediglich unter der Schokoladeglasur, um sie der Tortenmasse haltbar zu verschwistern, eine dünne Marmeladenschicht angebracht wurde; und daß die Torte in dieser originalen Form heute nicht von dem in andere Hände übergegangenen Hotel Sacher, sondern von der Konditorei Demel hergestellt wird, die das Rezept in den

Dreißigerjahren von Eduard Sacher, dem letzten männlichen Sproß des Hauses, erworben hat.

Mit dieser Aussage bin ich im Lager der Verlierer. Denn das Oberlandesgericht hat jetzt als II. Instanz den seit vielen Jahren anhängigen Rechtsstreit zugunsten des Hotels entschieden und ihm das alleinige Recht zuerkannt, die Bezeichnung »Original-Sachertorte« und das schokoladene Rundsiegel zu verwenden, indessen Demel seine Sachertorte nur mit einem dreieckigen Siegel versehen und sie nur so bezeichnen darf, wie sie auf Grund eines längst zum Allgemeingut gewordenen Rezeptes von jedem Kochbuch bezeichnet wird, nämlich als »Sachertorte«.

Der harte Schlag des zweitinstanzlichen Urteils verliert allerdings an Härte und Eindeutigkeit, wenn man die Urteilsbegründung näher betrachtet. Sie greift bis ins vorige Jahrhundert zurück – nicht ganz so weit, wie sie eigentlich müßte, nicht bis zu jenen frühen Tagen, da der Kocheleve Franz Sacher die Torte erstmals auf die Tafel des Fürsten Metternich brachte, aber doch bis zu den Anfängen der legendenumwobenen Glanzzeit des Hauses unter dem Regime Anna Sachers (1892–1930). Während der ersten und offenkundig längeren Phase dieser Glanzzeit wurde die Sachertorte weder durchgeschnitten noch mit Marmelade gefüllt. Der Wandel erfolgte – wie die Urteilsbegründung ausdrücklich und mit einer dem geschichtlichen Tatbestand angemessenen Würde feststellt – »im zweiten Jahrzehnt des 20. Jahrhunderts«. Und damit ist, wofern »original« soviel bedeutet wie »ursprünglich« (was es ursprünglich zweifellos tut), doch wohl erwiesen, daß die Original-Sachertorte heute von Demel hergestellt wird. Das heißt: es *wäre* erwiesen, wenn Sprache und Logik zum Erweis genügten, wenn nicht auch die andre, die marmeladengefüllte

Sachertorte den vertrackten Anspruch besäße, ein originales Sacher-Erzeugnis zu sein.

Wie sie das wurde, wird ewig ungeklärt bleiben. Vielleicht geschah es wirklich erst gegen Ende jenes dehnbaren »zweiten Jahrzehnts«, 1919 wohl gar, zu einer Zeit des allgemeinen Sitten- und sonstigen Verfalls, von dem ja nicht nur das Haus Sacher betroffen wurde, sondern auch das wesentlich länger am hiesigen Platz etablierte Haus Habsburg. Vielleicht hat die alte Frau Sacher sich damals nicht mehr um diese Dinge gekümmert, und niemand andrer war da, den Verfallserscheinungen zu wehren und mit drohend erhobenem Kochlöffel ein »Principiis obsta!« zu donnern, als der Chef-Mehlspeiskoch eines Tages beim Abschmecken der Tortenmasse das Gesicht verzog, sich mit den Worten: »Heut is's aber bisserl trocken ausg'fallen!« an seinen Assistenten wandte und in einer plötzlichen Eingebung hinzufügte: »Wissen S' was? Schneiden S' es in der Mitte auf und geben S' eine Lage Marmelad' dazwischen!« Möglich wär's. Die Geschichte kennt Beispiele umwälzender Neuerungen, die auf ähnliche Art zustande kamen.

Jedenfalls muß sich die verwirrte Nachwelt damit abfinden, daß es zwei Original-Sachertorten gibt, eine ursprüngliche und eine spätere, eine aus dem 19. Jahrhundert und eine aus dem zweiten Jahrzehnt des 20., und daß – was bei Originalen nicht just die Regel ist – das spätere den Vorrang vor dem früheren hat, ja die Original-Existenz des früheren geradezu auslöscht.

Dies aber war es eigentlich, wogegen die Konditorei Demel zu Felde zog und, wie es heißt, noch weiter zu Felde ziehen wird, bis zum Obersten Gerichtshof. Ihr geht es, so dünkt mich, nicht um Wollust noch Gewinnst, sondern um eine historische Wahrheit, die mit der kulinarischen identisch ist. Denn die Konditorei Demel – das kann nicht nachdrücklich genug hervorgehoben werden – kämpft ja gar nicht darum, ihre Sachertorte als »original« zu bezeichnen. Sie wünscht nur, daß diese Bezeichnung auch der Sacherschen Sachertorte vorenthalten bleibe. Sie kämpft dagegen, daß von zwei Originalen gerade das spätergeborene als das einzige gelten soll. Sie will das Recht der Erstgeburt nicht um eine Marmeladenschicht verkauft sehen. Es ist ein klassischer Fall von l'art pour l'art, von marmelade pour marmelade. Es ist – und damit wird der scheinbare Anachronismus im höchsten Grade zeitgemäß – eine ideologische Auseinandersetzung. Geschäftlich ist weder die Firma Demel auf den Verkauf der Sachertorte noch die Firma Sacher auf die Verwendung des »Original«-Etiketts angewiesen. Die überwiegende, meist aus dem Ausland kommende Menge derer, die auf den Genuß von Sachertorte erpicht sind, halten die von Sacher erzeugte sowieso für das Original und suchen bei Demel sowieso etwas andres als Sachertorten.

Solange es bei Sacher noch den unvergleichlichen Tafelspitz gibt und bei Demel noch die unvergleichliche Crème du Jour, solange Sacher noch der Demel unter den Restaurants ist und Demel noch der Sacher unter den Konditoreien, solange wir froh sein dürfen, daß wir zwei solche Kerle haben, sollten sie einander nicht ein Etikett streitig machen, das entweder beiden gebührt oder keinem. Möge ihnen dieser Appell zu Herzen gehen. Er kommt aus denkbar objektivster Quelle. Er kommt von einem, dem die Sachertorte in beiderlei Gestalt, mit Marmelade wie auch ohne sie, überhaupt nicht schmeckt.

TRAKTAT ÜBER DAS WIENER KAFFEEHAUS (1959)

Wien ist die Stadt der funktionierenden Legenden. Böswillige behaupten, daß die Legenden überhaupt das einzige seien, was in Wien funktioniert, aber das geht entschieden zu weit. Wer sich an das depravierte, schlaff dahinvegetierende Wien der Zwischenkriegszeit erinnert oder an das von Bomben- und Besetzungsschäden durchfurchte Wien nach 1945, wird auf den ersten Blick feststellen können, zu welchem Vorteil es sich verändert hat und wie neuartig, wie real, wie legendenfern und legendenfremd diese Veränderungen sind. Ob es sich nun um die Bewältigung großstädtischer Verkehrsprobleme handelt, um die weiträumigen Untergrundpassagen an den überlasteten Straßenkreuzungen, um Rolltreppen und Wohnbauten, um Stadion und Höhenstraße, um die moderne Ausgestaltung der öffentlichen Gartenanlagen – ach, es ist viel geleistet worden, und auf den Plakaten einer Wanderausstellung über das heutige Wien, die vor kurzem durch etliche Städte der Bundesrepublik zog, prangte in großen Lettern der Slogan »Wien – die Stadt der Arbeit«, ohne daß ringsumher das schallendste Gelächter ausgebrochen wäre.

Indessen sind Siedlungshäuser und soziales Grün und neuzeitliche Verkehrsregelungen, wie verdienstlich sie auch sein mögen, keineswegs typisch für Wien. Das gibt's auch anderswo, und häufig gibt es anderswo nichts als das. Typisch für Wien, und nur für Wien, ist nach wie vor, daß die Legenden funktionieren. Und das werden sie tun, solange es Wirklichkeiten gibt, die sich nach ihnen richten. In Wien nämlich verhält sich's nicht so, daß die Realität eines Tatbestands allmählich verblaßt und legendär wird. In Wien entwickelt sich die Legende zur Wirklichkeit. Als die Wiener einander beim Heurigen lang genug vorgesungen hatten, wie gemütlich sie seien, konnten sie sich nicht mehr Lügen strafen und wurden gemütlich. Als Arthur Schnitzler in seinen Theaterstücken den Typ des »süßen Mädels« schuf, entstand das süße Mädel. Auch daß Wien je nachdem die Stadt der Lieder, eine sterbende Märchenstadt oder stets die Stadt meiner Träume sein soll, wurde erst durch die entsprechenden Texte stipuliert, und die Befürchtung drängt sich auf, daß im Prater die Bäume nicht blühen könnten, wenn sie vorher nicht die gesungene Bewilligung erteilt bekommen hätten. (Bei genauerem Zusehen wird man allerdings von einer schönen Konzessionsbereitschaft des Textdichters beruhigt: »Im Prater blühn *wieder* die Bäume«, sagt er ganz ausdrücklich und überläßt damit der Natur doch ein gewisses Prioritätsrecht.)

Wie immer dem sei: von den Lipizzanern der Spanischen Hofreitschule bis zu Burg und Oper, vom Restaurant Sacher bis zur Konditorei Demel ist es die Wirklichkeit, die der Legende nachkommt, ja geradezu nacheifert, sind es die funktionierenden Legenden, die das Charakterbild Wiens entscheidend mitbestimmen.

Die weitaus komplizierteste dieser Legenden ist das Wiener Kaffeehaus.

Versuchen wir, uns der Komplikation auf geradem Wege zu nähern. Bilden wir einen reinen, einfachen Aussagesatz:

»Ein Gast sitzt im Kaffeehaus und trinkt Kaffee.«

Man sollte meinen, daß dieser Satz an Klarheit nichts zu wünschen überläßt. In Wahrheit läßt er alles zu wünschen übrig. Er sagt zwar etwas aus, aber er besagt nichts. Kein einziger

Begriff, mit denen er operiert, ist eindeutig. Vielmehr stellt sich sofort eine Reihe weiterer Fragen, von denen wir hier nur die drei wichtigsten anführen wollen:

1. Wer ist der Gast?
2. In welcher Art von Kaffeehaus sitzt er?
3. Was ist es für ein Kaffee, den er trinkt?

Die letzte Frage läßt sich am leichtesten – und für den Laien am leichtesten verständlich – beantworten. Auch dem Laien wird es einleuchten, daß man etwa in London nicht zur Cunard Line gehen und auf die Frage, was man wünsche, nicht einfach antworten kann: »Ein Schiff.« Ebensowenig kann man in ein Wiener Kaffeehaus gehen und einfach »einen Kaffee« bestellen. Man muß sich da schon etwas genauer ausdrücken. Denn die Anzahl der Gattungen, Zubereitungsarten, Farben und Quantitäten, unter denen es zu wählen gibt, hat keine Grenzen oder hat sie erst in nebelhafter Ferne, und wer da nicht irregehen will, wird gut tun, sich wenigstens ein paar Grundbegriffe einzuprägen. Sonst könnte er versucht sein, die Bestellung »Nußbraun«, die der Kellner soeben in lässiger Verkürzung an die Küche weitergegeben hat, lediglich für die Farbangabe des bestellten Kaffees zu halten, indessen sie sich doch in erster Linie auf das Größenmaß der Schale bezieht, in der er serviert wird; sie würde vollständig nicht etwa »eine Schale nußbraun«, sondern »eine Nußschale braun« zu lauten haben. »Nußschale« bezeichnet in sinnvoll-poetischer Chiffre das kleinste der drei gebräuchlichen Größenmaße. Das mittlere heißt »Piccolo« und darf nicht mit dem gleichnamigen Zuträgerlehrling verwechselt werden, der in der Kellnerhierarchie den untersten Rang innehat und sozusagen die Nußschale unter den Kellnern ist. Als oberstes Größenmaß gilt die »Teeschale«, die, wenn sie tatsächlich Tee enthält, nicht

»Teeschale« heißt, sondern »eine Schale Tee« (unter »Tasse«
versteht man in Wien die Untertasse).

Was die Zubereitungsarten betrifft, so muß man heute den
»normalen« Kaffee oft schon eigens verlangen, sonst bekommt
man automatisch einen nach der Espresso-Methode herge-
stellten. In vielen Lokalen gibt es gar keinen andern mehr,
zumal in den kleineren, die sich zwei verschiedene Maschinen
nicht leisten können und die rentablere Espresso-Maschine
vorziehen. Der Espresso kann »kurz« oder »gestreckt« zube-
reitet werden, je nach der Menge des verwendeten Wassers.
Als »Kurzer« verdrängt er allmählich den einst seiner Stärke
wegen geschätzten »Türkischen«, der in der Kupferkanne ge-
kocht und serviert wird. Der in Frankreich beheimatete »Café
filtre« hat sich in Österreich niemals durchgesetzt. Und daß
in den als »Espresso« bezeichneten Lokalen kein »normal« ge-
kochter Kaffee ausgeschenkt wird, versteht sich von selbst.

Es war aber dieser »normale«, auf »Wiener« oder »Karls-
bader« Art zubereitete Kaffee, der den Ruhm des Wiener
Kaffeehauses begründet hat und die Vielfalt der möglichen
Bestellungen bis heute gewährleistet, dem wir die »Melan-
ge« verdanken und den »Kapuziner«, den »Braunen« und die
»Schale Gold« – Bezeichnungen, deren manche bereits offen-
baren, in welchem Verhältnis Kaffee und Milch gemischt sind:
bei der »Melange« zu ungefähr gleichen Teilen, bei der »Schale
Gold« mit einem deutlichen Übergewicht der Milch, beim
»Braunen« mit einem ebenso deutlichen Übergewicht des
Kaffees, beim »Kapuziner« mit einem noch deutlicheren. Die
Kenntnis dieser Kombinationen ist für eine halbwegs fach-
männische Bestellung unbedingt erforderlich. Hinzu kommen der keiner Erklärung bedürftige »Schwarze« oder »Mokka«, der »Einspänner« (ein Schwarzer im Glas mit sehr viel

Schlagobers), der »Mazagran« (ein durch Eiswürfel gekühlter, mit Rum versetzter Mokka) und eine schier unübersehbare Menge von Variationen der oben angeführten Grundfarben, je nach Neigung und Sekkatur des Gastes, und gewöhnlich durch ein an die Bestellung angehängtes »mehr licht« oder »mehr dunkel« angedeutet. Ein Perfektionist unter den einstigen Kellnern des Café Herrenhof trug ständig eine Lackierer-Farbskala mit zwanzig numerierten Schattierungen von Braun bei sich und hatte den erfolgreichen Ehrgeiz, seinen Stammgästen den Kaffee genau in der gewünschten Farbtönung zu servieren. Bestellungen und Beschwerden erfolgten dann nur noch unter Angabe der Nummer: »Bitte einen Vierzehner mit Schlag!« oder »Hermann, was soll das? Ich habe einen Achter bestellt, und Sie bringen mir einen Zwölfer!« Aber das waren Mätzchen, die über ihren engern Ursprungsbezirk nicht hinauskamen und keine Allgemeingültigkeit beanspruchten, so wenig wie der »Sperbertürke«, ein doppelt starker, mit Würfelzucker aufgekochter »Türkischer«, den der Wiener Rechtsanwalt Hugo Sperber, im Café Herrenhof, vor anstrengenden Verhandlungen einzunehmen liebte; oder der »überstürzte Neumann«, die Erfindung eines andern, Neumann geheißenen Stammgastes, die darin bestand, daß das Schlagobers nicht auf den bereits fertigen Kaffee, sondern auf den Boden der noch leeren Schale gelagert und sodann mit heißem Kaffee »überstürzt« wurde.

Die Kenntnis all dieser Nuancen und Finessen darf jedoch vom durchschnittlichen Kaffeehausbesucher schon deshalb nicht verlangt werden, weil auch der durchschnittliche Kaffeehauskellner heute nur über äußerst mangelhafte Kenntnisse verfügt und selbst im Allgemeingültigen nicht immer Bescheid weiß. Wie es denn überhaupt Zeit zu der Feststellung ist, daß vieles vom bisher Gesagten sich auf unwiederbringlich Vergangenes bezieht und daß im Wiener Kaffeehausleben sehr erhebliche, ja fundamentale Veränderungen vor sich gegangen sind.

Damit haben wir die verschiedenen Arten von Kaffee, die ein Gast in einem Wiener Kaffeehaus trinken kann (oder konnte), hinter uns gelassen und kommen zu unserer zweiten Frage, zur Frage nach den verschiedenen Arten von Kaffeehaus, die es gibt – und die es nicht mehr gibt. Weil aber zwischen Kaffeehaustypen und Gästetypen ein unlöslicher Kausalnexus besteht, weil sie einander formen und bedingen, wird in diesem Zusammenhang auch die Frage nach dem Gast zu beantworten sein, der im Wiener Kaffeehaus sitzt – und nicht mehr sitzt.

Es wäre ein aussichtsloses Unterfangen, das vielschichtige Phänomen »Kaffeehaus« auf einen Nenner bringen zu wollen. Seine Typen liegen zu weit auseinander. Jenes »kleine Café in Hernals«, von dem ein populäres Lied der Dreißigerjahre zu singen und zu sagen wußte, daß dort »ein Grammophon mit leisem Ton an English Valse« spielt, hat so gut wie nichts mit dem als »Literatencafé« bekannten Typ gemeinsam; das gleißnerisch verchromte, meist an ein vornehmes Hotel angeschlossene Kaffeehaus der City so gut wie nichts mit dem kleinen, in einer engen Nebengasse gelegenen »Beisl«, das den Schweizern in der Gasthausform »Beitz« bekannt ist.[*] Periphere Erscheinungen wie die »Café-Konditorei« oder die »Jausenstation« draußen im Grünen können hier außer Betracht bleiben.

---

[*] Die schweizerische »Beitz« wurzelt ebenso wie das wienerische »Beisel« im hebräischen »Bajis« = Haus.

Anders und verwirrender verhält es sich mit dem »Café-Restaurant«, das um 1925 aufkam und lange vor dem »Espresso« die eigentliche, radikale Erschütterung der klassischen Kaffeehausatmosphäre mit sich brachte. Bis dahin hatte man – außer den zahllosen Arten von Weißgebäck und sonstigen Bäckereien (denen ein eigenes Kapitel zu widmen wäre) – im Kaffeehaus nichts »Richtiges« zu essen bekommen. Es gab belegte Brote und, wenn es unbedingt etwas Warmes sein mußte, ein Paar Würstel oder eine Eierspeise: Notlösungen, als solche gemeint und beabsichtigt. Denn ins Kaffeehaus kam man ja nicht *zum,* sondern *nach* dem Essen, nicht um der fleischlichen, sondern um der geistigen Nahrung willen. Der Einbruch von Küche und Keller in den Kaffeehausbetrieb, das Auftauchen umfangreicher Speisen- und Getränkekarten mit regulären »Menüs« war mehr als ein bloß formaler Bruch mit jahrhundertealten Traditionen. Es war die erste, verhängnisvolle Konzession an die veränderten Zeitläufte, ein Zurückweichen vor ihren materialistischen Tendenzen, ein resigniertes Eingeständnis, daß immer weniger Menschen bereit waren, für Colloquium und Convivium auch nur eine warme Mahlzeit zu opfern (oder diese Mahlzeit anderswo einzunehmen). Der Dienst am Kunden obsiegte über den Dienst am Geist.

Aber wie das in Wien schon geht, und wie es späterhin auch dem »Espresso« ergehen sollte: der Sieg wurde nicht ausgenützt, sondern nützte sich ab, versandete, verschlampte und blieb in jener Halbschlächtigkeit stecken, aus der noch stets die einzige Entscheidung erwachsen ist, die der Österreicher mühelos zu treffen vermag: keine Entscheidung zu treffen. In gewisser Hinsicht war es sogar ein Pyrrhussieg. Denn das große Kaffeehaussterben, das nach dem Zweiten Weltkrieg einsetzte, betraf hauptsächlich die Café-Restaurants und ging ohne Zweifel auch darauf zurück, daß für diese Mischform keine rechte Notwendigkeit mehr bestand. Im Gasthaus, wo man ohnedies besser und billiger essen konnte, gab es seit Einführung der Espresso-Maschinen auch sehr guten Kaffee (was früher nicht immer der Fall gewesen war), und wem es darauf ankam, Zeitungen zu lesen oder mit Freunden beisammen zu sitzen, der hielt es lieber mit den »echten« Kaffeehäusern, die nach wie vor bestanden.

Und nach wie vor bestehen. Es kann gar nicht genug unterstrichen werden, daß sie es sind, die den Begriff des »Wiener Kaffeehauses« verkörpern, sie und nicht das Literatencafé, das man besonders im Ausland gerne mit dem Wiener Kaffeehaus identifiziert – verständlicherweise, denn es waren notwendig Literaten, die über das Kaffeehaus schrieben, und sie stützten sich dabei notwendig auf die Wahrnehmungen, die sie in »ihrem« Kaffeehaus, also in einem Literatencafé gemacht hatten. Das Literatencafé mag immerhin die ziselierteste Ausprägung des Kaffeehausbegriffs sein, aber es ist nicht repräsentativ für ihn, und es stellt nicht einmal in sich einen fest umrissenen Typus dar, der sich eindeutig definieren ließe. Eindeutig war, in neuerer Zeit, immer nur das jeweils »führende« Literatencafé festzustellen, das Café Griensteidl etwa, wo sich um 1890 die Vertreter des damaligen »Jung-Wien« – Schnitzler, Hofmannsthal, Beer-Hofmann, Hermann Bahr – zusammenfanden, und von dessen Abbruch Karl Kraus die Anregung zu seiner ersten, noch vor Gründung der »Fackel« erschienenen Streitschrift empfing (»Die demolirte Litteratur«, 1896). Es folgte – mit Karl Kraus, Peter Altenberg, Egon Friedell und Alfred Polgar als sozusagen »gründenden« Stammgästen – das Café Central, das seinen Rang bis zum Ende des Ersten Weltkriegs beibehielt und vom Café Herrenhof abgelöst wurde, dem letzten der großen Reihe, dessen Glanzbesetzung etwa durch die Namen Hermann Broch, Robert Musil, Franz Werfel und Joseph Roth gekennzeichnet ist, und das nach dem Zweiten Weltkrieg noch eine kurze, schon ein wenig asthmatische Renaissance erleben durfte, ehe es zum Mittagstisch für die Beamten der umliegenden Ministerien herabsank und 1960 endgültig seine Pforten schloß.

Dies also waren die führenden, die Literatencafés im engeren Sinn. Im weiteren Sinn entsprachen der gängigen Vorstellung, die sich mit dieser Bezeichnung verband, mehr oder weniger alle Kaffeehäuser, in denen eine gewisse Anzahl geistig und künstlerisch interessierter Menschen – das, was man heute »Intellektuelle« nennt – sich regelmäßig einfand. Solcher Kaffeehäuser gab es sehr, sehr viele, und solcher Kaffeehäuser gibt es heute nur noch sehr, sehr wenige.

Die Ursachen – politischer, soziologischer und technischer Art – liegen auf der Hand. Das Stammpublikum dieser Kaffeehäuser war, wie das geistig und künstlerisch interessierte Publikum insgesamt, zu großem Teil jüdisch. Vor 1938 lebte in Wien fast eine Viertelmillion Juden. Heute zählen sie knappe Zehntausend. Das ist das eine, und daran ist nicht zu rütteln. Es macht sich wahrlich auch auf anderen Gebieten des öffentlichen Lebens geltend, aber auf keinem so nachhaltig und mit so einschneidenden Folgen wie hier. Was nicht etwa besagen soll, daß es in Wien keine Literaten, keine Intellektuellen, keine geistig und künstlerisch interessierten Menschen mehr gäbe. Natürlich gibt es sie. Aber sie sind nicht nur in ihrer Anzahl empfindlich reduziert, sie sind es auch in ihren Möglichkeiten zum Kaffeehausbesuch. Sie sind – und damit kommt die Soziologie ins Spiel – beschäftigt. Sie haben zu tun. Sie sind nur noch potentielle Kaffeehaus-Stammgäste, keine praktischen mehr. Sie bringen alle Erfordernisse eines Stammgastes mit, nur sich selber nicht. Sie haben keine Zeit. Und Zeithaben ist die wichtigste, die unerläßliche Voraussetzung jeglicher Kaffeehauskultur (ja am Ende wohl jeglicher Kultur). Auch die Stammgäste der früheren Literatencafés waren beschäftigt: zum Teil eben damit, im Kaffeehaus zu sitzen, zum Teil mit Dingen, die sie im Kaffeehaus erledigen konnten und wollten. Dort schrieben und dichteten sie. Dort empfingen und beantworteten sie ihre Post. Dort wurden sie telephonisch angerufen, und wenn sie zufällig nicht da waren, nahm der Ober die Nachricht für sie entgegen. Dort trafen sie ihre Freunde und ihre Feinde, dort mußte man hingehen, wenn man mit ihnen sprechen wollte, dort lasen sie ihre Zeitungen, dort diskutierten sie, dort lebten sie. (Kürschners Literaturkalender verzeichnete jahrelang als Peter Altenbergs Adresse: »Café Central, Wien I.«) In ihrer Wohnung schliefen sie nur. Ihr wirkliches Zuhause war das Kaffeehaus.

Warum ist es das nicht mehr? Auch für jene nicht, die konstitutionell dafür geeignet wären? Liegt es an ihnen, daß sie im Kaffeehaus nicht mehr arbeiten können? Liegt es am Kaffeehaus?

Es liegt an ihrer Arbeit. Es liegt an der Technik, die sich mit Politik und Soziologie zu unheimlichem Trifolium zusammengeschlossen hat. Es liegt an dem, daß die heutigen Dichter direkt in die Schreibmaschine dichten, und die kann man ins Kaffeehaus nicht mitnehmen; daß sie ihre Hörspiele der Sekretärin diktieren, die man ins Kaffeehaus gleichfalls nicht mitnehmen kann (oder nicht zum Diktieren); daß auch der Produktionsleiter der Fernseh-Dramaturgie, der Programmdirektor der Funkabteilung »Kulturelles Wort« nicht ins Kaffeehaus kommen können, sondern in ihren Studios und Büros aufgesucht werden wollen – mit Recht, denn sie haben ebensowenig Zeit wie ihre Autoren und bekommen dafür ebensoviel Geld. Und selbstverständlich haben sie alle sowohl zu Hause wie im Büro ein Telephon, so daß sie nicht darauf angewiesen sind, sich im Kaffeehaus kostenlos anrufen zu lassen oder die sechs Minuten Sprechdauer, die ihnen der einmalige Münzeinwurf zugesteht, für drei Gespräche auszunützen. Nicht nur ihr eigenes Telephon haben sie, die meisten von ihnen haben auch ihr eigenes Auto. Das sind Berufsbehelfe. Das ist längst kein Luxus mehr. Ein Luxus ist es, Zeit zu haben. Noch die armseligsten Insassen der alten Literaturcafés konnten sich diesen Luxus leisten. Sie waren arm und selig. Geld zu verdienen, galt ihnen beinahe als schimpflich. Zur Bezahlung der Zeche – wofern man sie nicht einfach schuldig blieb – waren die Mäzene da, die es gleichfalls nicht mehr gibt, und gäbe es sie, dann hätten sie gleichfalls keine Zeit. Die Insassen der heutigen Literaturcafés sind ihre eigenen Mäzene. Das Kaffeehaus ist nicht mehr das Um und Auf ihres Daseins, sondern bestenfalls das Drum und Dran. Es spielt keine Rolle mehr. Es ist ihnen gleichgültig, vielleicht sogar angenehm, aber nicht unentbehrlich. Sie können ins Kaffeehaus gehen, aber sie müssen nicht. Wenn sie hingehen, tun sie dem Kaffeehaus einen Gefallen, nicht sich. Es ist ihnen keine Lebensnotwendigkeit mehr, es ist nicht mehr der Humus, ohne den sie verdorren würden, ohne den sie nicht gedeihen könnten und nichts hervorbringen.

Denn die Produktivkraft des einstigen Literatencafés, im engern wie im weitern Sinn verstanden, war enorm. Im Kaffeehaus wurden literarische Schulen und Stile geboren und verworfen, vom Kaffeehaus nahmen neue Richtungen der Malerei, der Musik, der Architektur ihren Ausgang.

Überflüssig zu sagen, daß jedes dieser Kaffeehäuser seine eigene, unverwechselbare, eifersüchtig gehütete Note und Atmosphäre hatte. Ein Stammgast des »Central« oder des »Herrenhof« hätte sich im »Museum«, dem Kaffeehaus der Maler, so fremd und verlassen und ausgestoßen gefühlt wie ein Stammgast des Musikercafés »Parsifal« im Journalistencafé »Rebhuhn«. Heute eignen Reste von Unverwechselbarkeit allenfalls noch dem »Raimund« und dem »Hawelka«, zwei echten Kaffeehäusern, jenes zur Literatur, dieses zur bildenden Kunst tendierend. Aber die Grenzen verfließen. Man sieht im »Hawelka« auch Schriftsteller und Journalisten, im »Raimund« auch avantgardistische Malerbärte, und Schauspieler in beiden. Unverwischte und unverfälschte Atmosphäre ist eigentlich nur noch dort zu finden, wo sie nicht von den Gästen abhängt, wo eine Lokalität als solche ihren eigenen Stil entwickelt und aufrechterhalten hat: beim »Demel«, oder in der von Wiens rebellischem Architekten Adolf Loos 1907 erbauten und unter Denkmalschutz stehenden »Kärntner-Bar«, oder in einigen der kleinen, versteckten Heurigen. Und das sind keine Kaffeehäuser.

Dennoch verfügen sie über Wesenszüge, die sie mit dem echten Kaffeehaus inniger verbinden, als das echte mit dem unechten verbunden ist. Zu diesen Wesenszügen gehören Kontinuität, Regelmaß, Selbstbescheidung, gehört die Fähigkeit, Grenzen zu ziehen und sie nicht zu überschreiten. Genau diese Wesenszüge wird man in den echten Kaffeehäusern finden, die trotz den Kassandrarufen oberflächlicher Reisefeuilletonisten und klischeefreudiger Untergangsstimmungsmacher keineswegs aussterben, sondern sich lediglich in die ihnen gemäßen Grenzen – welche sie kennen – zurückgezogen haben. Zurück aus der City, die sich auch hier, dem internationalen Reisepublikum zu schnödem Gefallen, einer so trostlosen Nivellierung anheimgibt, daß man in wenigen Jahren nicht mehr wissen wird, ob das Lokal, in dem man gerade sitzt, zu Wien oder Kopenhagen oder Buenos Aires gehört. In solchem Weichbild hat das Wiener Kaffeehaus nichts zu suchen.

Aber gleich jenseits des Rings, wo's auf die Gürtellinie zugeht und wo Wien noch Wien ist, lebt auch das Wiener Kaffeehaus unverändert weiter, mit unverrückbaren Stammtischen und Stammgästen, jahrzehntelang vom selben Ober betreut, mit Tarock- und Schach- und Billardpartien wie eh und je, mit Zeitungen für viele Stunden und immer neu herangetragenen Gläsern voll frischen Wassers, mit Abgeschiedenheit oder Gesprächen, mit Stille oder Geselligkeit ganz nach Wunsch. Und wenn nicht alles trügt, hat von dort her sogar ein Rückstoß eingesetzt, schickt das Kaffeehaus sich an, sein in der City verlorenes Terrain wieder zu erobern und zu kultivieren. Als vor etwa einem Jahrzehnt die ersten »Espresso« geheißenen Lokale sich auftaten, gebärdeten sie sich als völlig neuer Typ, taten wenig für die Bequemlichkeit und alles für die Eile des hastigen Großstädters, hießen ihn seine Konsumation im Stehen oder bestenfalls auf Barhockern vertilgen, offerierten unter schaurig eisgekühltem Glas allerlei vertrockneten Imbiß und ließen sich's überhaupt angelegen sein, ihrer Bezeichnung in jeder Weise gerecht zu werden. Aber schon bald begann es dort minder expreß herzugehen. Verstohlen und erst nur im Hintergrund tauchten kleine Tische und Stühle auf, die sich immer kühner nach vorn schoben und an denen man wenig später ein rechtschaffen belegtes Brot, ein Paar Würstel oder eine Eierspeise serviert bekam, ganz wie im echten Kaffeehaus. Und als das Lokal sich entweder rückwärts oder ins darübergelegene Stockwerk ausdehnte, als wie zufällig die ersten Mittagsblätter auf den Tischen herumlagen und allmählich die Morgenblätter und die wichtigsten ausländischen Zeitungen hinzukamen: da konnte es keinen Zweifel mehr geben, wo die Entwicklung hinsteuerte.

Wenn es schon nicht der reine Geist war, der hier obsiegte – der Geist des Kaffeehauses war es ganz gewiß. Der schlampige, korrupte, unbezwingliche und unvergleichliche Geist des Wiener Kaffeehauses.

Requiem für einen Oberkellner (1958)

Der Oberkellner Franz Hnatek ist gestorben. Vierzig von den annähernd siebzig Jahren seines Lebens war er Oberkellner im Café Herrenhof, also von dessen (des Herrenhofs) Geburt bis zu seinem (Hnateks) Tod. Denn das Café Herrenhof, Wiens letztes Literatencafé, trat erst im Jahre 1918 ins Leben, ungefähr gleichzeitig mit der Republik Österreich. Und ähnlich wie die Republik das Erbe der Monarchie antrat, trat das Café Herrenhof das Erbe des ihm unmittelbar benachbarten Café Central an.

Das »Central« ist längst kein Kaffeehaus mehr, sondern birgt die Verkaufsräumlichkeiten einer höchst literaturfernen Im- und Exportfirma. Das »Herrenhof« ist immer noch ein Kaffeehaus. Es ist sogar – mit Nachsicht aller von der Geschichte eingehobenen Taxen – immer noch ein Literatencafé. Als solches wurde es von einem seiner tatkräftigeren Oberkellner namens Albert durch alle Wirrnisse des Naziregimes, des Krieges und der Russenbesetzung hindurchgesteuert. Der Oberkellner Albert ist heute (nicht mit Unrecht) Besitzer des Lokals und heißt Herr Kainz. Der Oberkellner Hnatek hieß schon als Oberkellner »Herr Hnatek«. Nicht »Herr Ober« und nicht »Hnatek« und schon gar nicht »Franz« (daß er überhaupt einen Vornamen hatte, entnahm man erst dem Partezettel), sondern »Herr Hnatek«. Es ging gar nicht anders. Er war wirklich ein Herr, war es in ungleich höherem Maße als mancher von denen, die er bediente. Wenn er mit soignierter Gebärde seine hochgewachsene Gestalt dem Wunsch des Gastes neigte, verfiel man unwillkürlich in ein respektvolles Flüstern, verbreitete sich allsogleich die vornehm-diskrete Atmosphäre jener englischen Clubs, in denen Herr Hnatek seine Ausbildung genossen hatte. Es ist mir nicht erinnerlich, daß irgend jemand je ein lautes Wort zu Herrn Hnatek gesprochen hätte. Wer die Clientèle eines Literatencafés kennt, wird ermessen, was diese Feststellung bedeutet.

Indessen ist hier weder die Geschichte des Wiener Kaffeehauses noch des Wiener Literatencafés zu schreiben, nicht einmal die Geschichte des Café Herrenhof, ja nicht einmal die mehr oder weniger mit ihr identische Geschichte des Herrn Hnatek. Nur um den etwa noch wissenden Zeitgenossen und ihren etwa noch wissensdurstigen Nachfahren vor Augen zu führen, welch unglaublich reiche Kulturepoche an Herrn Hnatek vorüberzog, sei hier festgehalten, daß sich unter den von ihm betreuten Gästen noch Hugo von Hofmannsthal und Franz Werfel befunden haben, Robert Musil und Hermann Broch, Alfred Polgar und Joseph Roth. Und wenn man jemandem erklären sollte, was das Wiener Literatencafé eigentlich war und wie ein Ober in einem Wiener Literatencafé beschaffen zu sein hatte, dann würde man ihm wohl am besten eine der vielen Anekdoten erzählen, in deren Mittelpunkt Herr Hnatek stand und steht und stehenbleiben wird.

Die folgende spielt zu einer Zeit, da Franz Werfel, schon weidlich arriviert und von den Fesseln der Berühmtheit an seinem geliebten Bohèmedasein weidlich behindert, nur noch in großen Abständen das Café Herrenhof aufsuchte. Und da geschah es einmal – ich war dabei, ich saß am untersten Ende des Tisches, ein junger, nachsichtig zugelassener Literaturlehrling –, da geschah es, daß Werfel, als es zum Zahlen kam, dem Herrn Hnatek wahrheitsgemäß einen Kapuziner ansagte, und

daß Herr Hnatek sich mit diskreter Mahnung zu ihm herab-
beugte: »Vom letzten Mal, Herr Werfel, hätten wir noch eine
Teeschale braun und ein Gebäck.« Werfel, der sich dieses beträchtlich zurückliegenden letzten Mals natürlich nicht ent-
sann und ebenso natürlich in Herrn Hnateks Angaben keinen
Zweifel setzte, entschuldigte sich hochrot vor Verlegenheit
(denn er war, wie schon gesagt, um diese Zeit bereits sehr
arriviert und über die Entwicklungsphase nicht beglichener
Zechen längst hinaus):

»Nein – aber sowas«, stotterte er. »Sie müssen verzeihen,
Herr Hnatek – ich weiß wirklich nicht, wie mir das passieren
konnte.«

Da neigte Herr Hnatek sich abermals zu ihm und flüsterte
begütigend: »Das war nämlich der Tag, an dem der Herr von
Hofmannsthal gestorben ist.«

Und an einem solchen Tag, wollte Herr Hnatek andeuten,
waren die Dichter so niedergeschlagen, daß man's ihnen nicht
übelnehmen konnte, wenn sie zu zahlen vergaßen …

Noch ein andrer Tag und eine andre Geschichte seien aus
Herrn Hnateks reichem Leben herausgegriffen. Die Geschichte wurde mir von einem untadelig verläßlichen Freund
berichtet, einem der wenigen Herrenhof-Insassen, die ich
nach meiner Rückkehr am gleichen Tisch wie ehedem und
auch ansonsten völlig unverändert vorgefunden habe. Der Tag
aber, um den es sich handelt, war der Tag, da die alliierten
Truppen in Frankreich landeten und da im Hinterland die
widerwilligen Ostmärker einander zuzwinkerten und zunick-
ten. Auch mein Freund und auch Herr Hnatek gehörten zu
ihnen, und beide wußten es voneinander. Und deshalb beugte
sich Herr Hnatek beim Zahlen ein wenig tiefer ans Ohr des
heimlichen Gefährten und fragte:

»Glauben Herr Redakteur, daß die anderen Herren jetzt bald kommen werden?«

Denn Herr Hnatek bezog die Weltgeschichte durchaus auf das Café Herrenhof und hatte für ihr Auf und Ab keinen andern Maßstab als das Fernbleiben oder Erscheinen seiner Stammgäste.

Viele, sehr viele sind nicht mehr in seine Obhut zurückgekehrt. Laßt uns um ihret- und um seinetwillen hoffen, daß es im Himmel ein Kaffeehaus gibt, in dem er sie wiedersieht.